"Há muitos pensadores e idealistas neste mundo de vaidades... Entretanto, como são frágeis os seus sonhos!"

Khalil Gibran

2

Khalil Gibran

OBRAS SELECIONADAS

SÃO PAULO, 2023

Khalil Gibran: obras selecionadas - livro 2
*Jesus the son of Man, The secrets of the heart,
Nymphs of the Valley* by Khalil Gibran
Copyright © 2023 by Novo Século Editora Ltda.

Editor: Luiz Vasconcelos
Produção editorial: Lucas Luan Durães
                            Fernanda Felix
Tradução: Afonso Teixeira
Revisão: Elisabete Franczak Branco
Projeto gráfico e diagramação: Mayra Freitas
Ilustração de capa: Luyse Costa

Texto de acordo com as normas do Novo Acordo Ortográfico da Língua Portuguesa (1990), em vigor desde 1º de janeiro de 2009.

Dados Internacionais de Catalogação na Publicação (CIP)
Angélica Ilacqua CRB-8/7057

Gibran, Khalil
  Obras selecionadas : livro 2 / Khalil Gibran ; tradução de Afonso Teixeira. -- Barueri, SP : Novo Século Editora, 2023.
  352 p.

ISBN 978-65-5561-536-4
Título original: Jesus the son of man, the secrets of the heart, the broken wings

1. Literatura libanesa 2. Religião I. Título II. Teixeira, Afonso

23-1127   CDD 892.7

Índice para catálogo sistemático:
1. Literatura libanesa

Alameda Araguaia, 2190 – Bloco A – 11º andar – Conjunto 1111
CEP 06455-000 – Alphaville Industrial, Barueri – SP – Brasil
Tel.: (11) 3699-7107 | Fax: (11) 3699-7323
www.gruponovoseculo.com.br | atendimento@gruponovoseculo.com.br

Jesus, o filho do homem

As palavras e os feitos de Jesus,
tal como contados e registrados
por aqueles que o conheceram

Tiago, filho de Zebedeu
O reino deste mundo

Era um dia de primavera quando Jesus chegou ao mercado de Jerusalém e falou à multidão sobre o Reino dos Céus.

Acusou os fariseus e escribas que colocavam embaraços e armadilhas no caminho dos que procuravam o Reino, censurando-os. Havia na multidão pessoas que defendiam os escribas e fariseus e conspiravam para prender Jesus, e nós com ele. Mas Jesus conseguiu enganá-los e escapou pelo portão norte da cidade.

E ele virou-se para nós e disse:

— Ainda não chegou a minha hora. Muitas são as coisas que tenho para vos falar, e muitas são as coisas que tenho de fazer antes de entregar o meu espírito.

Depois acrescentou, com a voz cheia de felicidade:

— Vamos para o norte, em direção ao Nascente. Vinde comigo para as montanhas, pois o inverno acabou e a neve do Líbano cai sobre os vales; vinde para cantarmos com os riachos. As planícies e as vinhas afastaram o sono, e acordaram para saudar o Sol com figos e uvas frescas.

Ele caminhou sempre à nossa frente durante todo esse dia e no dia seguinte. Na noite do terceiro dia, tínhamos escalado o cume do Monte Hermom. E, ali, ele parou para olhar as aldeias espalhadas pela planície. Seu rosto iluminou-se e, naquele momento, parecia ouro polido. Estendeu-nos as mãos e disse:

— Vede como a terra se veste de verde, e como os riachos lhe cosem a orla com fios de prata. A terra é verdadeiramente bela, e tudo o que é e existe acima dela é encantador; mas, além de tudo o que vedes, há um Reino, e, lá, eu reinarei. Se quiserdes, ireis comigo para esse Reino, para governar ao meu lado. Meu rosto e os vossos não serão velados; a nossa mão não segurará nem espada nem cetro, e os nossos súditos amar-nos-ão em paz e não nos temerão.

Assim falou Jesus, mas eu estava cego e não podia ver o reino dessa terra, nem as grandiosas muralhas e torres de suas cidades, e tomou-me o coração um desejo de seguir o Mestre até o seu reino.

Então, precisamente naquele momento, Judas Iscariotes deu um passo à frente. E, caminhando até Jesus, falou:

— Os reinos do mundo são vastos e as cidades de Davi e Salomão prevalecerão contra os romanos. Se fores o rei dos judeus, estaremos ao teu lado com espada e escudo e venceremos o estrangeiro.

Mas, quando Jesus ouviu aquilo, voltou-se para Judas, com o rosto cheio de ira. E ele falou com uma voz terrível como o trovão do céu, dizendo:

— Arreda, Satanás. Pensas que desci do alto dos séculos para governar uma colina de formigas durante um dia que fosse? O meu trono é um trono além da tua visão. Aquele cujas asas rodeiam a terra deveria procurar abrigo num ninho vazio e arruinado? Deverão os vivos ser honrados e exaltados por aquele que carrega as mortalhas? Meu reino não é deste mundo, e o meu assento não está edificado sobre os crânios dos vossos antepassados.

"Se procurais outra coisa que não o reino do espírito, melhor seria que me abandonásseis aqui e descêsseis às covas dos vossos mortos, onde as cabeças coroadas de outrora mantêm a corte nos seus túmulos e podem ainda honrar a ossada de seus antepassados.

"Atrevei-vos a tentar-me com um trono de lixo, quando a minha cabeça procura a coroa dos astros, em vez dos vossos espinhos?

"Se não fosse pelo sonho de uma raça esquecida, eu não permitiria que o vosso sol se levantasse sobre a minha paciência, nem que a vossa lua projetasse a minha sombra no vosso caminho.

"Se não fosse pelo desejo de uma mãe, eu me teria despojado destes trapos e retornado para o infinito.

"E se não fosse pela tristeza de todos vós, eu não teria ficado aqui para chorar.

"Quem és tu e o que desejas, Judas Iscariotes? E por que me tentas?

"Pesaste-me numa balança e me consideraste digno para liderar um exército de pigmeus e conduzir uma frota de deformados contra um inimigo que só vive no teu ódio e não marcha em lugar algum, a não ser no teu medo?

"São muitos os vermes que rastejam a meus pés, e eu não lhes darei batalha. Estou cansado da brincadeira, e cansado de ter piedade dos que rastejam e me consideram covarde por não pretender mover-me entre as suas muralhas e as suas torres.

"É uma pena que eu tenha de ter piedade até o fim dos dias. Oxalá eu pudesse voltar os meus passos para um mundo maior, onde habitam homens maiores. Mas como fazê-lo?

"Vosso sacerdote e vosso imperador querem meu sangue. Antes que eu deixe este mundo, eles se saciarão. Não mudarei o curso da lei e não pretendo governar a loucura.

"Que a ignorância se reproduza até cansar-se da própria prole.

"Que os cegos conduzam os cegos até o fosso.

"E que os mortos enterrem os mortos até que a terra seja sufocada pela agrura do próprio fruto.

"O meu reino não é da terra. O meu reino será onde dois ou três de vós se encontrarem com amor e admiração pela beleza da vida, de bom ânimo e com lembrança de mim."

Então, de repente, ele voltou-se para Judas, e disse:

— Põe-te atrás de mim, homem. Os teus reinos jamais estarão no reino meu.

Então, já vinha o crepúsculo, e ele virou-se para nós e propôs:

— Desçamos! A noite cai sobre nós. Caminhemos na luz enquanto a luz ainda está conosco.

Então ele desceu dos montes e nós o seguimos. Mas Judas o seguia de longe.

Quando chegamos ao vale, já era noite.

Tomé, o filho de Diófanes, disse-lhe:

— Mestre, escureceu, e já não podemos ver o caminho. Se for da tua vontade, podemos ir até as luzes daquela aldeia, onde talvez encontremos carne e abrigo.

E Jesus respondeu a Tomé:

— Eu vos levei às alturas quando tínheis fome, e vos trouxe para as planícies com uma fome maior. Mas não posso ficar convosco esta noite. Eu ficarei sozinho.

Então Simão Pedro adiantou-se e disse:

— Mestre, não nos deixes sozinhos na escuridão. Deixa-nos ficar contigo aqui neste caminho estreito. A noite e as sombras da noite não durarão se estiveres conosco, e a manhã em breve nos encontrará.

E Jesus respondeu:

— Esta noite as raposas estarão nos covis, e as aves nos ninhos, mas o Filho do Homem não terá onde descansar a cabeça. Em verdade, é meu desejo estar sozinho esta noite. Se desejais, encontrar-me-eis de novo junto ao lago onde antes vos encontrei.

Então, afastamo-nos dele com um peso no coração, pois deixá-lo não era a nossa vontade.

Muitas vezes, no caminho, parávamos e olhávamos para ele, e o víamos majestosamente solitário movendo-se para o Ocidente. O único entre nós que não se virou para o contemplar naquela solidão foi Judas Iscariotes.

A partir daquele dia, Judas tornou-se amuado e distante. E me pareceu que seus olhos escondiam uma ameaça.

Ana, mãe de Maria
O nascimento de Jesus

Jesus, filho de minha filha, nasceu aqui em Nazaré, no mês de janeiro. Na noite em que ele nasceu, recebemos a visita de homens do Oriente. Eram persas que vieram a Esdraelom com as caravanas dos midianitas a caminho do Egito. Por não terem encontrado pouso na estalagem, procuraram abrigo em nossa casa. Eu os acolhi e disse:

— Minha filha deu à luz um menino esta noite. Certamente me perdoareis se eu não vos servir como deve uma anfitriã.

Eles agradeceram-me pelo abrigo e, depois de terem ceado, disseram-me:

— Gostaríamos de conhecer o recém-nascido.

O filho de Maria era belo de contemplar, e ela também era bonita. Quando os persas viram Maria e meu neto, tiraram de suas bolsas ouro, prata, mirra e incenso, e os colocaram aos pés da criança. Depois, prostraram-se e rezaram numa língua estranha que nós não compreendíamos.

Quando os levei ao aposento que havia preparado para eles, seguiram maravilhados com o que tinham visto. Pela manhã, eles nos deixaram e seguiram para o Egito. Mas, ao despedirem-se, falaram comigo e disseram:

— A criança não tem mais do que um dia, no entanto vimos a luz do nosso Deus nos olhos dela e o sorriso do nosso Deus na sua boca. Nós vos pedimos que o protejais para que ele possa proteger a todos.

E, assim dizendo, montaram em seus camelos e nunca mais os vimos.

Quanto à Maria, parecia mais dominada pela admiração e surpresa do que pela alegria. Ela olhava para a criança, e depois virava o rosto para a janela e olhava para longe, para o céu, como se tivesse uma revelação. E havia um abismo entre o coração dela e o meu.

O menino crescia no corpo e no espírito, e era diferente das outras crianças. Era distante e difícil de controlar, e eu nunca coloquei a mão sobre ele. Era amado por todos em Nazaré, e, no meu coração, eu sabia por quê.

Muitas vezes ele dava nossa comida para o pobre. E, quando ganhava um doce, dava a outras crianças antes mesmo de o ter provado com a própria boca. Subia nas árvores do meu pomar para colher frutas, mas nunca as comia.

Às vezes apostava corrida com outros meninos e, quando se adiantava, diminuía o passo para que eles pudessem ganhar.

Quando o punha na cama, ele dizia:

— Diz à minha mãe e aos outros que só o meu corpo dormirá. Meu espírito estará com eles até que o deles me encontre em meu alvorecer.

E dizia muitas outras coisas maravilhosas; coisas que eu ouvia quando era jovem, mas que, hoje, já estou muito velha para delas me lembrar. Agora, dizem-me que não o verei nunca mais. Mas como acreditar no que dizem? Ainda ouço o riso dele, o som dos seus passos pela casa. E sempre que beijo o rosto de minha filha, o perfume dele regressa ao meu coração e sinto em torno de mim a força do seu abraço. Mas não é estranho que a minha filha não fale dele na minha presença?

Várias vezes pensei que ela mesma precisava vê-lo, mas, de dia, ficava tão imóvel quanto uma estátua de bronze, ao passo que meu coração se derretia e escorria através do meu peito como um rio.

Talvez ela saiba o que eu não sei. Será que ela também me poderia dizer?

Asafe, orador de Tiro
As palavras de Jesus

O que posso dizer de sua eloquência? Havia algo na pessoa dele que emprestava poder às palavras e influenciava aqueles que o ouviam. Ele era belo, e seu semblante tinha o brilho do dia.

Mais do que escutá-lo, todos o admiravam. Por vezes ele falava com o poder do espírito, e esse espírito tinha autoridade sobre aqueles que o ouviam.

Na minha juventude, eu ouvia oradores de Roma, Atenas e Alexandria. O jovem nazareno era diferente de todos eles.

Eles juntavam as palavras com uma arte apropriada para cativar o ouvido, mas, quando ouvíamos Jesus, era como se o coração nos deixasse o corpo e vagasse por regiões inexploradas.

Ele contava uma história ou uma parábola, e histórias e parábolas como as suas nunca tinham sido ouvidas na Síria. Parecia que elas duravam mais que as estações, como se o tempo prolongasse os anos e as gerações.

Ele começava assim uma história: "Saiu o semeador a semear o campo com suas sementes". Ou: "Outrora havia um homem rico que tinha muitas vinhas". Ou ainda: "Um pastor contava suas ovelhas no fim da tarde e descobriu que uma ovelha estava desgarrada".

Tais palavras transportavam os ouvintes para dentro da simplicidade dos próprios corações e para o passado mais remoto de suas vidas.

No fundo, somos todos semeadores e amamos a vindima. E nos pastos de nossa memória há um pastor, um rebanho de ovelhas desgarradas. E o arado, o lagar e a eira.

Ele conhecia a essência do nosso eu ancestral, e a dureza do fio do qual fomos tecidos.

Os oradores gregos e romanos falavam aos seus ouvintes da vida como lhes era concebida no pensamento. O nazareno falava de um desejo que habitava o coração.

Eles viam a vida com os olhos talvez um pouco mais claros do que os nossos. Ele via a vida à luz de Deus.

Costumo pensar que ele falava à multidão como as montanhas falariam aos vales. E seu discurso tinha uma força que os oradores de Atenas ou de Roma nunca dominaram.

Maria Madalena
O primeiro encontro com Jesus

Foi no mês de junho que o vi pela primeira vez. Ele andava sozinho num campo de trigo quando por ali eu passava com minhas criadas.

O ritmo dos passos dele era diferente do de outros homens; mas nunca vi movimento como o do seu corpo. Os homens não pisam a terra daquela maneira. Ainda hoje não sei se ele andava devagar ou depressa.

Minhas criadas apontavam para ele e sussurravam timidamente umas com as outras. Parei um instante e levantei a mão para saudá-lo, mas ele não respondeu, nem olhou para mim. Naquele momento, eu o odiei e senti o sangue gelar. Tremia como se estivesse em meio a uma nevasca.

À noite, vi-o no sonho; e me disseram depois que eu gritava durante o sono e me agitava na cama.

A segunda vez que o vi foi em agosto, pela minha janela. Ele assentava-se à sombra de um cipreste em frente ao jardim de minha casa. Estava imóvel como uma escultura de pedra, como as estátuas da Antioquia e de outras cidades do Norte.

Uma das minhas criadas, a egípcia, veio até mim e me disse:
— Aquele homem está aqui, sentado em teu jardim.

Olhei atentamente para ele e minha alma tremeu, pois ele era belo. Seu corpo era peculiar e cada parte parecia harmonizar-se com as outras.

Então, eu me vesti com roupas de Damasco, saí da casa e caminhei em sua direção.

Foi a minha solidão ou a fragrância dele o que me atraiu? Havia uma carência em meus olhos por beleza, ou era a beleza daquele homem que buscava a luz dos olhos meus?

Ainda hoje, não sei.

Fui até ele com vestes perfumadas e sandálias douradas, as sandálias que o capitão romano me havia dado. Quando me aproximei, disse-lhe:

— Bom dia.

— Bom dia, Maria — respondeu-me.

Ele olhou para mim; seus olhos negros miravam-me como nenhum homem havia feito antes. E, de repente, eu me percebia como se estivesse nua, e senti vergonha.

No entanto, ele apenas havia dito "Bom dia, Maria".

Então, eu disse-lhe:

— Não queres vir até a minha casa?

— Ainda não estou em tua casa? — respondeu-me.

Àquela altura, não entendi o que ele quis, mas agora entendo. E eu lhe disse:

— Não queres tomar vinho e comer pão comigo?

E ele disse:

— Sim, Maria, mas não agora.

"Não agora, não agora", disse ele. E a voz do mar, do vento e da floresta estavam naquelas duas palavras. E, quando me foram ditas, minha vida falou com a morte.

Pois, meu amigo, eu estava morta. Era uma mulher que se divorciara da própria alma. Eu vivia longe desta que agora sou. Eu pertencia a todos os homens, e a nenhum. Chamavam-me prostituta, e uma mulher possuída por sete demônios. Todos me maldiziam e me invejavam.

Mas, quando aqueles olhos de luz tocaram os meus, todas as estrelas de meu entardecer desapareceram, e eu me tornei Maria, apenas Maria, uma mulher que se perdera da terra que havia conhecido, e passava, então, para novos lugares. Insisti:

— Vem até a minha casa e toma comigo pão e vinho.

— Por que me convidas? — respondeu ele.

— Eu vos suplico que entreis em minha casa.

Tudo o que havia de mundano e de celestial em mim estava no convite que fazia a ele.

Então ele me olhou, e a luz dos seus olhos pairou sobre mim. Ele disse:

— Tens muitos amantes, e no entanto só eu te amo. Outros, quando estão contigo, amam apenas a si próprios. É por ti que eu te amo. Outros enxergam em ti uma beleza que os anos farão desaparecer. Mas eu vejo em ti uma beleza que nunca desaparecerá, e, no outono dos teus dias, essa beleza não terá medo de se olhar ao espelho, e não se ofenderá. Só eu amo aquilo que ninguém vê em ti.

Depois, disse, em voz baixa:

— Vai-te embora agora. E, se não quiseres que eu me sente à sombra deste cipreste, eu seguirei o meu caminho.

E eu gritei-lhe:

— Mestre, vinde à minha casa. Tenho incenso para queimar para vós, e uma bacia de prata para os vossos pés. Sois um estranho e, no entanto, não o sois. Rogo-vos, vinde à minha casa.

Então, ele se levantou e olhou para mim, assim como as estações olham para o campo, e sorriu. Voltou a dizer:

— Outros, quando estão contigo, amam apenas a si próprios. É por ti que eu te amo.

E, então, partiu.

Nenhum outro homem jamais caminhou da forma como ele caminhava. Foi um sopro que nasceu em meu jardim e se deslocou para o Oriente? Ou foi uma tempestade que sacudiu todas as coisas até os alicerces?

Eu não sabia, mas naquele dia o crepúsculo de seus olhos matou o dragão que havia em mim, e eu me tornei mulher; tornei-me Maria, Maria Madalena.

Filemom, um boticário grego
Jesus, o príncipe dos médicos

O Nazareno era o príncipe dos médicos entre seu povo. Nenhum outro conhecia tanto o nosso corpo, seus elementos e suas propriedades.

Ele curava aqueles que padeciam de doenças desconhecidas para os gregos e egípcios. Dizem que ele chamava os mortos de volta à vida. E, quer isso seja verdade, quer não, o fato é que ele manifestava seu poder; pois apenas àquele que faz coisas tão magníficas é atribuído um poder tão grande.

Dizem também que Jesus visitou a Índia e o país entre os dois rios, e que ali os sacerdotes lhe revelaram o conhecimento de tudo o que se esconde na profundidade de nosso corpo.

No entanto, esse conhecimento pode ter-lhe sido dado diretamente pelos deuses, e não por intermédio dos sacerdotes. Pois aquilo que permaneceu desconhecido para todos os homens durante muitos séculos só pode ser revelado a um único homem em um único momento. Se Apolo passasse a mão sobre o coração de um humilde, faria dele um sábio.

Muitas portas foram abertas aos homens de Tiro e de Tebas, e a esse homem também certas portas cerradas se abriram. Ele adentrou o templo da alma, que é o corpo; e viu os maus espíritos que conspiram contra os nossos nervos; viu também os bons espíritos que tecem e fiam no silêncio.

Penso que era pelo poder da oposição e da resistência que ele curava os doentes, e esse sistema era desconhecido dos nossos filósofos. Ele afastava a febre com um toque gelado, e ela recuava. Ele surpreendia os membros tensos com a força de sua serenidade e eles cediam a ele e se acalmavam.

Ele descobriu a seiva que fluía dentro do tronco carcomido de nosso corpo, mas não entendendo como alcançava a seiva com os dedos. Ele percebia o aço sólido debaixo da ferrugem, mas, como livrava a espada da ferrugem e a fazia brilhar, isso ninguém consegue dizer.

Às vezes, parecia que ele podia ouvir a dor que murmura em todas as coisas que crescem sob o Sol. Ele as fazia melhorar não apenas por meio da sua ciência, mas também revelando-lhes o caminho para se erguerem e se recomporem.

No entanto, ele não estava muito preocupado consigo próprio como médico. Preocupava-se com a religião e com a política deste mundo. É algo que lamento, pois, antes de mais nada, temos de ser sadios de corpo.

Mas esses sírios, quando são acometidos por uma doença, dedicam-se, em vez de à medicina, a discussões.

É uma pena que o maior de todos os seus médicos tenha preferido não ser mais que um simples orador de praça pública.

Simão, denominado Pedro
Quando ele e o irmão foram chamados

Eu estava na margem do lago da Galileia quando vi Jesus, meu Senhor e Mestre, pela primeira vez.

Meu irmão André estava comigo. Pescávamos.

As ondas eram altas e tínhamos apanhado poucos peixes. Aquilo nos entristecia.

Então Jesus veio até nós, como se viesse do nada, pois não o tínhamos visto aproximar-se. Ele chamou-nos pelos nomes, e disse:

— Se me seguirem, eu vos levarei até uma enseada onde há peixes em abundância.

Quando olhei para ele, a rede caiu das minhas mãos, pois uma chama acesa ardeu dentro de mim e eu o reconheci.

André, então, falou:

— Conhecemos todas as enseadas destas costas, e sabemos também que, num dia de vento como este, os peixes se abrigam nas profundezas, onde nossas redes não os alcançam.

E Jesus respondeu:

— Acompanhai-me até as margens de um mar maior. Farei de vós pescadores de homens. E a vossa rede nunca ficará vazia.

Abandonamos o nosso barco e a nossa rede e o seguimos.

Fui atraído por uma força invisível que caminhava ao lado dele. Eu caminhava junto a ele, sem fôlego e cheio de admiração; meu irmão André vinha atrás, desnorteado e espantado. Enquanto caminhávamos pela areia, atrevi-me a dizer-lhe:

— Senhor, eu e meu irmão seguiremos os teus passos; aonde fores, nós iremos. Mas, se puderes vir à nossa casa esta noite, seremos agraciados pela tua visita. Nossa casa não é grande e nosso teto não é alto, e só podemos servir-te uma refeição frugal. No entanto, se ali ficares, ela será para nós um palácio; se repartires o pão conosco, seremos invejados por todos os príncipes da terra.

E ele disse:

— Sim, serei vosso hóspede esta noite.

Meu coração encheu-se de júbilo, e o acompanhamos em silêncio até a nossa casa.

À soleira da porta, Jesus nos disse:

— Que a paz esteja nesta casa e com aqueles que nela habitam.

Ele entrou e nós o seguimos.

Minha mulher, a mãe dela e minha filha estavam presentes; prostraram-se diante dele e beijaram a dobra de seu manto.

Ficaram maravilhadas por ele, o escolhido e bem-amado, ter vindo hospedar-se sob o nosso teto, pois já o tinham visto junto ao rio Jordão quando João Batista o proclamara perante o povo. Em seguida, minha mulher e sua mãe começaram a preparar o jantar.

André era um homem tímido, mas a sua fé em Jesus era mais profunda do que a minha.

Minha filha, que tinha apenas doze anos, ficou ao lado de Jesus e segurava no manto dele, como se tivesse medo de que ele nos deixasse e saísse pela noite. Ela agarrava-se a ele como uma ovelha perdida que encontrara seu pastor.

Depois, sentamo-nos à mesa, e ele partiu o pão, verteu o vinho e virou-se para nós, dizendo:

— Amigos, dai-me agora a graça de partilhar esta comida convosco, tal como o Pai nos agraciou ao dá-la a nós.

Ele disse aquilo antes de tocar na comida, pois queria seguir o costume antigo de que o convidado de honra fizesse a vez de anfitrião. E nós, sentados ao lado dele, sentimo-nos como se estivéssemos na festa do Grande Rei.

Minha filha Petronila, que era jovem e inocente, olhava para o rosto dele e acompanhava o gesto de suas mãos. Percebi que um fio de lágrima escorria pelo rosto dela.

Quando ele deixou a mesa, seguímo-lo e sentamo-nos ao seu redor, ao pé do vinhedo. Ele falava e nós escutávamos, e os nossos corações vibravam dentro de nós como o canto dos pássaros.

Ele falou-nos da segunda vinda do Filho do Homem e da abertura das portas dos céus; de anjos descendo e trazendo a paz e a bem-aventurança a todos os homens; falou também de anjos subindo ao trono, levando os anseios dos homens ao Senhor Deus.

Então, olhou-me nos olhos, sondou as profundezas do meu coração e disse:

— Escolhi a ti e ao teu irmão para que viésseis comigo. Trabalhastes muito e grande é o vosso cansaço. Eu vos trago o repouso. Tomai o meu jugo e aprendei de mim, pois no meu coração há paz, e a vossa alma encontrará pouso e abundância.

Ao ouvir aquelas palavras, eu e meu irmão nos levantamos, e eu lhe disse:

— Mestre, segui-lo-emos até os confins da terra.

Mesmo que o nosso fardo fosse tão pesado como a montanha, nós o carregaríamos com alegria. E, se caíssemos à beira do caminho, saberíamos que caímos no caminho para o céu, e ficaríamos satisfeitos.

Então, André falou:

— Mestre, seremos os fios do teu tear. Faz de nós como quiseres, pois estaremos no manto do Altíssimo.

Entretanto, minha mulher levantou o rosto, cheio de lágrimas, e disse com alegria:

— Benditos sois vós que viestes em nome do Senhor. Bendito é o ventre que vos carregou e o peito que vos aleitou.

E a minha filha, que tinha apenas doze anos, sentou-se aos pés de Jesus e aninhou-se junto a ele.

Minha sogra, sentada na soleira da porta, não disse uma palavra. Ela só chorava em silêncio, e o seu xaile estava molhado de lágrimas. Então, Jesus aproximou-se dela, ergueu-lhe o rosto e disse:

— Tu és a mãe de todos estes. Choras de alegria, e eu guardarei as tuas lágrimas na minha memória.

Naquele instante, a velha Lua começou a erguer-se acima do horizonte. Jesus olhou para ela por um momento; depois, voltou-se para nós e disse:

— Já é tarde. Procurai as vossas camas, e que Deus visite o vosso repouso. Ficarei aqui, ao pé desta árvore, até o amanhecer. Lancei a minha rede neste dia e apanhei dois homens; estou satisfeito, e agora desejo-vos boa noite.

Em seguida, a mãe da minha mulher disse:

— Mas nós preparamos a vossa cama em casa. Peço-vos que entreis e descanseis.

E ele respondeu:

— Eu descansarei, mas não debaixo de um teto. Deixa-me deitar esta noite debaixo da parreira e à luz das estrelas.

Ela correu e levou para fora um colchão, almofadas e cobertores. Ele sorriu para ela e disse:

— Esta noite, repousarei sobre uma cama feita duas vezes.

Depois, deixamo-lo e entramos em casa. Minha filha foi a última a entrar. E os olhos dela ficaram sobre ele até eu fechar a porta.

Foi assim que conheci o meu Senhor e Mestre. E, embora isso tenha ocorrido há muitos anos, parece que foi ainda hoje.

Caifás
O sumo sacerdote

Ao falar deste homem, Jesus, e de sua morte, consideremos dois fatos importantes: a Torá deve ser conservada por nós, e este reino deve ser protegido por Roma.

Entretanto, esse homem desafiou-nos a nós e a Roma. Envenenou a mente do povo simples e colocou-o, como por magia, contra nós e contra César.

Meus próprios escravos, tanto homens como mulheres, depois de o ouvirem falar no mercado, ficaram amuados e rebeldes. Alguns deles deixaram a minha casa e fugiram para o deserto de onde vieram.

A Torá é a nossa fundação e a nossa fortaleza. Nenhum homem nos destruirá enquanto tivermos esse poder em nossas mãos, e nenhum homem derrubará Jerusalém enquanto os seus muros estiverem sobre a antiga pedra que ali Davi colocou.

Para que a semente de Ibraim possa viver e prosperar, este solo deve permanecer imaculado. Esse homem, Jesus, era um profanador e um corruptor. Nós o matamos com a consciência limpa e com responsabilidade. E mataremos a todos os que quiserem rebaixar as leis de Moisés, ou que procurem sujar a nossa herança sagrada.

Nós e Pôncio Pilatos conhecíamos o perigo daquele homem, e era sensato acabar com ele. Farei o que estiver ao meu alcance para que os discípulos dele cheguem ao mesmo fim, e o eco das palavras que ele propagava alcance o silêncio.

Para que a Judeia viva, todos aqueles que se lhe opõem devem ser reduzidos a pó. E, antes que a Judeia morra, cobrirei minha cabeça branca com cinzas, como fez o profeta Samuel, e arrancarei este manto de Aarão e vestir-me-ei de saco até que eu deixe esta vida.

Joana, esposa do arauto de Herodes
As crianças

Jesus nunca foi casado, mas era amigo das mulheres e as compreendia como elas deviam ser compreendidas: com doçura.

Ele amava as crianças como deviam ser amadas: na fé e na compreensão.

Em seus olhos, havia a imagem de um pai, um irmão e um filho.

Ele segurava uma criança, colocava-a de joelhos e dizia:

— Nele está a vossa força e a vossa liberdade; nele está o reino do espírito.

Dizem que Jesus não atendia à lei de Moisés e que ele sempre perdoava as prostitutas de Jerusalém e do campo.

Eu mesma, naqueles tempos, era uma pecadora, pois amava um homem que não era meu marido; era um saduceu. Um dia, os saduceus encontraram-me em minha casa quando estava com ele; agarraram-me e me prenderam, e o meu amante foi-se e me deixou só.

Depois, levaram-me ao mercado, onde Jesus ensinava à multidão. Queriam colocar-me diante dele para testá-lo, como uma armadilha para ele.

Mas Jesus não me julgou. Ele envergonhou aqueles que me teriam envergonhado, e os censurou. Depois, disse-me para que seguisse o meu caminho. Foi quando todos os frutos insípidos da vida se tornaram doces para mim; e as flores que não tinham cheiro passaram a soprar a fragrância delas em minhas narinas. Tornei-me uma mulher sem manchas na memória, e estava livre. Nunca mais andei com a cabeça abaixada.

Rebeca
A noiva de Caná

Isso aconteceu antes de ele ser conhecido pelo povo.

Eu estava no jardim da minha mãe cuidando das roseiras quando ele chegou ao nosso portão e disse:

— Tenho sede. Podes dar-me um pouco d'água do teu poço?

Eu corri e fui buscar uma taça de prata; enchi-a de água e derramei nela algumas gotas do frasco de jasmim. Ele bebeu tudo e ficou satisfeito.

Então, olhou-me nos olhos e disse:

— A minha bênção estará contigo.

Ao ouvir aquelas palavras, senti-me como se um vendaval percorresse o meu corpo. Perdi a timidez e lhe disse:

— Senhor, estou noiva de um homem de Caná, da Galileia, e vou casar-me no quarto dia da próxima semana. Se vieres ao meu casamento, agraciar-nos-ás com a tua presença.

E ele respondeu:

— Irei, minha filha.

Ele disse "minha filha", mas era apenas um jovem, e eu tinha quase vinte anos.

Então ele seguiu pela estrada.

E eu fiquei à entrada do jardim até que a minha mãe me mandasse entrar.

No quarto dia da semana seguinte, fui levada até a casa do meu noivo e dada em casamento.

Jesus veio e, com ele, sua mãe e seu irmão Tiago.

Sentaram-se ao redor da mesa com os demais convidados, enquanto minhas amigas solteiras cantavam os cantos matrimoniais do Rei Salomão. Jesus comeu da nossa comida, bebeu do nosso vinho e sorriu para mim e para os outros.

Ele ouviu a canção do amante que levava a amada para a tenda dele; do jovem vinhateiro que levou para a casa de sua mãe a filha do senhor da vinha, mulher que ele amava; e do príncipe que conheceu uma donzela que mendigava, levou-a ao seu reino e a coroou com a coroa dos pais dele.

Parecia que ele ouvia, também, outras canções, que eu não conseguia ouvir.

Ao pôr do sol, o pai do meu noivo veio ter com a mãe de Jesus e sussurrou nos ouvidos dela:

— Não temos mais vinho para os nossos convidados. E o dia ainda não acabou.

Jesus ouviu o que o homem sussurrava, e disse:

— O copeiro sabe que ainda há bastante vinho.

E assim foi, de fato, pois houve vinho em abundância para todos os convidados.

Então Jesus começou a falar. Contou-nos das maravilhas da terra e do céu; das flores do céu que desabrocham quando a noite cai, e das flores da terra que florescem quando o dia esconde as estrelas.

Ele contou-nos histórias e parábolas, e a sua voz encantava-nos de modo que o contemplamos como se estivéssemos tendo visões, e nos esquecemos da bebida e da comida.

Quando o ouvia, era como se eu estivesse numa terra distante e desconhecida.

Passado algum tempo, um dos convidados disse ao pai do meu noivo:

— Guardaste o melhor vinho para o fim da festa, e nem todos fazem isso.

Todos acreditaram que Jesus havia feito um milagre, e tomaram um vinho melhor do que o do início do banquete.

Eu também acreditei que Jesus havia feito um milagre, mas não fiquei surpresa, porque na sua voz já tinha ouvido muitos milagres.

O tempo passou, mas a voz dele permaneceu perto do meu coração, até mesmo durante o nascimento do meu primogênito.

E até hoje, mesmo na nossa aldeia e nas aldeias próximas, a palavra do nosso convidado ainda é lembrada. E eles dizem:

— O espírito de Jesus de Nazaré é o vinho mais velho e melhor que existe.

Um filósofo persa em Damasco
Deuses novos e antigos

Não posso dizer o destino desse homem, nem posso dizer o que acontecerá aos seus discípulos.

Uma semente escondida no coração de uma maçã é um pomar invisível. No entanto, se essa semente cair sobre uma rocha, ela não vingará.

Mas isto eu digo: o antigo Deus de Israel é duro e implacável. Israel deveria ter outro Deus; um que fosse gentil e tolerante, que olhasse para baixo com piedade; um que descesse com os raios do Sol e entendesse as limitações das gentes, em vez de ficar sentado no trono do juízo para pesar as faltas e medir as culpas.

Israel deveria promover um Deus cujo coração não fosse alimentado pela inveja, e cuja memória dos acontecimentos fosse curta: um Deus que não se empenhasse em castigar os filhos pelas iniquidades dos pais até a terceira e a quarta geração.

O homem, aqui na Síria, é como o homem em todas as terras. Ele olha para o espelho da própria alma e lá encontra a sua divindade. Ele molda os deuses à sua própria semelhança e adora aquilo que reflete a sua própria imagem.

Em verdade, o homem reza por aquilo que anseia de mais profundo, para que possa elevar-se e realizar a plenitude dos próprios desejos.

Não há profundidade maior do que a alma do homem, e a alma é o abismo que atrai a ela própria; pois não há outra voz para falar e não há outros ouvidos para ouvir.

Até nós, na Pérsia, veríamos os nossos rostos no disco do Sol e os nossos corpos dançando no fogo que acendemos sobre os altares.

O Deus de Jesus, a quem ele chamou Pai, não é um estranho para o povo de Jesus, e realizaria o desejo de todos.

Os deuses do Egito lançaram fora o seu fardo de pedras e fugiram para o deserto núbio, para serem livres entre aqueles que ainda vivem livres do conhecimento.

Os deuses da Grécia e de Roma desvanecem no próprio entardecer. Eram demasiado parecidos com os homens para viverem no êxtase dos homens. Os bosques em que a magia deles nasceu foram cortados pelos machados dos atenienses e dos alexandrinos.

E, nesta terra, os lugares altos também são rebaixados pelos legisladores de Beirute e pelos eremitas de Antioquia.

Apenas as mulheres velhas e os homens cansados procuram os templos dos seus antepassados; apenas os exaustos procuram, no fim do caminho, o início da jornada.

Mas esse homem, Jesus, esse nazareno, falou de um Deus grande demais para ser diferente da alma de qualquer homem, consciente demais para castigar, carinhoso demais para se lembrar dos pecados das suas criaturas. E esse Deus do Nazareno passará pelo umbral dos filhos da terra e sentar-se-á ao lado deles, como uma bênção dentro dos muros e uma luz no caminho.

Mas o meu Deus é o Deus de Zoroastro, o Deus que é o Sol no céu, o fogo sobre a terra e a luz no seio do homem. E isso me basta. Não preciso de outro.

Davi, discípulo de Jesus
Jesus, o prático

Só conheci o significado dos seus discursos e das suas parábolas quando ele já não estava entre nós. Não entendia nada até que as suas palavras tomaram forma diante dos meus olhos e se transformaram em corpos que, agora, caminham na procissão de meus dias.

Eu preciso dizer-vos: certa noite, sentado em minha casa, eu pensava nas palavras dele e me lembrava delas para poder registrá-las no livro da minha vida; naquele momento, três ladrões entraram em minha casa. Ainda que eu soubesse que eles vinham roubar-me os bens, não pude levantar-me e recebê-los com a espada, nem mesmo perguntar o que faziam ali. E continuei a escrever as lembranças que eu tinha do Mestre.

Quando os ladrões foram embora, lembrei-me do que ele dizia: "A quem te pedir a capa, dá a tua roupa".

E eu entendi.

Quando me sentei para registrar as palavras do Mestre, nenhum homem me podia impedir, mesmo que me levasse todos os meus bens.

Ainda que eu devesse conservar os meus bens e também a minha pessoa, sabia onde guardava o tesouro maior.

Lucas
Os hipócritas

Jesus desprezava e recriminava os hipócritas. A ira dele era como um raio fulminante. A voz, como um trovão que os assustava.

Por medo dele, procuraram matá-lo; e, como toupeiras sob a terra escura, trabalharam para minar os passos dele. Mas Jesus não caía naquelas ciladas.

Ele ria-se delas, pois sabia que o espírito não se deixa enganar nem apanhar numa cilada.

Jesus segurava um espelho e, nele, enxergava o indolente, o claudicante e aqueles que cambaleavam e caíam à beira da estrada a caminho do monte.

Ele tinha pena de todos eles. Ele os teria elevado à sua estatura e carregado o fardo deles. Sim, ele os teria amparado e erguido.

Não era severo demais com o mentiroso, o ladrão e o homicida, mas condenava firmemente o hipócrita, que tinha o rosto mascarado e a mão oculta.

Muitas vezes ponderei a respeito daquele coração que abraçava a todos os que vinham do deserto e lhes abria a porta de seu santuário, a qual mantinha fechada para os hipócritas.

Certa vez, descansando ao lado dele no Jardim das Romãs, disse-lhe:

— Mestre, perdoas e consolas o pecador e todos os fracos e enfermos, e não afastas ninguém, a não ser o hipócrita.

E ele disse:

— Escolheste bem as palavras quando comparaste pecadores, fracos e enfermos. Eu lhes perdoo a fraqueza de corpo e a fraqueza de espírito, pois os seus fracassos foram-lhes impostos pelos antepassados, ou pela ganância dos vizinhos.

"Mas não tolero o hipócrita, porque ele próprio põe um jugo sobre os humildes e os prestimosos. Os fracos, a quem chamam 'pecadores', são como as aves implumes que caem do ninho. O hipócrita é o abutre que espera na rocha para matar a presa.

"Os fracos são homens perdidos num deserto. Mas o hipócrita não está perdido. Ele conhece o caminho, e ainda assim sorri entre a areia e o vento. Por essas razões, não o recebo."

Assim falou o nosso Mestre, e eu não o compreendi. Mas agora compreendo.

Depois, os hipócritas da terra apanharam-no e o julgaram; e, ao fazê-lo, acreditaram-se justificados, pois citaram a lei de Moisés no Sinédrio em testemunho e provas contra ele.

E foram aqueles, que violam a lei desde o nascer do dia até o entardecer, os que provocaram a sua morte.

Mateus
O Sermão da Montanha

Em um dia de colheita, Jesus chamou a nós e a outros amigos para subir as colinas. A terra estava perfumada e, tal como a filha de um rei no banquete de núpcias, ela usava todas as suas joias, e o céu era seu noivo.

Quando chegamos ao alto, Jesus deteve-se num bosque de loureiros, e disse:
— Descansai aqui; acalmai a vossa mente e afinai as cordas do coração, pois tenho muito a vos dizer.

Então, reclinamo-nos sobre a relva, coberta pelas flores do verão; Jesus sentou-se entre nós e disse:
— Bem-abençoados os pobres de espírito.

"Bem-aventurados os que não se deixam escravizar pela riqueza, pois serão livres.

"Bem-aventurados os mansos, porque eles herdarão a terra.

"Bem-aventurados os que têm fome e sede de justiça, pois terão pão e água fresca.

"Bem-aventurados os misericordiosos, porque alcançarão misericórdia.

"Bem-aventurados os limpos de coração, porque verão a Deus.

"Bem-aventurados os pacificadores, porque estarão acima dos campos de batalha e transformarão o campo do oleiro num jardim.

"Bem-aventurados os que sofrem perseguição por causa da justiça, porque serão ligeiros e alados.

"Alegrai-vos e exultai, pois grande é a vossa recompensa no reino dos céus. Assim como foram perseguidos os profetas de outrora, assim também vós sereis perseguidos; aí reside a vossa honra e aí reside a vossa recompensa.

"Vós sois o sal da terra; se o sal for insípido, o que salgará o alimento do coração do homem?

"Vós sois a luz do mundo. Não se acende a candeia para colocá-la no fundo de um cesto, mas no alto do candelabro. Deixai-a brilhar sobre a montanha, para os que buscam a Cidade de Deus.

"Não cuideis que vim para destruir a lei dos profetas e dos fariseus; pois meus dias entre vós estão contados e contadas estão as minhas palavras, e só tenho algumas horas para vos apresentar a nova lei e revelar um novo testamento.

"Foi-vos dito para não matar, mas eu vos digo que não vos encolerizeis sem razão.

"Os antigos vos encarregavam de trazer o vosso bezerro, o vosso cordeiro e a vossa pomba para o templo e de os sacrificar sobre o altar, para que as narinas de Deus se regozijem do odor da gordura e para que sejais perdoados das vossas faltas.

"Mas eu vos digo: podeis dar a Deus o que é de Deus desde o princípio: podeis apaziguar aquele cujo trono está acima da profundidade silenciosa e cujos braços circundam o espaço?

"Se trouxerdes a vossa oferta ao altar e lembrardes de que vosso irmão tem algo contra vós, deixai diante do altar a oferta e ide reconciliar-vos com vosso irmão; depois, vinde e apresentai a vossa oferta. Na alma do vosso irmão, Deus construiu um templo que não será destruído; e no vosso coração ergueu um altar que jamais perecerá.

"Foi-vos dito olho por olho e dente por dente. Mas eu digo-vos: Não resistais ao mal, pois é a oposição o que o alimenta e fortalece. Só os fracos se vingam. O forte de espírito perdoa, e é honra para os humilhados e ofendidos perdoar.

"Só a árvore que dá frutos é abalada, varejada ou apedrejada.

"Não vos atenteis ao dia de amanhã, mas olhai, antes, para o dia de hoje, pois o dia de hoje basta para o milagre.

"Não vos vanglorieis ao dar o que é vosso; atentai para a necessidade. Pois quem dá ao próximo recebe do Pai, e o recebe em dobro.

"Dai a cada um segundo a sua necessidade; pois o Pai não dá sal aos sedentos, nem pedra aos famintos, nem leite aos desmamados.

"Não deis aos cães o que é sagrado; nem lanceis vossas pérolas aos porcos. Porque, com tais dádivas, escarnecereis deles; e eles também escarnecerão da vossa dádiva, e, ao odiar-vos, vos porão em perigo.

"Não guardeis tesouros que os ladrões possam roubar. Antes, buscai tesouros que não se corrompam nem sejam roubados, e cuja beleza aumente quanto mais olhos os virem. Pois onde está o vosso tesouro, está também o vosso coração.

"Foi-vos dito que se deve passar o homicida no fio da espada, que o ladrão deve ser crucificado e a prostituta, apedrejada. Mas eu digo-vos que não estais livres de maltratar o assassino, o ladrão e a prostituta; pois, enquanto os punirdes no corpo, vós sereis obscurecidos em espírito.

"Em verdade, nenhum crime é cometido por um só homem ou uma só mulher. Todos os crimes são cometidos por todos. Mas aquele que recebe a pena nada mais faz do que encurtar a cadeia que prende os vossos próprios pés. Ele paga com sofrimento duradouro o preço de vossa alegria passageira."

Assim falou Jesus, e desejei prostrar-me e adorá-lo, mas me envergonhava de minha própria insignificância e não consegui mover-me nem dizer nada.

Por fim, tomei coragem e falei:

— Eu rezaria neste momento, no entanto a minha língua está pesada. Ensina-me a orar.

E Jesus disse:

— Quando orares, deixa o teu desejo pronunciar as palavras. Mas é meu anseio agora orar assim:

"Pai nosso, que estás nos céus, santificado seja o teu nome.

Seja feita a tua vontade, tanto na terra como no Cosmo.

O pão nosso de cada dia dá-nos hoje.

Perdoa-nos as nossas dívidas, assim como nós perdoamos aos nossos devedores.

E não nos induzas à tentação, mas livra-nos do mal; porque teu é o Reino, e o poder, e a glória."

Já era noite. Jesus desceu das colinas, e todos nós o seguimos. Enquanto o seguia, eu repetia a sua oração e me lembrava de tudo o que ele havia dito. Eu sabia que aquelas palavras, que caíam como neve naquele dia, acabariam por se assentar e se firmar como cristais, e que as asas que tremularam sobre as nossas cabeças deviam bater na terra como cascos de ferro.

João, filho de Zebedeu

Os vários nomes de Jesus

Alguns de nós o chamamos de Jesus Cristo, outros de O Verbo, outros mais de Nazareno e outros ainda de Filho do Homem.

Tentarei tornar esses nomes mais claros segundo me foi dado entender.

O Cristo, aquele que existiu desde o princípio, é a chama de Deus que habita no espírito do homem. Ele é o sopro da vida que nos visita e tem um corpo como o nosso.

Ele é a vontade do Senhor. É o primeiro Verbo, que fala com a nossa voz e vive em nossos ouvidos, para que possamos prestar atenção e compreender.

O Verbo de Deus construiu uma casa de carne e osso, e foi um homem como és e como sou.

Pois não poderíamos ouvir o canto do vento sem um corpo nem sentir o passo de nosso eu maior caminhar na névoa.

Muitas vezes o Cristo veio ao mundo e andou por muitas terras. E sempre foi tido como um estrangeiro e um louco.

Contudo, o som da sua voz nunca deixou de soar, pois a memória mantém aquilo que a mente não cuida em manter.

O Cristo é isto, o que temos de mais íntimo e mais elevado, e o que acompanha o homem até a eternidade.

Não ouviram falar dele no caminho da Índia? E na terra dos Magos, e nas areias do Egito?

E aqui, na terra do Norte, vossos antigos poetas entoavam cantos a Prometeu, o portador do fogo, aquele que deu ânimo aos homens, libertando a esperança ora aprisionada; e a Orfeu, que com sua voz e sua lira revivificava o espírito do homem.

Não ouvistes falar do rei Mitra e de Zoroastro, o profeta dos persas, que despertaram o homem de um sono antigo para viverem em nossos sonhos?

Nós próprios somos ungidos do Senhor quando nos encontramos no Templo Invisível, uma vez a cada mil anos. É quando um de nós encarna, e esse advento transforma nosso silêncio em canto.

No entanto, nossos ouvidos não estão sempre apurados para ouvir nem os nossos olhos atentos para ver.

Jesus de Nazaré nasceu e foi criado como nós; sua mãe e seu pai eram como os nossos pais, e ele era um homem.

Mas o Cristo, o Verbo, que havia desde o princípio, o Espírito que queria para nós uma vida mais plena, veio a Jesus e estava com ele.

O Espírito era a mão destra do Senhor, e Jesus era a harpa.

O Espírito era o salmo, e Jesus era o tema.

Jesus, o Homem de Nazaré, era o anfitrião e o porta-voz do Cristo, que caminhava conosco ao sol e nos chamava de amigos.

Naqueles dias, as montanhas e os vales da Galileia ouviam apenas a voz dele. Eu era jovem, mas andei no seu caminho e segui suas pegadas.

Segui suas pegadas e andei no seu caminho, para ouvir as palavras do Cristo pelos lábios de Jesus da Galileia.

Agora, quereis saber por que alguns de nós o chamamos de Filho do Homem?

Ele mesmo desejava ser chamado assim, porque conheceu a fome e a sede do homem que buscava o eu maior.

O Filho do Homem era o bondoso Cristo, que queria estar entre nós.

Ele era Jesus, o Nazareno, que queria levar seus irmãos ao Ungido, e ao Verbo que estava no princípio com Deus.

Jesus da Galileia, o Homem acima dos homens, o Poeta que nos faz poetas, o Espírito que nos acode para o despertar e nos conduz ao encontro da verdade nua e sincera, esse Homem vive em minha alma.

Um jovem sacerdote de Cafarnaum
Jesus, o taumaturgo

Ele era um mago caprichoso e inconsequente, um adivinho que enganava o povo simples com magia e encantamentos. Ele mistificava as palavras dos nossos profetas e tudo o que era sagrado para os nossos avós.

Sim, ordenou que os mortos fossem suas testemunhas e tirou do túmulo do silêncio os seus seguidores. Ia atrás das mulheres de Jerusalém e das aldeias com a mesma astúcia com que as aranhas apanham as moscas em suas teias.

Pois as mulheres são fracas e de cabeça vazia; seguem o homem cujas palavras doces cativam-lhes as paixões. Se essas mulheres fracas, que se deixam enganar por espíritos malignos, não tivessem cruzado o caminho dele, seu nome já estaria apagado da memória dos homens.

E quem foram esses homens que o seguiram?

Eram da classe humilde e oprimida; nunca pensaram em rebelar-se contra os seus senhores, porque eram um povo covarde e ignorante; mas, quando ele prometeu colocá-los em altas posições no reino dele, entregaram-se àquelas fantasias como a argila que se entrega às mãos do oleiro.

Por acaso o escravo não sonha com a grandeza, e o miserável e insignificante não se acha um leão? O Galileu era um falsificador e mistificador. Ele perdoou as faltas dos pecadores para que pudesse ouvir "Salve" e "Hosana" da boca imunda deles.

Ele abrandava a fome dos desesperados e dos miseráveis para que pudesse ser ouvido por eles e para os atrair para as fileiras do seu exército. Violou a Lei do Sábado junto àqueles que a profanaram para ganhar o favor dos que viviam fora da Lei.

Insultou os nossos sumos sacerdotes para chamar a atenção do Sinédrio e alcançar a fama por meio da oposição.

Eu dizia, repetidamente, que odiava aquele homem. Odiava-o mais do que aos romanos que dominam o nosso país. E o mais abominável é que ele vem de Nazaré, a aldeia que os nossos profetas amaldiçoaram e que se tornou o monturo das nações e de cuja essência nada de bom pode sair.

Um levita rico dos arrabaldes de Nazaré
Jesus, o bom carpinteiro

Ele era um bom carpinteiro. As portas que ele fez nunca foram violadas por ladrões, e as janelas que fabricou abriam-se com facilidade para os ventos do Levante e do Poente.

Ele fazia arcas de madeira de cedro, polidas e resistentes; seus arados e relhas eram fortes e fáceis de manejar.

E talhava púlpitos para as nossas sinagogas com a madeira dourada da amoreira. Nas laterais do suporte, onde se punha o livro sagrado, esculpiu asas estendidas; debaixo do suporte, cabeças de touros, pombas e gazelas de olhos grandes.

Ele trabalhava tudo isso à maneira dos caldeus e dos gregos. Mas havia algo em seu trabalho que não era nem caldeu nem grego.

Esta minha casa foi construída por muitas mãos trinta anos atrás. Procurei pedreiros e carpinteiros em todas as cidades da Galileia. Eram peritos e bons construtores, e eu estava satisfeito com o que faziam.

Mas, agora, vede estas duas portas e esta janela que foram feitas por Jesus de Nazaré. O esmero delas e a estabilidade são superiores a tudo o mais em minha casa.

Percebeis que estas duas portas são diferentes de todas as outras? E esta janela que se abre para o Levante não é diferente das outras janelas?

Todas as minhas portas e janelas se dobram aos elementos, menos estas que ele fez. Só elas se mantiveram firmes com o passar dos anos.

E essas traves, vede como as colocou. E esses grampos, como perfuram a tábua de um lado e se fixam com tanta firmeza do outro.

O que é estranho é que aquele operário que merecia o salário de dois homens exigia apenas o salário de um único homem; e esse mesmo operário é agora considerado um profeta em Israel.

Se eu soubesse então que aquele jovem com serrote e plaina era um profeta, pediria que falasse em vez de trabalhar, e teria pagado a ele em dobro por suas palavras.

Tenho ainda muitos homens trabalhando em minha casa e nos meus campos. Mas como distinguir aquele que tem nas mãos a ferramenta daquele que tem nas mãos a mão de Deus?

Como é possível reconhecer a mão de Deus?

Um pastor no sul do Líbano
Uma parábola

Era o final do verão quando ele e três outros homens passaram por aquela estrada. Era noite, e ele parou e ficou ali, no fim do pasto.

Eu tocava minha flauta, e meu rebanho pastava à minha volta. Quando ele parou, eu levantei-me, caminhei e fiquei diante dele. E ele me perguntou:

— Onde está o túmulo de Elias? Não fica em algum lugar por aqui?

E eu respondi:

— Está ali, Senhor, debaixo daquele monte de pedras. Até hoje, cada um que passa traz uma pedra e coloca-a sobre o monte.

Ele agradeceu-me e foi-se embora; seus amigos o seguiram.

Após três dias, Ganaliel, que também era pastor, disse-me que o homem que havia passado por mim era um profeta na Judeia; mas eu não acreditei nele. No entanto, pensei nesse homem durante muitas luas.

Quando chegou a primavera, Jesus passou mais uma vez por este pasto, e, dessa vez, estava sozinho.

Eu não tocava a flauta nesse dia, pois tinha perdido uma ovelha e estava triste, com o coração abatido.

Aproximei-me e fiquei parado diante dele, pois eu queria ser consolado. Ele olhou para mim e disse:

— Não tocas a tua flauta hoje. De onde vem a tristeza dos teus olhos?

E eu respondi:

— Uma das minhas ovelhas se perdeu. Procurei-a por todo o lado, mas não a encontrei. Não sei mais o que fazer.

Ele ficou em silêncio por um momento e, depois, me disse:

— Espera um pouco; eu encontrarei a tua ovelha.

Ele foi-se embora e desapareceu nas colinas. Passada uma hora, regressou, e a ovelha desgarrada vinha com ele. Quando chegou perto de mim, a ovelha olhava para ele da mesma forma que eu. Então, eu a abracei com alegria.

Ele colocou a mão no meu ombro e disse:

— A partir deste dia, amarás esta ovelha mais do que qualquer outra do teu rebanho, pois ela estava perdida e foi encontrada.

Tornei a abraçar minha ovelha com alegria; ela ficou perto de mim e eu fiquei sem palavras.

Mas, quando levantei a cabeça para agradecer a Jesus, ele já andava longe, e não tive coragem de segui-lo.

João Batista
Fala na prisão a um discípulo

Não me calarei neste fosso imundo enquanto a voz de Jesus é ouvida no campo de batalha. Não serei detido nem confinado enquanto ele estiver livre.

Dizem que as víboras espreitam ao seu redor. Mas eu digo que elas apenas lhe despertarão a força, e ele haverá de esmagá-las com os pés.

Eu sou o trovão, mas ele é o relâmpago. Ainda que eu tenha falado primeiro, minhas palavras não eram senão a palavra e o propósito dele.

Apanharam-me sem avisar. Talvez façam o mesmo com ele. Mas, antes, ele pronunciará a sua palavra e os vencerá.

O seu carro passará por cima deles, os cascos dos seus cavalos os pisarão, e ele triunfará.

Eles virão com lança e espada, e ele os enfrentará com a força do Espírito.

O sangue dele correrá sobre a terra, mas eles próprios sentirão a dor das feridas, e serão batizados nas suas lágrimas até serem purificados.

Legiões marcharão para as cidades com aríetes de ferro, mas se afogarão na travessia do Jordão.

As muralhas e as torres de Jesus se erguerão mais altas e brilharão mais que os escudos dos guerreiros ao sol.

Dizem que me aliei a ele para incitar o povo à revolta contra o reino da Judeia. Mas eu digo (e como gostaria que minhas palavras fossem fogo!): que esse poço de iniquidade que eles chamam de "reino" seja destruído e deixe de existir; que siga o mesmo destino de Sodoma e Gomorra; e que essa raça seja esquecida por Deus, e essa terra transformada em cinzas.

Sim, atrás dos muros desta prisão sou de fato um aliado de Jesus de Nazaré. Ele conduzirá os meus exércitos, minha cavalaria e minha infantaria.

E, ainda que seja eu o capitão, não sou digno de desatar as cordas das suas sandálias.

Encontra-o e repete as minhas palavras; depois, em meu nome, implora que te conforte e abençoe.

Não me resta muito tempo. À noite, entre um e outro despertar, sinto passos lentos que me pisam o corpo. E, quando apuro os ouvidos, ouço a chuva caindo sobre o meu túmulo.

Vai ter com Jesus e diz que João de Cedrom, cuja alma se esvazia e se enche de sombras, ora por ele, enquanto o coveiro anda perto e o carrasco estica a mão para receber o soldo.

José de Arimateia
Os objetivos primeiros de Jesus

Queres saber qual era o objetivo primordial de Jesus? Folgo em dizer-te. Mas ninguém pode tocar com os dedos a vinha sagrada, nem ver a seiva que alimenta os ramos.

E embora tenha comido as uvas e provado a nova vindima no lagar, não posso dizer tudo. Só posso relatar o que sei.

Nosso Mestre Amado viveu apenas três estações como profeta. A primavera foi sua canção; o verão, seu êxtase; e o outono, sua paixão. E cada estação continha mil anos.

Ele passou seu canto de primavera na Galileia. Ali reuniu seus discípulos amados, e foi nas margens do lago azul que ele falou pela primeira vez do Pai, da redenção e da liberdade.

Junto ao lago da Galileia, perdemo-nos para encontrar o caminho para o Pai. O que perdemos era insignificante perto do que viríamos a ganhar.

Foi lá que os anjos cantaram para nós e nos disseram para que trocássemos a terra árida pelo paraíso do desejo do coração.

Ele falava de campos e dos pastos verdejantes; das encostas do Líbano, onde os lírios brancos ignoram as caravanas que passam no pó do vale.

Falava da urze silvestre que sorri ao sol e perfuma a brisa que passa.

E ele dizia:

— Os lírios e as urzes silvestres florescem apenas um dia, mas esse dia é a eternidade que se transforma em liberdade.

Certa noite, sentados à beira do riacho, ouvimo-lo dizer:

— Olhai essas águas e escutai a sua música. Para sempre buscarão o mar, e, mesmo que o busquem para sempre, não deixam nunca de cantar o seu mistério de meio-dia a meio-dia. Por isso, buscai o Pai da mesma forma que o ribeiro busca o mar.

Depois chegou o verão do seu êxtase, e o mês de junho do seu amor alcançou-nos. Falou-nos, então, do outro, do próximo, do companheiro de jornada, do desconhecido e dos amigos com quem brincávamos na infância.

Contou-nos sobre o viajante que ia do Oriente para o Egito, do lavrador que regressava a casa com os seus bois ao entardecer, do convidado inesperado que assomou à nossa porta durante a noite.

E ele dizia:

— O vosso próximo é a essência desconhecida de vós próprios que se faz visível. O rosto dele se reflete em vossas águas calmas; quando nelas olhardes, contemplareis o próprio semblante.

"Se à noite prestardes atenção, ouvi-lo-eis falar, e as palavras dele serão as batidas do vosso próprio coração.

"Dai a ele aquilo que desejais para vós."

"Esta é a minha lei, e eu a digo a vós e aos vossos filhos, e eles dirão aos filhos deles até que se tenha consumado o tempo e as gerações não mais existam."

E, noutra ocasião, ele disse:

— Não estareis sós na vida enquanto estiverdes nas obras de outros homens, e eles, ainda que não saibam, estarão convosco todos os dias.

"Eles não cometerão crime algum sem que as vossas mãos tenham armado a deles.

"Não cairão, a não ser que vós também caiais; e não se levantarão, se vós também não vos levantardes.

"O caminho que trilham para o santuário é o vosso caminho, mas, se caminham para o deserto, também caminhais com eles.

"Vós e o vosso próximo são duas sementes lançadas no campo. Juntos crescereis e juntos sereis levados pelo vento. Mas nenhum de vós reclamará o campo. Pois uma semente que cresce não reclama sequer o próprio êxtase.

"Hoje sou convosco. Amanhã seguirei para o Poente; mas, antes de ir, digo-vos que o vosso próximo é a essência desconhecida de vós próprios que se faz visível. Procurai-o com amor para que possais conhecer a vós próprios, pois só com essa consciência sereis meus irmãos."

Depois veio o outono da sua paixão.

E ele nos falou da liberdade, tal como havia falado na Galileia no seu canto de primavera; mas, então, suas palavras demandavam um entendimento mais profundo.

Falou de folhas que só cantam quando sopradas pelo vento; do homem como uma taça enchida por um anjo para saciar a sede de outro anjo. No entanto, quer a taça esteja cheia ou vazia, permanecerá sempre cristalina no banquete do Altíssimo.

Ele disse:

— Sois o cálice e o vinho. Bebei até vos embriagar; ou, então, lembrai-vos de mim e sereis saciados.

E no caminho para o Sul ele disse:

— Jerusalém, que se ergue assoberbada, descerá às profundezas do vale escuro do Hinom, e, em meio a suas ruínas, estarei sozinho.

"O templo se reduzirá a escombros, e em redor do pórtico ouvireis o gemido de viúvas e órfãos; e os homens, em fuga, não verão o rosto de seus irmãos, pois o medo estará sobre todos eles.

"Mas, mesmo ali, se dois de vós se encontrarem e disserem o meu nome, olhai para o Poente: ali me vereis, e estas minhas palavras voltarão a soar em vossos ouvidos."

Quando chegamos à colina de Betânia, ele disse:

— Vamos a Jerusalém. A cidade espera-nos. Passarei pelos portões da cidade montado num burro e falarei à multidão.

"São muitos os que me acorrentariam e muitos os que apagariam a minha chama, mas, em minha morte, encontrareis a vida e sereis livres.

"Eles buscarão o alento que paira entre o coração e o espírito como a andorinha que paira entre o campo e o ninho. Mas meu alento já lhes escapou, e não me sobrepujarão.

"Os muros que o meu Pai ergueu em torno de mim não cairão, e a eira que ele santificou não será profanada.

"Quando chegar a aurora, o Sol coroará a minha cabeça e eu estarei convosco para enfrentar o dia. Esse dia será longo, e o mundo não verá o entardecer.

"Os profetas e os fariseus dizem que a terra tem sede do meu sangue. Eu saciarei a sede da terra com o meu sangue. Mas as gotas farão crescer carvalhos e bordos, e o Levante levará os frutos para outras terras."

E, então, ele disse:

— A Judeia teria um rei, e marcharia contra as legiões de Roma. Eu não serei o rei. Os diademas de Sião foram moldados para sobrancelhas menores. E o anel de Salomão é pequeno para este dedo. Eis a minha mão. Não vedes que é forte demais para segurar um cetro e empunhar uma espada comum?

"Não, não comandarei a carne síria contra a romana. Mas vós, com as minhas palavras, despertareis essa cidade, e o meu espírito falará ao seu segundo amanhecer.

"Minhas palavras serão um exército invisível com cavalos e carros, e, sem machado nem lança, sobrepujarei os sacerdotes de Jerusalém e os Césares.

"Não me sentarei num trono onde os escravos se sentaram e outros escravos governaram. Nem me revoltarei contra os filhos da Itália. Serei uma tempestade no céu deles e uma canção na sua alma. E eu serei lembrado. Chamar-me-ão Jesus, o Cristo."

Essas coisas ele disse fora dos muros de Jerusalém, antes de entrar na cidade.

E as suas palavras ficaram gravadas como se esculpidas no mármore.

Nataniel

Jesus não era manso

Dizem que Jesus de Nazaré era humilde e manso.

Dizem que, ainda que fosse apenas um homem e justo, era um fraco, muitas vezes confundido pelos fortes e poderosos; e que, quando se apresentou perante homens de autoridade, não passava de um cordeiro entre leões.

Mas afirmo que Jesus tinha autoridade sobre os homens e que sabia o poder que tinha, demonstrando-o nas colinas da Galileia e nas cidades da Judeia e da Fenícia.

Que homem fraco e manso diria: "Eu sou a vida e o caminho para a verdade"?

Que homem manso e humilde diria: "Eu estou em Deus, nosso Pai; e o nosso Deus, o Pai, está em mim"?

Que homem ignorante da própria força diria: "Aquele que não crê em mim não crê nesta vida nem na vida eterna"?

Que homem incerto do amanhã declararia: "Passará o céu e a terra, porém as minhas palavras não passarão"?

Teve ele algum receio quando disse aos que estavam por apedrejar uma adúltera: "Aquele que dentre vós estiver sem pecado seja o primeiro que lhe atire pedra"?

Temeu a autoridade quando expulsou os cambistas do templo, apesar de serem autorizados pelos sacerdotes?

Teve as asas tosquiadas quando gritou: "Meu reino está acima dos reinos deste mundo"?

Por acaso, ele se refugiava nas palavras quando costumava dizer: "Destruam este santuário, e em três dias o reconstruirei"?

Um covarde levantaria as mãos diante das autoridades e as chamaria de "mentirosos, baixos, vis e profanadores"?

Como um homem ousado o suficiente para dizer essas coisas àqueles que governavam a Judeia pode ser considerado manso e humilde?

Não. A águia não constrói ninho sobre o salgueiro. E o leão não faz covil entre as samambaias.

Fico enjoado e sinto revirar-me as entranhas quando ouço os fracos de coração chamarem Jesus de "manso" e "humilde", como forma de esconder a própria fraqueza, e quando os oprimidos, para se sentirem consolados, falam de Jesus como alguém tão insignificante quanto eles.

Sim, o meu coração está enjoado desses homens. Eu prego as palavras de um caçador e de um espírito das alturas, inquebrantável.

Sabás de Antioquia
Saulo de Tarso

Neste dia, ouvi Saulo de Tarso pregar o Evangelho de Cristo aos judeus desta cidade. Agora ele se chama Paulo, o apóstolo dos povos.

Conheci-o na minha juventude, e naqueles dias ele perseguia os amigos do Nazareno. Lembro-me bem da satisfação que ele sentia ao ver seus companheiros apedrejarem Estêvão, que irradiava juventude.

Esse Paulo é mesmo um homem estranho. Sua alma não é a alma de um homem livre.

Às vezes parece um animal da floresta, caçado e ferido, procurando uma caverna onde esconder suas dores.

Ele não fala de Jesus, nem repete suas parábolas. Ele prega o Messias que os profetas de outrora previram.

E, ainda que ele próprio seja um judeu culto, dirige-se a seus companheiros judeus em grego. Fala mal o grego, e não sabe escolher bem as palavras.

Mas é um homem de poderes ocultos, o que é confirmado por aqueles que se reúnem à sua volta. E, algumas vezes, diz a eles coisas das quais ele próprio não tinha certeza.

Nós, que conhecemos Jesus e ouvimos seus discursos, sabemos que ele ensinou os homens a quebrarem as correntes da escravidão para que se livrassem da prisão do passado.

Mas Paulo forja correntes para o homem do amanhã. Golpeia com seu próprio martelo a bigorna em nome de alguém que ele próprio não conhece.

O Nazareno faria com que vivêssemos a hora como paixão e anseios. O homem de Tarso quer que observemos as leis registradas nos antigos testamentos.

Jesus deu sopro de vida aos mortos sem fôlego. Na solidão de minhas noites, eu acredito e compreendo.

Quando Jesus se sentava à mesa, contava histórias que alegravam os festejos e temperava com a alegria a carne e o vinho.

Mas Paulo administrava com parcimônia o nosso pão e a nossa taça.

Preciso voltar os olhos para o outro lado.

Salomé a uma amiga

Um desejo insatisfeito

Ele era como o álamo ao sol e como um lago entre as colinas solitárias, banhado pelo Sol. Era como a neve sobre o cimo da montanha, refletindo os raios do Sol.

Era semelhante a todas essas coisas, por isso eu o amava.

No entanto, tinha receio de ficar ao lado dele, porque meus pés não suportavam o fardo do meu amor. Se ao menos eu pudesse abraçar-lhe os pés...

Eu lhe diria: "Matei teu amigo numa hora de descontrole. Podes perdoar o meu pecado? És misericordioso e, por misericórdia, poderias libertar-me das cadeias de minha juventude e livrar-me da cegueira do meu ato para que eu possa caminhar pela tua luz?"

Eu sei que ele me teria perdoado por ter pedido, depois daquela dança, a cabeça do amigo dele. Eu sei que ele teria visto em mim um tema para a sua doutrina. Não havia no mundo um vale de fome e um deserto de sede que ele não pudesse atravessar.

Sim, ele era como o álamo, como os lagos entre as colinas e como a neve sobre as montanhas do Líbano. Eu teria aplacado a sede de meus lábios nas dobras da sua túnica.

Mas ele estava longe de mim, e eu tinha vergonha. E a minha mãe me detinha quando o desejo de procurá-lo me vencia.

Sempre que ele passava, o meu coração ardia devido àquela beleza, mas a minha mãe franzia a testa de desprezo e procurava afastar-me da janela, falando em voz alta:

— Quem é ele senão mais um comedor de gafanhotos do deserto? Quem é ele senão um escarnecedor e um renegado, um sedicioso desordeiro, que nos roubaria o cetro e a coroa; alguém que traz consigo as raposas e os chacais de sua terra maldita para uivar nos nossos salões e sentar-se no nosso trono? Vai e cobre a tua cara a partir do dia de hoje. Não demorará muito o dia em que a cabeça dele cairá; mas não cairá na tua bandeja.

Essas coisas minha mãe disse. Mas o meu coração não quis guardar as palavras dela. Eu amava-o em segredo, e o amor que eu sentia me abrasava durante o sono.

Ele não está mais entre nós. E algo que havia em mim também já não está. Talvez tenha sido a minha juventude que não quis permanecer, porque o Deus da juventude estava morto.

Raquel, uma discípula
Jesus, a ideia e o homem

Muitas vezes, perguntei-me se Jesus era um homem de carne e osso como nós, ou um pensamento sem corpo, no espírito, ou uma ideia que acomete a visão do homem.

Muitas vezes pareceu-me que ele era apenas um sonho de diversas pessoas e, ao mesmo tempo, um sono mais profundo do que o sono e uma aurora mais serena do que todas as madrugadas.

Parece que, ao relatarmos esse sonho uns aos outros, passamos a considerá-lo uma realidade de fato; e, ao dar-lhe corpo em nossa imaginação, e uma voz ao nosso desejo, fazemos desse sonho uma substância da nossa própria substância.

Mas, na verdade, Jesus não era um sonho. Estivemos com ele durante três anos e o olhávamos com olhos abertos à luz de meio-dia.

Tocávamos suas mãos e o seguíamos de um lugar a outro. Ouvíamos os seus discursos e testemunhávamos as suas obras. Acaso pensais que éramos um pensamento à procura de outros pensamentos, ou um sonho na região dos sonhos?

Grandes acontecimentos parecem sempre estranhos à nossa vida diária, ainda que a natureza deles possa estar arraigada à nossa. E, por mais que apareçam repentinamente e de passagem, perduram por séculos e gerações.

Jesus de Nazaré foi o Grande Evento. Esse homem, de quem conhecemos o pai, a mãe e os irmãos, foi um milagre que se realizou na Judeia. Se todos os seus milagres fossem colocados aos seus pés, não chegariam à altura do tornozelo.

Nem todos os rios de todos os tempos dispersarão a lembrança que temos dele.

Ele era uma montanha em chamas que brilhava durante a noite, mas emitia um calor suave além das colinas. Era uma tempestade no firmamento, mas um murmúrio na névoa do amanhecer.

Ele era uma torrente que corria do alto para as planícies e destruía tudo em seu caminho. E era, ao mesmo tempo, suave como o sorriso de uma criança.

Todos os anos eu esperava a primavera chegar para visitar este vale; esperava para ver os lírios e os sicômoros; mas todos os anos a minha alma entristecia-se dentro de mim; sempre desejei regozijar-me com a primavera, e nunca pude.

Mas, quando Jesus chegou às minhas estações, veio como um manancial e como uma promessa para os anos vindouros. Ele encheu meu coração de alegria; e eu cresci como as violetas, envergonhada e tímida diante da luz do seu advento.

Agora nem mesmo a mudança das estações de mundos que ainda não são nossos poderá apagar de nosso mundo a beleza de Jesus.

Jesus não era um fantasma, nem invenção de poetas. Era um homem como tu e eu, para ser visto, tocado e ouvido. Nos outros aspectos, era diferente de todos nós.

Era um homem alegre, e, no caminho da alegria, ele deparou-se com as tristezas humanas. Do alto das próprias aflições, pôde enxergar a alegria dos homens.

Teve visões que nunca tivemos e ouviu vozes que nunca ouvimos. Falava para multidões invisíveis, e muitas vezes falava por meio de nós com raças que ainda não haviam nascido.

Na maior parte do tempo, Jesus estava só. Estava entre nós e não estava conosco. Estava sobre a terra, mas era do céu. Só por meio da solidão podíamos visitar seu mundo solitário.

Ele amou-nos com ternura. Seu coração era um lagar de vinho, aonde podíamos ir e beber.

Havia apenas uma coisa que eu não podia compreender em Jesus: ele alegrava-se com seus ouvintes; fazia gracejos, brincava com as palavras e ria com toda a plenitude do coração, mesmo quando tinha dúvidas nos olhos e tristeza na voz. Mas agora entendo.

Penso sempre na terra como uma mulher extenuada com seu primeiro filho. Quando Jesus nasceu, foi o primeiro filho. Quando morreu, foi o primeiro homem a morrer.

Não vos pareceu que a terra estava serena naquela sexta-feira sombria, e que os céus estavam em guerra com os céus?

E não sentistes quando o rosto dele desapareceu de nossos olhos como se não fôssemos mais do que lembrança na névoa?

Cleoba al-Batruni
A Lei e os profetas

Quando Jesus falava, o mundo inteiro calava-se para ouvi-lo. Suas palavras não eram para os nossos ouvidos, mas para os elementos de que Deus fez esta terra.

Ele falava para as águas, nossa mãe imensa que nos deu a vida. Ele falava para o monte, nosso irmão mais velho, cujo cume é uma promessa.

E falou para os anjos de além-mar e da montanha a quem confiamos os nossos sonhos, antes que secasse ao sol o barro de que somos feitos.

Suas palavras ainda dormem dentro de nós como uma canção de amor meio esquecida, que às vezes queima em nossa memória.

Suas palavras eram simples e alegres, e o som da sua voz era como água fresca numa terra crestada pela seca.

Certa vez ele ergueu a mão para o céu, e seus dedos se abriram como os ramos do carvalho; e ele disse com uma voz potente:

— Os profetas de outrora vos falaram, e os vossos ouvidos estão cheios das palavras deles. Mas eu vos digo: esvaziai os vossos ouvidos do que ouvistes.

E estas palavras de Jesus, "Mas eu vos digo", não foram ditas por um homem da nossa raça nem do nosso mundo; mas por uma multidão de serafins que caminham pelos céus da Judeia.

Uma e outra vez ele citava a Lei e os profetas, e depois dizia: "Mas eu vos digo".

Eram palavras ardentes, ondas de mares desconhecidos que se espraiam em nossa mente: "Mas eu vos digo".

Eram estrelas que iluminavam a escuridão da alma; almas que velavam a noite à espera do amanhecer.

Para descrever as palavras de Jesus é preciso possuir o Verbo de Jesus ou o eco do Verbo Divino.

Eu não tenho o Verbo nem o eco. Peço-vos que me perdoeis por começar a contar uma história que não posso terminar. Mas o final dela não está nos meus lábios. Continua a ser uma canção de amor, ao vento.

Naamã, o gadareno
A morte de Estêvão

Seus discípulos se dispersaram. Ele deu-lhes o legado da dor antes de ser morto. Eles são abatidos como animais de caça e acossados como raposas do campo; e a aljava do caçador ainda está cheia de flechas.

Mas, quando são pegos e levados para a execução, mostram-se contentes, e os seus rostos brilham como o rosto do noivo na festa de núpcias. Pois ele deu-lhes também o legado da alegria.

Eu tinha um amigo na terra do Norte, e o seu nome era Estêvão; pelo fato de ele proclamar Jesus como o Filho de Deus, foi apedrejado em praça pública.

Quando Estêvão caiu ao chão, procurou esticar os braços como se quisesse morrer como o seu Mestre tinha morrido. Os braços de Estêvão estendiam-se como asas prontas para voar. E, quando o último brilho de luz se apagou de seus olhos, vi, com meus próprios olhos, um sorriso nos lábios dele. Era um sorriso que lembrava a brisa que vem antes do fim do inverno como para anunciar a primavera.

Como posso descrevê-lo?

Parecia que Estêvão dizia: "Se eu fosse para outro mundo, e outros homens me levassem a outra praça pública para me apedrejar, eu ainda o proclamaria pela verdade que havia nele: essa mesma verdade que está em mim agora".

E reparei que havia um homem por perto que olhava com prazer para a lapidação de Estêvão. Seu nome era Saulo de Tarso, e foi ele quem entregara Estêvão aos sacerdotes, aos romanos e à multidão, para ser apedrejado.

Saulo era calvo e de baixa estatura. Seus ombros eram tortos e não havia harmonia em suas feições. Eu não gostava dele.

Disseram-me que ele hoje prega o nome de Jesus aos quatro ventos. É difícil de acreditar.

Mas o túmulo não detém a caminhada de Jesus sobre o acampamento dos inimigos, onde domina e detém aqueles que se opõem a ele.

Mesmo assim, não gosto daquele homem de Tarso, ainda que me tenham dito que, depois da morte de Estêvão, foi dominado e conquistado no caminho para Damasco. A cabeça dele é demasiado grande para que o coração seja o de um verdadeiro discípulo.

Eu talvez esteja enganado. Pois muitas vezes me engano.

Tomé
Suas dúvidas e seu avô

Meu avô, que era advogado, disse certa vez: "Observemos a verdade, mas apenas quando ela manifestar-se a nós".

Quando Jesus me chamou, escutei-o, pois o seu chamamento era mais potente do que a minha vontade; no entanto, mantive o que me fora aconselhado.

Ele falava, e suas palavras abalavam a todos como ramos ao vento, mas eu ouvia impassível. No entanto, eu o amava.

Faz três anos que ele nos deixou. Hoje somos um grupo disperso que glorifica o nome dele e suas testemunhas diante das nações.

Naqueles tempos, chamavam-me Tomé, o Cético. A sombra do meu avô ainda estava sobre mim, e eu só acreditava naquilo que pudesse presenciar.

Eu poria a mão na minha própria ferida para sentir o sangue, antes de acreditar na minha dor.

Hoje sei que um homem que ama com o coração, mas carrega uma dúvida na mente, é um escravo nas galés que dorme sobre o remo. Ele sonha com a liberdade, mas acorda fustigado pelo chicote do verdugo.

Eu era um escravo e sonhava com a liberdade, mas o sonho de meu avô ensombrecia minhas noites. Minha carne tinha necessidade do chicote despertador.

Mesmo na presença do Nazareno, eu tinha os olhos fechados e não via minhas mãos acorrentadas ao remo.

A dúvida é uma dor solitária demais, e não percebe que a fé é seu irmão gêmeo.

A dúvida é uma criança enjeitada, e, ainda que a sua própria mãe a encontrasse e envolvesse, ela se acautelaria e teria medo.

A dúvida só reconhece a verdade depois que as feridas estão curadas e cicatrizadas.

Duvidei de Jesus até ele se manifestar para mim e colocar minha própria mão nas suas chagas.

Então eu acreditei; depois disso, livrei-me do passado e do meu avô.

Os mortos em mim enterraram seus mortos; e os vivos viverão para o Ungido do Senhor, para Aquele que era conhecido como o Filho do Homem.

Ontem, disseram-me que eu deveria pregar o nome dele na Pérsia e na Índia.

Irei. E, desde esse dia até o meu último dia, ao amanhecer e ao entardecer, verei o meu Senhor levantar-se em majestade e o ouvirei falar.

Elmadã, o lógico
Jesus, o pária

Vós me pedis que fale de Jesus, o Nazareno, e muito tenho a dizer, mas ainda não chegou a hora disso. No entanto, tudo o que eu disser dele agora será a verdade, pois nenhum discurso tem valor, a não ser quando revela a verdade.

Imaginai um homem desorientado, contrário a toda ordem; um mendigo, contrário à propriedade; um bêbado que só se alegra em meio a patifes e marginais.

Ele não era um filho que se orgulhava do Estado, nem era o cidadão protegido pelo Império; por isso, tinha desprezo tanto pelo Estado quanto pelo Império.

Vivia livre e sem obrigações, como as aves do céu; por isso, os caçadores o derrubaram com suas flechas.

O homem que derruba as abóbadas do passado não escapa dos escombros. Ninguém que abra as comportas do dilúvio de seus pais evita ser arrastado pelas águas. É a lei. E, porque o Nazareno violou a lei, ele e seus discípulos foram eliminados.

Houve muitos como ele: homens que mudariam o rumo do nosso destino. Eles próprios tiveram de mudar, e foram derrubados.

Há uma videira sem gavinhas que cresce junto às muralhas da cidade. Ela rasteja para cima e agarra-se às pedras. Se essa videira dissesse no seu coração: "Com a minha força e o meu peso destruirei estas paredes"; o que diriam as outras plantas? Certamente rir-se-iam das tolices dela.

Agora, senhor, não posso deixar de rir-me desse homem e dos seus discípulos insensatos.

Uma das Marias
A tristeza e o sorriso de Jesus

A sua cabeça estava sempre alta, e a chama de Deus estava nos seus olhos.

Muitas vezes ele parecia triste, mas a sua tristeza era um bálsamo para as chagas dos que tinham dor, e um consolo para os desconsolados.

Quando sorria, era o sorriso daqueles que há muito ansiavam pelo desconhecido. Era como o pó das estrelas que caía sobre as pálpebras das crianças. E era como um pedaço de pão na boca.

Era triste, mas era uma tristeza que se elevava aos lábios e se transformava em sorriso.

Era como um véu dourado na floresta durante o outono. E por vezes parecia um luar sobre as margens de um lago.

Sorria como se os seus lábios cantassem numa festa de casamento.

No entanto, ele ficava triste com a tristeza daqueles que tinham asas, mas não podiam voar sobre seus companheiros.

Rumanos, um poeta grego
Jesus, o Poeta

Jesus era um poeta. Ele via pelos nossos olhos e ouvia pelos nossos ouvidos, e nossas palavras silenciosas estavam sempre nos seus lábios; e seus dedos tocavam aquilo que não podíamos sentir.

A partir de seu coração, voavam inúmeras aves canoras para o norte e para o sul, e as pequenas flores nas encostas das montanhas marcavam os seus passos a caminho dos céus.

Muitas vezes, vi-o inclinar-se para tocar as folhas da relva. No meu coração, ouvi-o dizer: "Ervinhas verdes, estareis comigo no meu reino, como os carvalhos de Besã e os cedros do Líbano".

Ele amava tudo o que era belo, o rosto acanhado das crianças, a mirra e o incenso do Sul.

Ele amava uma romã ou uma taça de vinho que lhe davam com bondade; não se importava se eram oferecidas por um estranho na estalagem ou por um rico anfitrião.

E ele amava as amêndoas em flor. Vi-o recolhê-las e cobrir o rosto com as pétalas, como se abraçasse carinhosamente todas as árvores do mundo.

Ele conhecia o mar e os céus; e falava de pérolas que têm uma luz que não é como nossa luz, e de estrelas que estão além da noite.

Ele conhecia as montanhas como as águias as conhecem, e os vales como os conhecem os regatos e arroios. E havia um deserto no seu silêncio e um jardim no seu discurso.

Sim, ele era um poeta cujo coração habitava um carvalho além das alturas; e suas canções, embora destinadas aos nossos ouvidos, alcançavam também outros ouvidos, em outra terra onde a vida é sempre jovem e o tempo é sempre madrugada.

Eu também me considerava um poeta; mas, quando estive com ele em Betânia, entendi o que era segurar uma lira de apenas uma corda diante de alguém que comanda uma orquestra. Em sua voz havia o riso do trovão, as lágrimas da chuva e a dança alegre das árvores ao vento.

Ao entender que a minha lira só tinha uma corda, e que a minha voz não podia entoar as memórias de ontem nem as esperanças de amanhã, abandonei a lira e adotei o silêncio. No entanto, todas as tardes apuro os ouvidos para as canções daquele que é o príncipe dos poetas.

Levi, um discípulo
Aqueles que queriam confundir Jesus

Certa tarde, Jesus passou pela minha casa, e a minha alma despertou dentro de mim.

Ele falou comigo e disse:

— Vem, Levi, e me segue.

E eu o segui naquele dia.

Ao anoitecer do dia seguinte, implorei-lhe que entrasse em minha casa e fosse meu hóspede. Ele e os seus amigos entraram e abençoaram a mim, à minha mulher e aos meus filhos.

Em minha casa havia também outros hóspedes. Eram publicanos e sábios, mas estavam, discretamente, contra ele.

À mesa, um dos publicanos interrogou Jesus, dizendo:

— É verdade que tu e os teus discípulos violam a Lei e acendem fogo no sábado?

Jesus respondeu-lhe:

— Sim, acendemos fogo no sábado, para incendiar e queimar com nossas tochas a palha seca dos outros dias.

Um outro publicano disse:

— Foi-nos dito que bebes vinho com os impuros na estalagem.

E Jesus respondeu:

— Sim, eles também precisam ser consolados. Teríamos vindo aqui para repartir o pão e o vinho apenas com aqueles entre vós que não fossem pobres nem simples? Poucos, sim, muito poucos são os que não têm asas e desafiam o vento; mas muitos são os que sabem voar e não saem do ninho. Nós alimentamos a todos com o nosso bico, tanto os lerdos quanto os ligeiros.

E outro publicano disse:

— Não me disseram, também, que defendes as prostitutas de Jerusalém?

Então, no rosto de Jesus eu vi refletirem-se as montanhas do Líbano, e ele disse:

— É verdade. No dia do arrebatamento essas mulheres se apresentarão perante o trono do meu Pai e serão purificadas com as próprias lágrimas. Mas as correntes com as quais as julgastes continuarão pesando sobre vós. Babilônia não foi destruída pelo pecado de suas prostitutas; Babilônia reduziu-se a cinzas para que os olhos dos hipócritas não vissem mais a luz do dia.

Outros publicanos queriam interrogá-lo, mas fiz um sinal e mandei-os calar, pois sabia que ele os confundiria. Eram também meus convidados, e eu não queria envergonhá-los.

À meia-noite os publicanos deixaram minha casa, com os espíritos perturbados.

Então fechei os olhos e vi, como se fosse uma visão, sete mulheres de vestes brancas de pé em volta de Jesus. Os braços delas estavam cruzados sobre os seios e elas abaixavam o rosto em sinal de humildade. Eu olhei profundamente na névoa do meu sonho e vi o rosto de uma das sete mulheres, e ele iluminou a escuridão de minha alma. Era o rosto de uma prostituta de Jerusalém.

Então abri os olhos e olhei para ele, e ele sorria para mim e para as mulheres que ainda estavam à mesa.

Voltei a fechar os olhos e vi, num lampejo de luz, sete homens de roupa branca ao redor de Jesus. E vi o rosto de um deles.

Era o rosto do ladrão que seria crucificado à sua direita.

Mais tarde, Jesus e seus discípulos deixaram minha casa e seguiram seu caminho.

Uma viúva da Galileia
Jesus, o cruel

Meu filho foi meu primeiro e único filho. Ele cultivava nosso campo e vivia feliz até ouvir o homem chamado Jesus falar à multidão.

Então meu filho tornou-se diferente, como se um novo espírito, estranho e doentio, tivesse abraçado o espírito dele.

Ele abandonou o campo e o jardim; e abandonou também a mim. Tornou-se inútil, vivendo nos caminhos.

Aquele homem, Jesus de Nazaré, era mau. Que homem bom afastaria de uma mãe o filho?

A última coisa que meu filho me disse foi:

— Eu vou com um dos discípulos dele para a terra do Norte. Minha vida será construída sobre o Nazareno. Tu me deste à luz e te agradeço por isso. Mas tenho de partir. Deixo para ti nossa rica terra e toda a prata e o ouro que possuímos. Só levarei comigo esta roupa e este cajado.

Assim falou o meu filho, e partiu.

Agora os romanos e os sacerdotes prenderam Jesus e o crucificaram; e fizeram bem.

Um homem que separa mãe e filho não pode ser piedoso. Um homem que envia nossos filhos para as cidades dos gentios não pode ser nosso amigo.

Eu sei que meu filho não voltará para mim. Vi isso nos olhos dele. Por isso, odeio Jesus de Nazaré, que me fez ficar sozinha neste campo ermo e neste jardim abandonado.

Eu também odeio todos aqueles que louvam a Jesus.

Poucos dias atrás, disseram-me terem ouvido de Jesus: "Meu pai, minha mãe e meus irmãos são aqueles que ouvem a minha palavra e me seguem".

Por que teriam os filhos de deixar suas mães e seguirem os passos dele?

Por que deveria o leite do meu peito ser trocado pelas águas de um manancial desconhecido? E o calor dos meus braços? Por que deve ser trocado pela fria e hostil terra do Norte?

Sim, odeio o Nazareno, e odiá-lo-ei até o fim dos meus dias, pois ele roubou-me meu primeiro e único filho.

Judas, primo de Jesus
A morte de João Batista

Numa noite do mês de agosto, estivemos com o Mestre num campo desolado não muito longe do lago. O local era chamado pelos antigos de Campo da Caveira.

Jesus estava deitado sobre a relva olhando para as estrelas.

De repente, dois homens vieram correndo em nossa direção, exaustos. Demonstravam sofrimento e se prostraram diante de Jesus. Jesus levantou-se e disse:

— De onde viestes?

E um dos homens respondeu:

— De Maquero.

Jesus olhou para ele, perturbado, e disse:

— E João?

— Foi morto hoje, decapitado na prisão — respondeu o homem.

Então Jesus ergueu a cabeça. Em seguida, afastou-se um pouco e, depois de algum tempo, voltou para o nosso meio e disse:

— O rei podia ter matado o profeta antes deste dia. Na verdade, o rei tentou o prazer dos seus súditos. Os reis de antigamente não demoravam muito para entregar a cabeça de um profeta aos caçadores de cabeças.

— Lamento não por João, mas por Herodes, que deixou cair a espada. Pobre rei, foi apanhado como um animal e levado pelo arreio.

"Pobres tetrarcas mesquinhos, perdidos na própria escuridão. Eles tropeçam e caem. O que pode vir de um mar estagnado senão peixes mortos?

"Eu não odeio os reis. Deixai-os governar os homens, se forem mais sábios que eles."

O Mestre olhou para os rostos tristes dos recém-chegados e, depois, para nós. Voltou a falar e disse:

— João nasceu ferido, e o sangue das suas chagas corria com suas palavras. Ele ainda não era livre de si mesmo e paciente apenas com os retos e os justos.

"Na verdade, ele era uma voz que gritava em terra de surdos; e eu amava-o na sua dor e solidão. E amava sua altivez; ele era capaz de entregar a própria cabeça à espada, antes de entregá-la ao pó.

"Em verdade vos digo que João, o filho de Zacarias, foi o último da sua raça, e como os seus antepassados foi morto entre a entrada do templo e o altar."

Uma vez mais Jesus afastou-se de nós. Depois, voltou e disse:

— Sempre foi assim: aqueles que governam um instante matam os que governaram por séculos. Eles sempre armam um julgamento e impõem uma pena sobre um homem que ainda não nasceu, e o condenam à morte antes de ele cometer um crime. O filho de Zacarias viverá comigo no meu reino e o seu dia será longo.

Depois, voltou-se para os discípulos de João e disse:

— Cada ação tem o seu dia de amanhã. Talvez eu mesmo seja o dia de amanhã dessa ação. Retornai para os amigos do meu amigo e dizei-lhes que amanhã estarei com eles.

Os dois homens afastaram-se de nós, e pareciam aliviados.

Então Jesus deitou-se de novo sobre a relva, esticou os braços e voltou a olhar para as estrelas.

Já era tarde. Eu estava ao lado dele, quase adormecido, mas uma mão invisível batia nas portas do meu sono, e eu permaneci desperto até que Jesus e a aurora me chamaram novamente para o caminho.

Um homem do deserto
Os cambistas do templo

Eu era um estrangeiro em Jerusalém. Tinha vindo à Cidade Santa para ver o grande templo e fazer um sacrifício sobre o altar, em agradecimento por minha mulher ter dado filhos gêmeos à minha tribo.

Depois de ter feito a minha oferta, parei no portal do templo para observar os cambistas e os vendedores de pombas para sacrifício, além de ouvir a agitação do tribunal.

Foi quando um homem entrou no meio dos cambistas e dos vendedores de pombas. Era um homem majestoso e surgiu rapidamente.

Ele empunhava uma corda de couro de cabra e começou a virar as mesas dos cambistas de dinheiro e a bater com a corda nos que vendiam pombas.

Ouvi-o dizer em voz alta:

— Devolvei estas aves para o céu, que é o ninho delas.

Homens e mulheres fugiram dele, e ele se movia entre eles como uma ventania no deserto.

Tudo isso aconteceu durante um instante, e os cambistas deixaram o átrio do Templo. Apenas aquele homem ficou, e os que o seguiam observavam de longe.

Depois, virei o rosto e vi outro homem no pórtico do templo. Dirigi-me até ele e perguntei-lhe:

— Senhor, quem é esse homem que está ali, como se fosse um outro templo?

— É Jesus de Nazaré — respondeu. — Um profeta que apareceu há pouco na Galileia. Aqui em Jerusalém, todos o odeiam.

E eu disse:

— Meu coração é bastante forte para ser o seu flagelo, e humilde o suficiente para colocar-me aos pés dele.

Jesus voltou-se para os seus seguidores e, enquanto caminhava até eles, uma das pombas que livrara dos vendedores pousou no seu ombro esquerdo e outras duas aos seus pés. Ele acariciou cada uma delas. Em seguida, caminhou, e havia léguas em cada um de seus passos.

Que poder tinha aquele homem para atacar e dispersar centenas de homens e mulheres sem que resistissem a ele? Disseram-me que todos eles o odiavam, mas ninguém se opôs a ele naquele dia. Teria ele arrancado as presas do ódio no caminho para o templo?

Pedro
O dia seguinte dos discípulos de Jesus

Certa vez, ao pôr do sol, Jesus levou-nos até a aldeia de Betsaida. Estávamos cansados e sujos pela poeira da estrada. Chegamos a uma grande casa no meio de um jardim, cujo dono estava em pé ao portão.

E Jesus disse-lhe:

— Estes homens estão cansados e com os pés doloridos. Deixa-os dormir na tua casa. A noite está fria e eles precisam de calor e descanso.

E o homem rico disse:

— Eles não dormirão em minha casa.

— Deixa-os então dormir no teu jardim — disse Jesus.

E o homem respondeu:

— Não, eles não dormirão no meu jardim.

Então Jesus voltou-se para nós e disse:

— Eis o vosso amanhã; o que se passa agora há de passar no futuro. Todas as portas estarão fechadas para vós, e nem mesmo os jardins debaixo das estrelas poderão servir-vos para pouso.

"Se os vossos pés forem pacientes com o caminho e me seguirem, talvez encontreis uma bacia e uma cama, e talvez também pão e vinho. Mas, se não encontrardes nada disso, não vos esqueçais de que acabastes de atravessar um dos meus desertos. Vinde, vamos embora."

O homem rico ficou perturbado; o seu rosto mudou e ele murmurou para si mesmo palavras que eu não ouvi. Em seguida, recolheu-se ao seu jardim.

E nós seguimos Jesus pelo caminho.

Malaquias, um astrólogo da Babilônia
Os milagres de Jesus

Perguntam-me sobre os milagres de Jesus e eu respondo.

A cada mil anos, o Sol, a Lua, esta Terra e todos os seus planetas irmãos formam uma linha reta no céu por um momento. Depois, dispersam-se lentamente e aguardam a passagem de outros mil anos.

Não há milagres além das estações; no entanto, tu e eu não conhecemos todas elas. E se uma estação se manifestar na forma de um homem?

Em Jesus, os elementos do nosso corpo e dos nossos sonhos se juntaram de acordo com a lei. Tudo o que era intemporal antes dele tornou-se intemporal nele.

Dizem que dava visão aos cegos, fazia caminhar os paralíticos e expulsava os demônios dos loucos.

A cegueira talvez seja apenas um pensamento obscuro que pode ser vencido por um pensamento ardente. Um membro atrofiado não seria outra coisa que uma fraqueza superável pela energia. E, quem sabe, os demônios, esses elementos inquietos da nossa existência, não possam ser expulsos pelos anjos da paz e do sossego.

Dizem que ele ressuscitava os mortos para a vida. Se me puderes dizer o que é a morte, então eu direi o que é a vida.

No campo, vi uma bolota, uma coisa imóvel e aparentemente tão inútil. Mas, na primavera, vi essa mesma bolota criar raízes e crescer, dando origem a um carvalho, que se ergue para o Sol.

Eu poderia dizer que isso é um milagre, mas esse milagre ocorre mil vezes na sonolência de cada outono e na paixão de cada primavera.

Por que não se realizaria no coração do homem? As estações não poderiam encontrar-se nas mãos ou nos lábios de um homem ungido?

Se o nosso Deus deu à terra a arte de preservar a semente quando ela parece morta, porque não dará ele ao coração do homem a capacidade de soprar a vida em outro coração, mesmo em um coração aparentemente morto?

Falei desses milagres como milagres menores diante do maior, que é esse próprio Homem, esse Caminhante, o homem que transformou em ouro o que estava podre em mim, que me ensinou a amar os que me odeiam, e, ao fazê-lo, deu-me consolo e trouxe doces sonhos às minhas noites.

Esse é o milagre da minha própria vida.

Minha alma era cega e errante. Eu estava possuído por espíritos inquietos, e estava morto.

Mas agora vejo claramente, e caminho direito. Estou em paz e vivo para testemunhar e proclamar o meu próprio ser a cada hora do dia.

Não sou discípulo de Jesus. Sou apenas um velho astrólogo que percorre os campos do espaço a cada estação e que está atento à lei e aos seus milagres.

Estou no crepúsculo do meu tempo, mas, sempre que buscava o amanhecer, buscava a juventude de Jesus.

A idade sempre busca a juventude. Quanto a mim, é o conhecimento que busca a visão.

Um filósofo
A maravilha e a beleza

Quando estava conosco, ele nos observava e ao mundo com olhos maravilhados, pois seus olhos não estavam velados com o véu dos anos, e tudo o que ele via era claro à luz da sua juventude.

Ainda que conhecesse a beleza profundamente, sempre o surpreendiam a mansidão e a majestade dessa beleza. Apresentava-se diante do mundo como o primeiro homem no primeiro dia.

Nós, cujos sentidos foram entorpecidos, olhamos em plena luz do dia; no entanto, nada vemos; apuramos os ouvidos e nada ouvimos; estendemos as mãos, mas não tocamos em nada. E, ainda que queimemos todo o incenso da Arábia, seguimos nosso caminho sem que sintamos o odor de nada.

Não vemos o lavrador a regressar do campo ao entardecer; nem ouvimos a flauta do pastor a conduzir o seu rebanho ao aprisco; nem esticamos os braços para tocar o pôr do sol; e as nossas narinas já não aspiram o odor das rosas de Sarom.

Não respeitamos monarcas sem reinos; não ouvimos o som das harpas se não temos suas cordas entre os dedos; não percebemos uma criança no olival se a confundimos com as oliveiras. Todas as palavras têm de brotar dos lábios da carne, para que não sejamos mudos e surdos uns com os outros.

Em verdade, olhamos, mas não vemos, escutamos, mas não ouvimos; comemos e bebemos, mas não sentimos gosto. Eis a diferença entre Jesus de Nazaré e nós outros; pois seus sentidos se renovam sempre, e o mundo para ele era, a cada instante, um mundo novo.

Para ele, o choro de uma criança não era menos do que o grito de toda a humanidade; para nós, é um simples choro.

Para ele, a raiz do botão-de-ouro era um desejo de alcançar a Deus; para nós, é só uma raiz.

Urias, um ancião de Nazaré
Ele era um estranho entre nós

Ele era um estranho entre nós, e sua vida se ocultava sob um véu espesso.

Ele não andava no caminho do nosso Deus, mas seguia a estrada da iniquidade e da infâmia.

Sua infância encheu-se de repugnância, e rejeitou o leite doce da nossa natureza.

Sua juventude era inflamada como a erva seca que arde durante a noite.

Quando se tornou homem, armou-se contra todos nós.

Tais homens são concebidos na maré baixa da bondade humana, e nascem durante tempestades profanas. Nas tempestades, eles vivem um dia e perecem para sempre.

Não te lembras dele, um jovem arrogante que discutia com os nossos sábios anciãos e ria-se da dignidade deles?

Não te lembras de quando ele era jovem e andava com o serrote e a plaina? Ele não brincava com nossos filhos nos feriados e preferia ficar sozinho.

Não respondia àqueles que o saudavam, como se fosse superior a todos.

Encontrei-o certa vez no campo e cumprimentei-o; ele apenas sorriu, e havia arrogância e insulto naquele sorriso.

Pouco tempo depois, minha filha e suas amigas foram até as vinhas colher uvas; ela falou com ele, mas ele não lhe respondeu. Falava com as trabalhadoras das vinhas como se a minha filha não estivesse entre elas.

Quando abandonou o seu povo e se tornou um vagabundo, não fazia outra coisa que discursos. Sua voz era como garras em nossa carne, e o som da sua voz ainda é uma dor em nossa memória.

Ele só falava do mal que havia em nós e nos nossos pais e antepassados. Sua língua era como uma flecha envenenada.

Assim era Jesus.

Se ele fosse meu filho, tê-lo-ia mandado com as legiões romanas à Arábia e implorado ao capitão que o colocasse na vanguarda da batalha, para que o arqueiro do inimigo o atingisse primeiro; assim, eu me libertaria da sua insolência.

Mas eu não tenho filhos. E deveria estar contente por isso. Pois, se o meu filho tivesse sido um inimigo do próprio povo, meus cabelos grisalhos teriam agora o pó da vergonha e a minha barba branca estaria desonrada.

Nicodemos, o poeta
Os tolos e os mistificadores

Muitos são os tolos que dizem que Jesus seguiu seu caminho em oposição a si próprio; que não conhecia o próprio pensamento e, por causa disso, confundia-se.

Muitas são as corujas que não conhecem outra canção além do próprio grasnar.

Tu e eu conhecemos aqueles que jogam com as palavras e que só respeitam os que o fazem melhor; levam a própria cabeça dentro de cestos ao mercado para vendê-la a quem quiser pagar.

Conhecemos anões que desafiam gigantes. E sabemos o que diria a erva a respeito do carvalho e do cedro. Tenho pena delas, pois não podem subir às alturas. Tenho pena do espinheiro encolhido que inveja o olmo que desafia as estações do ano.

Mas nem mesmo a piedade de todos os anjos é capaz de proporcionar luz a essas plantinhas.

Conheço o espantalho cujos farrapos balançam entre as espigas; mas ele está morto para o milho e para o vento que assovia.

Conheço a aranha; ela não tem asas, mas tece suas redes para apanhar os que voam.

Conheço os talentosos, os que tocam os clarins e os que batem nos tambores. Ensurdecidos pelo barulho que fazem, não conseguem ouvir a andorinha nem o vento leste na floresta.

Conheço aquele que rema contra a corrente, mas nunca consegue atingir a nascente. Conheço o que corre com todos os rios, mas nunca se atreve a ir até o mar.

Conheço aquele que se propõe a trabalhar na edificação do templo, mas não tem capacidade para tal. Quando seu trabalho é rejeitado, diz, na negrura do próprio coração, que destruirá tudo o que for construído.

Conheço tudo isso. São os que protestam por Jesus ter dito certa vez que trazia a paz, e, outra vez, que trazia uma espada. Não compreendem o que de fato ele disse: "Eu trago a paz aos homens de boa vontade, e ponho uma espada entre aquele que quer a paz e aquele que quer uma espada".

Eles perguntam se aquele que disse "Meu reino não é deste mundo" não é o mesmo que disse "Dá a César o que é de César". Não sabem que, se querem mesmo ser livres para entrar no reino das próprias paixões, não devem resistir ao guardião de suas próprias necessidades. Diante disso, o tributo que pagam para entrar naquela cidade é uma esmola.

Há os que dizem: "Ele pregava ternura, bondade e amor filial, mas não dava ouvidos à sua mãe e aos seus irmãos quando o procuravam nas ruas de Jerusalém".

Eles não sabem que sua mãe e seus irmãos, por amor e por cuidado, queriam que ele voltasse à bancada de carpinteiro. Mas ele queria abrir os olhos de todos nós para o amanhecer de um novo dia. A mãe e os irmãos fariam com que ele vivesse na sombra da morte. Mas ele desafiou a morte no monte para que vivesse desperto em nossa memória.

Conheço as toupeiras que escavam caminhos que não levam a lugar algum. Acusam Jesus de se glorificar a si mesmo, dizendo à multidão: "Eu sou o caminho e a porta da salvação", chamando a si mesmo de a vida e a ressurreição.

Mas Jesus não afirmava nada além do que a primavera afirma no meio da estação.

Ele apenas falava de uma verdade brilhante porque essa verdade era mesmo brilhante.

Ele disse, de fato, que ele era o caminho, a vida e a ressurreição do coração; e eu próprio sou testemunho da sua verdade.

Não te lembras de mim, Nicodemos? Eu que não acreditava em nada a não ser em leis e decretos e me sujeitava a observá-los?

Sou agora um homem que caminha com a vida e sorri com o Sol desde o momento em que ele surge sobre a montanha até ocultar-se atrás delas.

Por que recuas diante da palavra salvação? Eu próprio, através dele, alcancei a minha salvação.

Não me preocupo com o que me acontecerá amanhã, pois Jesus reanimou os meus sonhos e fez deles meus amigos e companheiros de estrada.

Seria eu menos homem por acreditar num homem maior?

As barreiras de carne e osso caíram quando o poeta da Galileia falou comigo; fui abraçado por um espírito e elevado às alturas, e, no ar, minhas asas entoaram o cântico da paixão.

Quando desci com o vento, manifestei minhas opiniões no Sinédrio, e minhas costelas e minhas asas sem penas mantiveram aquele cântico. Nem toda miséria das terras baixas podem apartar-me do meu tesouro.

Já disse o bastante. Que os surdos ocultem o zumbido da vida em seus ouvidos mortos. Estou satisfeito com o som da sua lira, a qual ele empunhou e tocou mesmo quando tinha as mãos pregadas à cruz.

José de Arimateia
Os dois mananciais do coração de Jesus

Havia dois mananciais no coração do Nazareno: o de seu parentesco com Deus, a quem ele chamava de Pai; e a corrente de arrebatamento à qual ele chamou de o Reino do Mundo de Cima.

Eu, nas horas de quietude, pensava nele e seguia esses dois mananciais que emanavam do coração dele. Sobre as margens do primeiro, encontrei minha própria alma. Às vezes, minha alma era a alma de um mendigo e de um vagabundo; outras vezes, a de uma princesa no jardim.

Depois, segui o outro manancial do coração do Nazareno e, no caminho, encontrei alguém que fora espancado e teve o ouro roubado, e mesmo assim sorria. Mais adiante, vi o ladrão que o tinha assaltado, e havia lágrimas que lhe escorriam pelo rosto.

Depois, ouvi o murmúrio daqueles dois mananciais em meu próprio coração e alegrei-me.

Quando visitei Jesus, pouco antes de ele ser levado a Pôncio Pilatos pelos anciãos, conversamos muito. Eu lhe fiz muitas perguntas, às quais ele respondia com graciosidade. Quando parti, eu já sabia que ele era o Senhor e Mestre desta nossa terra.

Há muito que o nosso cedro caiu, mas a fragrância de Jesus perdura, e irá perfumar para sempre os quatro cantos da terra.

Georgus de Beirute
Sobre os estrangeiros

Estava Jesus com seus discípulos no pinheiral que fica atrás da cerca de minha casa, e falava com eles.

Eu estava perto da cerca e escutava tudo. Sabia quem ele era, pois a sua fama havia alcançado estas paragens antes mesmo de ele haver aqui chegado.

Quando ele parou de falar, aproximei-me e disse:

— Senhor, dá-me a honra de hospedar a ti e a teus amigos.

Ele sorriu para mim e disse:

— Hoje não, meu amigo. Não neste dia.

Havia uma bênção nas suas palavras, e a sua voz envolveu-me como agasalho numa noite fria.

Então ele voltou-se para os discípulos e disse:

— Eis um homem que não nos considera estranhos; ainda que não nos tenha visto antes deste dia, ele oferece-nos abrigo.

"Em verdade, no meu reino não há estranhos. Nossa vida não é senão a vida de todos os homens. Foi-nos dado conhecer todos os homens e amá-los. Os feitos de todos os homens não são senão nossos próprios feitos, tanto os íntimos como os públicos.

"Rogo-vos para que não sejais um só, mas muitos: o proprietário e o desabrigado, o lavrador e o pardal que colhe o grão antes que ele adormeça na terra; o que dá com generosidade e o que recebe com humildade.

"A beleza do dia não está apenas no que vemos, mas no que os outros homens veem. Por isso, escolhi-vos dentre os muitos que me escolheram."

Então, ele voltou-se novamente para mim, sorriu e disse:

— Eu também digo essas coisas para ti, e as recordarás.

Então, eu, com insistência, implorei-lhe:

— Mestre, não visitarás a minha casa?

E ele respondeu:

— Conheço o teu coração, e visitei a tua casa maior.

Ao afastar-se com seus discípulos, disse:

— Boa noite, e que a tua casa seja suficientemente grande para abrigar todos os que erram pela terra.

Maria Madalena
Sua boca era como o coração de uma romã

Sua boca era como o coração de uma romã, e as sombras dos seus olhos eram profundas.

Ele era gentil, como um homem seguro da própria força.

Nos meus sonhos, eu via os reis do mundo porem-se de pé na presença dele.

Eu falaria do seu rosto, mas como descrevê-lo? Era como uma noite sem a escuridão, e como um dia sem a agitação. Era um rosto triste, e era um rosto alegre.

Bem me lembro de uma vez em que ele ergueu a mão em direção ao céu, e os dedos dele se abriam como os ramos de um olmo.

Lembro-me de quando ele caminhava ao anoitecer. Não era um simples andar. Ele era uma estrada acima da estrada; uma nuvem acima da terra que descia para refrescá-la.

Mas, quando estive diante dele e lhe falei, eu via um homem ali, e seu rosto irradiava uma força muito grande. E ele me disse:

— O que queres, Maria?

Eu não respondi. Minhas asas envolviam o meu segredo, e eu sentia um calor pelo corpo. Como não podia suportar a sua luz, virei-me e me afastei, mas não por vergonha. Era apenas timidez. Ansiava estar sozinha, sentindo-o tocar as cordas do meu coração.

Jotam de Nazaré a um romano
Viver e ser

Amigo, tu és como todos os romanos: imaginas a vida mais do que a vive. Preferes, como eles, governar o mundo em vez de seres governados pelo espírito.

Preferes conquistar povos e ser amaldiçoado por eles em vez de ficar em Roma e ser abençoado e feliz.

Pensas apenas em exércitos em marcha e em naves lançadas ao mar.

Como compreenderás Jesus de Nazaré, um homem simples e solitário, que veio sem exércitos ou navios, para estabelecer um reino no coração e um império nos espaços livres da alma?

Como compreenderás o homem que não era guerreiro, mas tinha o poder do Céu?

Ele não era um deus, era um homem como nós; mas, nele, a mirra da terra levantava-se ao encontro do incenso do céu; e, nas suas palavras, o nosso balbucio abraçava o sussurro do invisível; e, na sua voz, ouvíamos uma canção sublime.

Sim, Jesus era um homem e não um deus; e, por isso, maravilhamo-nos e nos surpreendemos.

Mas vós, romanos, apenas com deuses vos maravilhais, e nenhum homem vos surpreenderá. Por isso, não compreendeis o Nazareno.

Ele pertenceu à juventude do espírito e vós pertenceis ao espírito moribundo.

Hoje, vós nos governais; mas esperemos...

Quem sabe esse homem, sem exércitos nem navios, não venha um dia a governar?

Nós, que seguimos o espírito, suaremos sangue para segui-lo. E Roma secará ao sol como um esqueleto calcinado.

Sofremos muito, mas suportaremos e persistiremos. Mas Roma cairá.

No entanto, se Roma, quando humilhada e ofendida, pronunciar o nome dele, ele ouvirá a voz dela. Dará nova vida àqueles ossos e ela se erguerá de novo, como uma cidade entre as cidades do mundo.

Isso ele fará sem legiões e sem escravos a remar em suas galés. Pois ele estará sozinho.

Efraim de Jericó
A outra festa de casamento

Quando ele veio novamente a Jericó, saudei-o e disse:

— Mestre, amanhã, meu filho tomará uma esposa. Peço-vos que venhais ao banquete do casamento e nos honreis, tal como honraste o casamento em Caná da Galileia.

— É verdade que certa vez fui convidado para um banquete de casamento, mas não voltarei a ser convidado. Eu próprio sou agora o noivo — disse.

E eu respondi:

— Eu vos rogo, Mestre, que venhais ao banquete de casamento do meu filho.

E ele sorriu como se me repreendesse, e disse:

— Por que me suplicas? Não tens vinho suficiente?

E eu disse:

— As minhas ânforas estão cheias, Mestre; mesmo assim, eu vos peço que venhais ao banquete de casamento do meu filho.

Então ele disse:

— Quem sabe? Eu posso vir, certamente virei, se o teu coração for um altar no teu templo.

No dia seguinte, meu filho se casou, mas Jesus não veio ao banquete de casamento. Embora tivéssemos muitos convidados, eu sentia que ninguém estava lá.

Na verdade, eu próprio, que recebi os convidados, não estava presente.

Talvez o meu coração não tivesse sido um altar quando o convidei. Talvez eu desejasse outro milagre.

Barca, mercador de Tiro
Compra e venda

Penso que nem os romanos nem os judeus compreendiam Jesus de Nazaré; tampouco seus discípulos, que agora pregam o nome dele.

Os romanos mataram-no, e isso foi um erro. Os galileus quiseram fazer dele um deus, e isso seria um erro.

Jesus era o coração do homem.

Naveguei pelos Sete Mares com os meus barcos, comerciei com reis e príncipes e lidei com trapaceiros e perdulários nos mercados de cidades distantes; mas nunca vi um homem que entendesse os mercadores como ele entendia.

Ouvi-o uma vez contar esta parábola:

"Um mercador viajou até uma terra estrangeira. Ele tinha dois criados, e deu um punhado de ouro a cada um, dizendo: 'Vou para o estrangeiro em busca de lucro; vós deveis fazer o mesmo. Sejais justos tanto ao dar quanto ao receber'.

"Passado um ano, o comerciante regressou, e perguntou aos seus dois servos o que tinham feito com o ouro. O primeiro criado disse: 'Mestre, comprei, vendi e lucrei'.

"E o mercador respondeu: 'O ganho será teu, pois fizeste bem, e foste fiel a mim e a ti próprio'.

"Então, o outro servo levantou-se e disse: 'Senhor, tive medo de perder o teu dinheiro; por isso não comprei nem vendi. Eis que está tudo aqui nesta bolsa'.

"E o comerciante pegou no ouro e disse: 'Pouca é a tua fé. Trocar e perder é melhor do que não fazer nada. Pois, assim como o vento espalha a semente e espera o fruto, assim devem proceder os mercadores. Maior valor terias se tivesses servido aos outros'."

Com aquela história, Jesus, embora não fosse comerciante, revelava o segredo do comércio.

Além disso, as suas parábolas sempre me traziam à mente terras mais distantes do que as de minhas viagens, e ainda mais próximas do que a minha casa e os meus bens.

Mas o jovem nazareno não era um deus; e é uma pena que os seguidores desse sábio procurassem fazer dele um deus.

Fumiá, sacerdotisa de Sidom
Uma invocação

Afinai as vossas harpas e deixai-me cantar.
Dedilhai vossas cordas de prata e de ouro,
Pois eu quero cantar o Homem destemido
Que matou o dragão do vale
E teve piedade de quem havia matado.

Afinai as vossas harpas e cantai comigo
O carvalho que cresce alto na montanha,
O homem cujo coração é o céu e cujas mãos são o mar,
Que beijou os lábios pálidos da morte
E, agora, agita os lábios da vida.
Afinai as vossas harpas e deixai-nos cantar
O destemido Caçador da montanha,
Que alvejou a besta com sua flecha invisível
E tomou-lhe os chifres e as presas,
Pondo-a por terra.

Afinai as vossas harpas e cantai comigo
O bravo jovem que tomou as cidades do monte
E dos vales, envolvendo-as como serpentes na areia.
Não defrontava pigmeus, mas combatia deuses
Famintos de nossa carne e sedentos do nosso sangue.

E, como o primeiro Falcão Dourado,
Rivalizaria apenas com as águias,
Pois suas asas eram vastas e altivas,
E não voaria acima das aves menores.

Afinai as vossas harpas e cantai comigo
O alegre canto do mar e do penhasco.
Os deuses estão mortos,
E descansam em paz,
Na ilha esquecida de um mar esquecido.
E aquele que os matou senta-se no trono.

Ele era apenas um jovem;
A primavera ainda não lhe crescera a barba,
E o seu verão era ainda jovem no campo dele.

Afinai as vossas harpas e cantai comigo
A tempestade na floresta,
Que quebra o ramo seco e o galho sem folhas,
Mas deixa a raiz firmar-se mais forte no seio da terra.

Afinai as vossas harpas e cantai comigo
O canto imortal do nosso amado.
Não, minhas donzelas, segurai as vossas mãos;
Deponde as vossas harpas;
Não podemos cantá-lo agora.
O sussurro do nosso canto não pode calar a tempestade,
Nem perturbar a majestade do silêncio dele.

Deponde as vossas harpas e aproximai-vos de mim.
Eu vos repetirei as suas palavras
E vos contarei sobre seus feitos,
Pois o eco da sua voz é mais profundo do que a nossa paixão.

Benjamim, o escriba
Deixai os mortos enterrarem seus mortos

Diz-se que Jesus era inimigo de Roma e da Judeia.

Mas eu digo que Jesus não era inimigo de nenhum homem nem de nenhuma gente. Já o ouvi dizer: "Os pássaros do ar e o pico das montanhas não prestam atenção às serpentes em seus covis. Que os mortos enterrem seus mortos. E, quanto a ti, envolve-te em teu próprio ser e eleva-te".

Eu não era um dos seus discípulos. Fui apenas um dos muitos que o seguiram para olhá-lo no rosto.

Ele olhava para Roma e para nós, escravos de Roma, como um pai olha para os filhos que brincam e disputam o brinquedo maior. E ele sorria do alto de sua majestade.

Era maior do que o Estado e a nação; era maior do que a revolução.

Ele era solteiro e sozinho, e velava por todos.

Chorava nossas lágrimas e sorria de todas as nossas revoltas.

Sabíamos que estava em seu poder nascer com todos os que ainda não nasceram, e dar-lhes a ver, não com olhos próprios, mas com a visão dele.

Jesus foi o início de um novo reino sobre a terra, e esse reino permanecerá.

Ele era filho e neto de todos os reis que construíram o reino do espírito.

E apenas os reis do espírito governaram o nosso mundo.

Zaqueu
O destino de Jesus

Acreditais no que ouvis dizer, mas deveríeis acreditar no não dito, pois o silêncio dos homens está mais próximo da verdade do que as palavras deles.

Perguntais se Jesus poderia ter escapado à morte vergonhosa e salvado seus discípulos da perseguição.

Eu respondo que, se ele quisesse, poderia ter escapado, mas ele não buscava segurança e não se preocupou em proteger seu rebanho dos lobos da noite.

Ele conhecia o próprio destino e o amanhã dos seus fiéis. Ele predisse e profetizou o que deveria acontecer a cada um de nós. Ele não buscou a morte, mas a aceitou, da mesma forma que o lavrador que semeia o grão aceita o inverno e, depois, aguarda a primavera e a colheita; ou como um construtor que coloca a maior pedra na fundação.

Éramos homens da Galileia e das terras baixas do Líbano. Nosso mestre poderia ter-nos levado de volta a nosso país, onde viveríamos em nossos jardins desde a juventude até a velhice e o fim dos anos.

O que o impediria de voltar aos templos das nossas aldeias, onde outros liam os escritos dos profetas e abriam seus corações?

Ele poderia ter dito: "Agora vou para o Oriente com o vento ocidental"; despedindo-se de nós, dessa forma, com um sorriso nos lábios.

Sim, ele poderia ter dito: "Voltai para vossas famílias. O mundo não está pronto para mim. Voltarei daqui a mil anos. Ensinai os vossos filhos a aguardar o meu regresso".

Ele poderia ter feito tudo isso se quisesse.

Mas ele sabia que, para construir o templo invisível, tinha de ser ele próprio a pedra fundamental, e nós o cimento e as outras pedras menores.

Ele sabia que a seiva da sua árvore devia erguer-se das raízes, e derramou o próprio sangue sobre elas. Para ele, não foi sacrifício, foi vitória.

A morte é reveladora. A morte de Jesus revelou a sua vida.

Se ele tivesse fugido de vós e dos inimigos, vós seríeis os conquistadores do mundo. Portanto, ele não escapou.

Aquele que deseja tudo tem de renunciar a tudo.

Sim, Jesus poderia ter escapado aos seus inimigos e ter vivido até a velhice. Mas Ele conhecia a passagem das estações e quis entoar a sua canção.

Que outro homem enfrentaria uma legião deixando-se conquistar por um momento de forma que pudesse sobrepujar as eras?

E se quiserdes saber quem, na verdade, matou Jesus, se os romanos ou os sacerdotes de Jerusalém, eu vos digo que não foram romanos nem sacerdotes. O mundo inteiro estava em pé para o honrar naquele monte.

Jônatas
Entre os nenúfares

Certo dia, eu e minha amada remávamos num lago de água doce. E as colinas do Líbano estavam à nossa volta.

Movíamo-nos ao lado dos salgueiros, cujo reflexo marcavam as águas em torno de nós.

E, enquanto eu remava, minha amada pegou o alaúde e entoou esta canção:

Que outra flor, além do lótus, conhece a água e o Sol?
Que outro coração além do coração do lótus conhece tanto a terra como o céu?
Olha, meu amor, a flor dourada que flutua entre o céu e o fundo do lago:
Ela é como nós, que flutuamos entre um amor que sempre existiu e um amor que para sempre existirá.

Move o remo, meu amor,
E deixa-me tocar o alaúde.
Acompanhemos os salgueiros, e não nos esqueçamos dos nenúfares.
Em Nazaré vive um poeta, e o coração dele é como o do lótus.
Ele conhece a alma da mulher,
Sabe que a sede dela brota das águas,
E que ela tem fome de Sol, ainda que seus lábios estejam alimentados.
Dizem que ele anda pela Galileia,
Mas eu digo que rema conosco.
Não consegues ver o rosto dele, meu amor?

Não consegues ver, ali, onde o ramo de salgueiro encontra o próprio reflexo?
Ele se move quando nos movemos.

Meu amado, como é bela a juventude da vida!
Como é bela a alegria de cantar!
Como seria bom que sempre houvesse um remo
E as cordas de um alaúde,
Onde o lótus sorri ao sol,
Onde o salgueiro acaricia as águas,
E onde a voz do Poeta reverbera em minhas cordas.

Move o remo, meu amado,
E deixa-me tocar o alaúde.
Há um poeta em Nazaré
Que nos conhece e que nos ama.
Move o remo, meu amado,
E deixa-me tocar o alaúde.

Ana de Betsaida
Fala de sua tia

Minha tia deixou-nos quando era jovem para morar numa cabana ao lado da antiga vinha do seu pai.

Vivia só, e os camponeses a procuravam quando estavam doentes, pois ela os tratava com ervas frescas, raízes e flores secas ao sol.

Eles acreditavam que ela era uma vidente, mas havia os que a chamavam de bruxa e feiticeira.

Certo dia, meu pai me disse:

— Leva estes pães de trigo para minha irmã. Leva também esta ânfora de vinho e este cesto de passas.

Coloquei tudo no lombo no meu potrinho e segui a estrada até chegar à vinha e à cabana de minha tia. Ela ficou contente.

Estávamos sentadas à sombra quando apareceu um homem na estrada e a cumprimentou, dizendo:

— Boa tarde. Que a bênção da noite esteja contigo.

Então ela levantou-se e, em sinal de respeito, respondeu-lhe:

— Boa tarde, mestre de todos os bons espíritos e vencedor dos maus espíritos.

O homem olhou para ela com olhos ternos, e foi-se pela estrada.

Eu sorria dentro de mim, pois pensei que minha tia estava louca. Mas hoje sei que não estava. Era eu quem não entendia.

Ela percebeu, apesar de eu ter disfarçado. E me disse, com ternura:

— Ouve, minha filha, ouve e guarda minhas palavras na memória. O homem que agora passou por aqui, como a sombra de um pássaro entre o Sol e a terra, prevalecerá sobre os Césares e o império dos Césares. Ele lutará com o touro coroado da Caldeia e com o leão cabeça de homem do Egito, e os vencerá; ele governará o mundo. E esta terra pela qual ele agora caminha não prevalecerá. Jerusalém, que se assenta orgulhosamente sobre a colina, desaparecerá como fumaça no vento da desolação.

Depois de ela ter-me dito aquelas palavras, meu riso transformou-se em complacência e eu perguntei-lhe:

— Quem é esse homem? De que país e tribo ele vem? Como poderá vencer os grandes reis e abater-lhes os impérios?

Minha tia respondeu:

— É um homem nascido aqui nesta terra, mas nós o conhecemos em sonhos desde o início dos tempos. Ele vem de todas as tribos e, ao mesmo tempo, de nenhuma. Ele vencerá os reis e os impérios pela palavra da sua boca e pela chama do seu espírito.

Então, levantou-se subitamente e impôs-se como uma rocha:

— Que o anjo do Senhor me perdoe por vaticinar que ele será morto, e sua juventude amortalhada. Ele será sepultado no seio mudo da terra e as mulheres da Judeia chorarão por ele.

E, erguendo as mãos para o céu, continuou:

— Mas apenas seu corpo morrerá. Em espírito, ele se erguerá, conduzindo seus exércitos pela terra onde o Sol nasce até a terra onde o Sol se esconde. E o seu nome será o primeiro entre os homens.

Minha tia era uma vidente já velha quando disse essas coisas, e eu, apenas uma menina, um campo inculto, uma pedra que ainda não se firmara numa parede.

Mas tudo o que ela viu no espelho da sua mente aconteceu ainda no meu tempo.

Jesus de Nazaré ressuscitou dos mortos e conduziu homens e mulheres até o povo do pôr do Sol. A cidade que o entregou para julgamento foi dada à destruição; e, no salão onde foi julgado e sentenciado, a coruja arrulha lastimosa e a noite chora o orvalho do próprio coração sobre o mármore decadente.

Hoje, já estou velha, e os anos pesam sobre mim. Meu povo já não existe e minha raça desapareceu.

Eu o vi apenas uma vez mais depois daquele dia, e ouvi a sua voz. Eu estava no topo de uma colina e ele falava aos amigos e discípulos.

Agora, estou velha e sozinha, mas ele ainda visita os meus sonhos.

Ele vem como um anjo branco numa carruagem; e com a sua graça ele reprime o medo que tenho da escuridão. E ele me eleva para sonhos ainda mais distantes.

Continuo a ser um campo inculto, um fruto maduro que não cai. Tudo o que tenho é o calor do sol e a lembrança desse homem.

Sei que entre o meu povo não haverá mais reis, nem profetas, nem sacerdotes como disse a irmã do meu pai.

Passaremos como a corrente dos rios, e nossos nomes ficarão esquecidos.

Mas aqueles que o acompanharam em meio à corrente serão lembrados por terem-no acompanhado em meio à corrente.

Manassés

O discurso e a atitude de Jesus

Sim, eu costumava ouvir os discursos dele. As palavras fluíam facilmente de seus lábios.

Mas eu admirava-o como homem e não como guia. Ele pregava coisas de que eu não gostava e talvez não entendesse. E eu não gosto que alguém tente doutrinar-me.

Fui tomado pela sua voz e pelos seus gestos, não pela substância do seu discurso. Ele encantou-me, mas nunca me convenceu; pois era demasiado vago, distante e obscuro para chegar à minha mente.

Conheci outros homens como ele, mas nenhum tão coerente e perseverante. É com eloquência, não com princípios, que eles prendem nossa atenção; o pensamento deles é passageiro, mas não atingem o âmago de nossos corações.

Que pena que os inimigos de Jesus o tenham confrontado e questionado. Não era necessário. Acredito que a hostilidade deles só lhe ampliou a estatura e transformou sua doçura em poder.

Pois não é natural que, quando alguém se opõe a nós, também nos encoraja? E, quando procuram derrubar-nos, dão-nos asas?

Não conheço os inimigos dele, no entanto estou certo de que, ao temerem um homem inofensivo, deram-lhe força e o tornaram perigoso.

Jefté de Cesareia
Um homem cansado de Jesus

Esse homem que preenche o vosso dia e assombra a vossa noite é repugnante para mim. Vós me cansais os ouvidos falando dele e perturbais o meu espírito referindo-vos às suas obras.

Não quero que me digam o que ele disse, nem o que ele fez. Ofende-me ouvir o nome dele e o nome de sua gente. Tanto um como outro me enojam.

Por que considerais um profeta um homem que não passava de uma sombra? Por que enxergar uma torre num monte de areia, ou imaginar um lago numa poça d'água?

Não desprezo o eco das grutas nos vales, nem as sombras que se alongam no pôr do Sol; mas me recuso a ouvir as loucuras que enchem vossas cabeças e as coisas que fazem vossos olhos brilharem.

Que palavras disse Jesus que Haliel não houvesse dito antes? Que sabedoria revelou que Gamaliel não tivesse revelado antes? Que importância teriam seus gritos diante do sussurro de Filo? Que címbalos ele tocou que não foram tocados antes?

Ouço o eco das grutas nos vales silenciosos e contemplo as sombras que se alongam ao pôr do Sol; mas não admito que o coração desse homem ecoe o som de outro coração, nem que uma sombra de vidente seja chamada de profeta.

Quem se atreve a falar como Isaías falou? Quem se atreve a cantar como Davi cantou? Que sabedoria haveria depois que Salomão se reuniu a seus pais?

O que dizer de nossos profetas, cujas línguas eram espadas e cujos lábios eram fogo? Deixaram alguma palha no caminho para esse respigador da Galileia, ou um fruto no chão para o mendigo do Norte? Tudo que lhe restou foi partir o pão cozido por nossos antepassados e derramar o vinho cujas uvas os pés sagrados deles já haviam pisado.

Admiro a mão do oleiro, e não o homem que compra a louça.

Admiro aquele que se senta ao tear em vez do simplório que veste o tecido.

Quem foi Jesus de Nazaré? O que ele é? Um homem que não se atreveu a viver segundo as próprias ideias. Por isso desapareceu no esquecimento e esse foi o fim dele.

Eu vos imploro: Não ofendais meus ouvidos repetindo suas palavras ou narrando suas obras. Meu espírito se contenta com as palavras dos profetas de outrora, e isso basta.

João, o discípulo amado
Jesus, o Verbo

Quereis que fale de Jesus, mas como pode uma flauta rachada tocar o cântico da paixão do mundo?

Em todos os momentos do dia, Jesus tinha consciência do Pai. Ele o via nas nuvens e nas sombras das nuvens que passam sobre a terra. Ele via o rosto do Pai refletido nas lagoas plácidas e nas próprias pegadas na areia; e, muitas vezes, fechava os olhos para enxergar os olhos do Santíssimo.

A noite falava com ele com a voz do Pai, e, na solidão, ele ouvia o anjo do Senhor chamando por ele. Quando se deitava para dormir, podia ouvir o sussurro dos céus nos sonhos.

Sentia-se feliz conosco, e chamava-nos de irmãos.

O Verbo, que no princípio estava com Deus, chamou-nos de irmãos, apesar de sermos simples sílabas outrora ditas.

Se quiserdes saber por que o chamo de Primeiro Verbo, eu vos direi:

No princípio, Deus moveu-se no espaço, e a imensa agitação de Deus fez surgir a terra e as estações.

Então, Deus moveu-se outra vez e a vida começou a fluir, e o desejo de vida almejou o alto e o abismo, e queria mais.

Então, Deus falou, e suas palavras foram "homem", e o homem se fez espírito gerado pelo Espírito de Deus.

E, quando Deus falou, o Cristo foi a sua primeira Palavra e essa Palavra era perfeita; e, quando Jesus de Nazaré veio ao mundo, a primeira Palavra foi-nos dita e o som se fez carne e osso.

Jesus, o Ungido, foi a primeira Palavra de Deus dita ao homem; era como se uma macieira num pomar florescesse um dia antes de todas as outras árvores.

E, no pomar de Deus, esse dia durou eras.

Somos todos filhos do Altíssimo, mas o Ungido foi seu primogênito. E esse primeiro filho habitou o corpo de Jesus de Nazaré, para que caminhasse entre nós e nós o víssemos.

Digo tudo isso para que compreendeis não apenas com o pensamento, mas também com o espírito. O pensamento sabe pesar e medir, mas o espírito tem a capacidade de atingir o cerne da vida e abraçar-lhe os mistérios, pois a semente do espírito é imortal.

O vento sopra e depois descansa, e o mar flui e reflui: mas o coração da vida é uma esfera calma e serena, e a estrela que brilha nela está fixada para sempre.

Mannus de Pompeia a um grego
As divindades semitas

Os judeus, tal como seus vizinhos fenícios e árabes, não permitirão que seus deuses descansem nas asas do vento. Preocupam-se em demasia com suas divindades, e estão sempre atentos à oração, ao culto e ao sacrifício.

Enquanto nós, romanos, construímos templos de mármore para os nossos deuses, esses povos discutem a natureza do próprio Deus. Quando estamos em êxtase, cantamos e dançamos à volta dos altares de Júpiter e Juno, de Marte e Vênus; mas eles, nessas horas, usam pano de saco, cobrem a cabeça com cinzas e chegam até a lamentar o dia em que nasceram.

E Jesus, o homem que revelou que Deus é um ser de alegria, foi torturado e morto.

Essa gente não ficaria feliz com um deus de alegria. Conhece apenas os deuses da dor.

Até os amigos e discípulos de Jesus, que conheciam a sua alegria e ouviam o seu riso, fazem uma imagem da sua tristeza e adoram essa imagem.

Ao adorá-lo, não se elevam à sua divindade, mas trazem a divindade até eles próprios.

Creio, porém, que esse filósofo, Jesus, que não era diferente de Sócrates, terá poder sobre a sua raça e estenderá esse poder sobre outras raças.

Pois todos somos criaturas tristes com muitas dúvidas. Quando alguém nos diz para sermos alegres com os deuses, não podemos deixar de ouvir a voz de Jesus. É estranho que a dor desse homem se transformasse em culto.

Essas pessoas procuram outro Adônis, um deus morto na floresta para celebrar a matança dele. É uma pena que não tenham prestado atenção ao riso de Jesus.

Mas confessemos, como um romano a um grego, que, se estivéssemos nas ruas de Atenas, conseguiríamos ouvir o riso de Sócrates e esquecer do cálice de cicuta, mesmo no teatro de Dionísio?

E os nossos pais? Não costumam parar nas esquinas para conversar sobre os problemas da vida e para se alegrar um instante, recordando o triste fim de nossos grandes homens?

Pôncio Pilatos
Ritos e cultos orientais

Minha mulher costumava falar-me sobre ele, antes de o trazerem diante de mim, mas eu não prestava atenção a ela.

Ela é uma sonhadora, como tantas mulheres romanas da sua categoria, e ultimamente vem se ocupando de cultos e ritos orientais. Esses cultos, no entanto, são perigosos para o Império; e, quando encontram caminho para o coração das nossas mulheres, tornam-se destrutivos.

O Egito chegou ao fim quando os hicsos da Arábia levaram, de seu deserto para lá, o culto ao Deus único. E a Grécia decaiu e foi vencida quando Astarote e suas sete virgens ali chegaram, vindas da Síria.

Nunca vi Jesus antes de ele ser entregue a mim como um malfeitor, inimigo da sua própria nação e também de Roma.

Ele foi levado para a Sala do Julgamento com os braços amarrados.

Eu estava sentado quando ele caminhou na minha direção com passos largos e firmes; depois, deteve-se e manteve a cabeça erguida.

Não consigo entender o que me ocorreu naquele momento. De repente, senti um desejo involuntário de levantar-me e prostrar-me diante dele.

Senti como se César tivesse entrado na Sala, um homem maior do que a própria Roma.

Mas aquela sensação durou apenas um instante, e passei a ver simplesmente um homem acusado de traição por seu próprio povo. Eu era governador e juiz daquele homem.

Interroguei-o, mas ele não quis responder. Apenas olhava para mim, e o seu olhar era piedoso, como se fosse ele que governasse sobre mim e me julgasse.

Então, começamos a ouvir os gritos do povo. Mas ele continuava em silêncio, e ainda assim olhava-me com pena nos olhos.

Eu saí para os degraus do palácio e, quando o povo me viu, parou de gritar. Perguntei:

— O que quereis com este homem?

E eles gritaram como se tivessem uma só garganta:

— Crucificá-lo. É nosso inimigo e inimigo de Roma.

E alguns gritaram:

— Ele disse que destruiria o templo. Foi ele quem reivindicou o reino. Não teremos outro rei senão César.

Depois, deixei-os e voltei à Sala do Julgamento. Ele continuava ali, em pé, com a cabeça erguida.

Então lembrei-me do que havia dito um filósofo grego: "O homem solitário é o mais forte dos homens". Naquele momento, o Nazareno era o maior de sua raça.

Não senti clemência por ele. Ele estava além da minha clemência. Perguntei-lhe então:

— Tu és o Rei dos Judeus?

E ele não disse uma palavra.

Tornei a perguntar-lhe:

— Não disseste que és o Rei dos Judeus?

Ele olhou para mim e respondeu com uma voz tranquila:

— Tu mesmo me proclamaste rei. Talvez para este fim eu tenha nascido, e por esta causa vim a dar testemunho da verdade.

Como um homem pode falar de verdade num momento como esse?

Impaciente, eu disse em voz alta:

— O que é a verdade? E o que é a verdade para o inocente quando a mão do carrasco já está sobre ele?

Então, Jesus respondeu com firmeza:

— Ninguém governará o mundo senão com o Espírito e a verdade.

Perguntei-lhe se o Espírito estava com ele, e ele respondeu:

— Também está contigo, ainda que não o saibas.

O que era o Espírito e o que era a verdade num momento em que eu, pelo bem do Estado, e eles, para assegurar seus ritos antigos, entregamos um homem inocente à própria morte?

Nenhum homem, nenhuma raça, nenhum império se deteria perante uma verdade a caminho da realização. Insisti:

— És tu o Rei dos Judeus?

— Tu mesmo o dizes. Conquistei o mundo antes desta hora.

De tudo o que ele disse, apenas aquilo não foi adequado, na medida em que apenas Roma, entre todas as nações, havia conquistado o mundo.

Mas, então, o povo voltou a gritar, e o barulho era maior do que antes.

E eu desci do meu assento e disse a ele:

— Acompanha-me.

Tornei aos degraus do palácio, e ele ficou ali, ao meu lado.

Quando o viram, rugiram como um trovão. E, naquele clamor, tudo o que eu ouvia era: "Crucificai-o, crucificai-o".

Entreguei-o aos mesmos sacerdotes que o haviam entregado a mim, e disse-lhes:

— Fazei o que quiserdes com este homem justo. Se desejai, levai convosco soldados romanos para o vigiar.

Eles o levaram e eu decretei que na cruz acima da sua cabeça fosse escrito: "Jesus de Nazaré, Rei dos Judeus". Melhor seria se eu tivesse mandado escrever "Rei Jesus de Nazaré".

O homem foi despojado de suas vestes, açoitado e crucificado.

Estava ao meu alcance salvá-lo, mas isso causaria uma revolução; e é sempre sensato que o governador de uma província romana não seja intolerante com os escrúpulos religiosos de um povo conquistado.

Ainda hoje acredito que o homem era mais do que um agitador. Condenei-o contra a minha vontade, mas para o bem de Roma.

Pouco tempo depois, deixamos a Síria. Desde aquele dia, minha mulher vive triste. Muitas vezes, ao vê-la passar no jardim, percebo uma tragédia estampada em seu semblante.

Dizem-me que ela fala muito de Jesus a outras mulheres romanas.

Vejo o homem que mandei para a morte regressar do mundo das sombras e adentrar minha própria casa. E, dentro de mim, costumo perguntar-me: "O que é a verdade e o que não é a verdade?".

Será possível que aquele sírio está nos conquistando nas horas tranquilas da noite?

É impossível. Roma prevalecerá sobre os pesadelos de nossas mulheres.

Bartolomeu em Éfeso
Escravos e proscritos

Os inimigos de Jesus dizem que ele se dirigia aos escravos e aos proscritos para incitá-los contra os seus senhores. Dizem que ele, por ser humilde, invocava a gente humilde, enquanto ocultava a própria origem.

Mas consideremos os seguidores e a autoridade de Jesus.

No início, ele escolheu para companheiros poucos homens da terra do Norte. Eram homens livres, fortes de corpo e ousados de espírito, e, nestes últimos dois anos, tiveram a coragem de enfrentar a morte com disposição e rebeldia.

Pensais que esses homens eram escravos ou proscritos?

Pensais que os orgulhosos príncipes do Líbano e da Armênia abandonaram a posição que tinham ao aceitarem Jesus como profeta de Deus?

E vós, homens e mulheres de Antioquia, Bizâncio, Atenas e Roma, poderia a voz de um chefe de escravos convencer-vos?

Não, o Nazareno não se juntou aos escravos para que lutassem contra seus senhores; tampouco se juntou ao senhor para enfrentar o escravo. Ele não se juntava a um homem para lutar contra outro homem.

Era um homem acima dos homens, e os mananciais que corriam em suas veias cantavam com paixão e força, ao mesmo tempo.

Se a nobreza consiste em proteger, ele era o mais nobre de todos os homens. Se a liberdade está no pensamento, na palavra e na ação, ele era o mais livre de todos os homens.

Se nascer exaltado é sinal de dignidade, mas de uma dignidade que se curva diante do amor e do alheamento, de forma gentil e graciosa, então ele foi, entre todos os homens nascidos, o mais digno de todos.

Não vos esqueceis de que, na corrida, só os fortes e os ligeiros são coroados. Jesus recebeu a coroa daqueles que o amavam, e também de seus inimigos. Ainda hoje ele é coroado todos os dias pelas sacerdotisas de Ártemis, nos lugares secretos do templo dela.

Mateus
Jesus junto aos muros da prisão

Numa noite, Jesus passou por uma prisão que ficava na Torre de David. E nós caminhávamos atrás dele.

De repente, ele parou e encostou o rosto nas pedras da parede da prisão. E assim ele falou:

— Irmãos dos meus antigos tempos, meu coração se comove com os vossos corações prisioneiros. Oxalá pudessem ser livres na minha liberdade e caminhar comigo e com meus companheiros.

— Estais encarcerados, mas não estais sós. Muitos são os prisioneiros que caminham nas ruas abertas. As suas asas não estão aparadas, mas, como o pavão, têm medo e não conseguem voar.

— Irmãos do meu segundo dia, em breve vos visitarei no calabouço e oferecerei meu ombro para vos consolar. Os inocentes e os culpados não se separam, assim como os ossos do braço.

— Irmãos deste dia, que é o meu dia, nadastes contra a corrente do pensamento e fostes arrastados. Eles dizem que também nadarei contra essa corrente. Talvez em breve eu esteja convosco, um violador da lei entre os violadores da lei.

— Irmãos de um dia que ainda não chegou, estas paredes cairão, e das pedras outras formas serão moldadas por aquele cujo martelo é luz, e cujo cinzel é vento, e vós sereis livres na liberdade do meu novo dia.

Assim falou Jesus e logo seguiu seu caminho, e a sua mão esteve sobre o muro da prisão até que passamos pela Torre de David.

André

As adúlteras

A angústia da morte é menos amarga do que a vida sem ele. Os dias emudeceram quando Jesus foi silenciado. Apenas um eco em minha memória repete as palavras dele, mas não a voz.

Uma vez ouvi-o dizer: "Vai para os campos, quando te advier o desejo, e senta-te junto às açucenas, e as ouvirás cantar ao sol. Elas não tecem nem fiam, não cortam madeira nem pedra para fazer abrigo, mas sabem cantar.

"Aquele que trabalha na noite tem aquilo de que precisa e o orvalho da sua graça está em suas pétalas. Não estará convosco também aquele que nunca se cansa nem descansa?

"Outra vez, ouvi-o dizer: 'As aves do céu são contadas e inscritas pelo vosso Pai, o mesmo que conta os cabelos das vossas cabeças. Nem um pássaro se deitará aos pés do arqueiro, nem um cabelo da tua cabeça ficará branco ou cairá no vazio da idade sem a vontade do Pai'.

"Outras vezes, ainda, ele disse: 'Ouço murmurar nos vossos corações: Nosso Deus será mais misericordioso para conosco, filhos de Abraão, do que para com aqueles que não o conheceram no princípio'.

"Em verdade digo-vos que o dono da vinha que chama um lavrador pela manhã para colher, chama outro ao pôr do Sol, e ainda assim paga salário ao último como ao primeiro, esse homem é de fato justo. Pois não paga ele com a própria bolsa e por vontade própria?

"Da mesma forma, o meu Pai abrirá o portão de seu palácio tanto aos gentios quanto a vós próprios. Pois o ouvido dele escuta as novas canções com o mesmo amor que escutava as que ouvia sempre. E as receberá com acolhimento especial, porque são as cordas mais novas da sua lira."

Também o ouvi dizer: "Lembrai-vos de que um ladrão é um homem necessitado; um mentiroso é um homem com medo; o caçador que é caçado pelo guarda da noite é também caçado pelo guarda da própria escuridão. Gostaria que tivésseis pena de todos eles".

"Se buscarem a vossa casa, abri a porta para eles e pedi-lhes que se sentem à vossa mesa. Se não os aceitardes, não sereis inocentes de qualquer mal que tenham feito."

Certo dia, segui-o até o mercado de Jerusalém, ao lado de outros. E ele contou-nos a parábola do filho pródigo e a parábola do mercador que vendeu todos os seus bens para comprar uma pérola.

Mas, enquanto falava, os fariseus trouxeram para o meio da multidão uma mulher a quem chamavam de adúltera. E confrontaram Jesus, dizendo-lhe: "Ela profanou o voto matrimonial e foi apanhada em flagrante".

Ele olhou-a nos olhos, colocou a mão na testa dela e continuou a mirá-la profundamente.

Em seguida, voltou-se para os homens que a tinham levado até ele, olhou-os durante muito tempo, inclinou-se e começou a escrever com o dedo na areia. Escreveu o nome de cada homem e, ao lado dos nomes, escreveu o pecado de cada um. Ao ver aquilo, eles fugiram envergonhados para as ruas. E, antes que terminasse de escrever, apenas nós e aquela mulher ficamos ali.

Mais uma vez, ele olhou-a nos olhos e disse: "Amaste demais. Aqueles que te trouxeram para cá amaram pouco. Trouxeram-te aqui como um ardil. Agora, vai-te em paz. Nenhum deles está aqui para te julgar. Se tens o dom da sabedoria tanto quanto tem o dom de amar, então procura-me, pois o Filho do Homem não te julgará".

Na ocasião, pensei que ele talvez tivesse dito aquelas palavras porque não estava sem pecado.

Desde então tenho ponderado muito, e agora sei que só os puros de coração perdoam a sede que leva às águas mortas.

Só a firmeza do pé pode garantir que se dê a mão a quem tropeça.

E mais uma vez eu vos repito que a angústia da morte é menos amarga do que a vida sem ele.

Um homem rico
A posse

Ele falava mal dos ricos. Certo dia, perguntei-lhe:
— Senhor, que devo fazer para alcançar a paz de espírito?
E ele pediu-me que desse os meus bens aos pobres e o seguisse.
Mas ele não possuía nada; não sabia que os bens trazem segurança e dão dignidade e respeito a quem os possui.
Na minha casa, há sete vezes sete escravos e serventes; uns trabalham nos bosques e vinhedos e outros dirigem meus navios para ilhas distantes.
Se eu o tivesse atendido e dado meus bens aos pobres, o que seria dos meus escravos e serventes, de suas esposas e seus filhos? Eles também se tornariam mendigos vivendo aos portões da cidade ou sob o pórtico do templo.
Não digo que Aquele bom homem não entendesse o segredo das posses. Porque ele e seus seguidores viviam da generosidade dos outros, e ele pensava que todos os homens deveriam viver daquela maneira.
Eis uma contradição e um enigma: Deve o rico entregar suas riquezas aos pobres, e os pobres receberem a taça e o pão do homem rico antes de o receberem na sua mesa?
Deve o senhor do castelo receber seus hóspedes antes de se chamar a si próprio "senhor" de sua própria terra?
A formiga que armazena a comida para o inverno é mais sábia do que um gafanhoto que canta um dia e tem fome no outro.
No sábado passado, um dos seus seguidores disse no mercado:
— Nos portões do Céu, onde Jesus põe suas sandálias, nenhum outro homem é digno de pôr a cabeça.
Mas pergunto: Nos portões de que casa aquele vagabundo modesto teria deixado suas sandálias? Ele nunca teve casa nem portões; e costumava andar sem sandálias.

João em Patmos
Jesus, o gracioso

Desejo falar de Jesus mais uma vez.

Deus deu-me a voz e os lábios ardentes, embora não o discurso.

Não tenho o dom da palavra perfeita, por isso trago o coração para meus lábios.

Jesus amava-me e eu não sabia por quê.

E eu amava-o porque ele transportou meu espírito para alturas insondáveis e para profundidades abissais.

O amor é um mistério sagrado.

Para os que amam, o amor permanece eternamente sem palavras; mas, para os que não amam, pode ser apenas uma piada cruel.

Jesus chamou a mim e ao meu irmão quando trabalhávamos no campo.

Eu era jovem e só a voz do amanhecer tinha visitado meus ouvidos.

Mas a sua voz e a trombeta da sua voz determinaram o fim do meu labor e o início da minha paixão.

Eu não conheci, então, outra coisa além de andar ao sol e adorar o encanto da hora.

Poderias conceber uma majestade que fosse tão gentil e ainda assim majestosa? E uma beleza tão radiante e ao mesmo tempo tão bela?

Conseguirias ouvir, nos teus sonhos, uma voz que se envergonha do próprio arrebatamento?

Ele me chamou e eu o segui.

Naquela noite, regressei à casa do meu pai para pegar outro manto, e disse à minha mãe:

— Jesus de Nazaré quer que eu o siga.

— Vai, meu filho, como foi teu irmão — disse ela.

E eu o segui.

O seu perfume atraiu-me e submeteu-me, mas apenas para me libertar.

O amor é um anfitrião gentil para com seus hóspedes, mas, para os que vão até ele sem ser convidados, a sua casa é apenas uma miragem e lugar de escárnio.

Queres que eu te fale dos milagres de Jesus?

Todos nós somos a obra milagrosa de um momento; nosso Senhor e Mestre foi o coração desse momento.

Contudo, não era desejo dele que suas obras fossem conhecidas.

Ouvi-o dizer ao paralítico: "Levanta-te e vai para casa, mas não digas ao sacerdote que eu te pus inteiro".

O pensamento de Jesus deixou o paralítico para descansar sobre o forte que podia caminhar.

Seu pensamento buscou e conquistou outras mentes e o seu espírito visitou outros espíritos.

E, assim, conquistou outras mentes e outros espíritos.

Aos que viram, pareceu um milagre, mas com o nosso Senhor e Mestre era algo tão simples como respirar o ar da manhã.

Agora, deixa-me falar de outras coisas.

Um dia, ele e eu estávamos sós caminhando pelo campo. Tínhamos fome e encontramos uma macieira selvagem. Havia apenas duas maçãs penduradas no ramo.

Ele segurou o tronco da árvore, sacudiu-o e as duas maçãs caíram.

Ele as apanhou, deu-me uma e segurou a outra.

Como eu tinha fome, comi a maçã avidamente.

Depois, olhei para ele e vi que ainda segurava a maçã.

Ele estendeu a mão e disse:

— Coma esta também.

Eu ainda tinha fome. Peguei a maçã e, sem modéstia, comi-a.

Enquanto caminhávamos, voltei-me e olhei para o rosto dele. Mas como descrever o que vi?

Uma noite em que as lanternas ardem no espaço; um sonho além do nosso alcance; um meio-dia de paz, em que todos os pastores estão felizes porque o rebanho tem pasto; um entardecer sereno e um regresso a casa. E, então, o sono e um sonho.

Todas essas coisas eu vi no rosto de Jesus.

Ele tinha dado as duas maçãs para mim. Eu sabia que ele, tanto quanto eu, estava com fome.

Mas percebi que, ao oferecer sua maçã a mim, ele tinha ficado satisfeito. Ele acabou por comer frutas de outra árvore.

Eu poderia dizer muito mais a respeito dele, mas como?

Quando o amor se torna imenso, as palavras fogem.

E, quando a memória está sobrecarregada, refugia-se no abismo do silêncio.

Pedro
O teu próximo

Uma vez, em Cafarnaum, o meu Senhor e Mestre falou assim:

— O teu próximo é a outra morada de ti, atrás da parede. Com o entendimento, todas as paredes desabam.

"Quem sabe se o teu próximo não é a melhor parte de ti em outro corpo? Ama o teu próximo como a ti mesmo.

"Ele é uma manifestação desconhecida do Altíssimo.

"O teu próximo é um campo onde mananciais de esperança correm pelo tecido verde da primavera que te agasalha, e onde o inverno do desejo sonha com a neve das montanhas.

"O teu próximo é um espelho em que vês teu próprio rosto a irradiar uma alegria desconhecida, e banhar-se numa tristeza que não veio de ti.

"Ama o teu próximo como eu te amei."

Então, perguntei a ele:

— Como posso amar o próximo que não me ama, que cobiça a minha propriedade e rouba os meus bens?

E ele respondeu:

— Se aquele que lavra a terra com o servo que a semeia parar para espantar a ave que se alimenta de algumas sementes, não será digno das riquezas da colheita.

Diante dessas palavras, fiquei envergonhado e me calei. Mas não estava com medo, pois ele sorriu para mim.

Um sapateiro em Jerusalém
A neutralidade

Eu não o amava, no entanto não o odiava. Escutava-o não para ouvir suas palavras, mas para ouvir sua voz; pois ela me agradava.

Tudo o que ele dizia era vago para a minha mente, mas a musicalidade de suas palavras era clara para meus ouvidos.

De fato, se não fosse pelo que outros me disseram dos ensinamentos dele, eu não saberia se ele era amigo ou inimigo da Judeia.

Susana de Nazaré

A juventude e a humanidade de Jesus

Conheci Maria, mãe de Jesus, antes de casar-se com José, o carpinteiro, quando nós duas ainda éramos solteiras.

Naquela época Maria tinha visões, ouvia vozes e falava de mensageiros do Céu que a visitavam nos sonhos.

O povo de Nazaré estava preocupado com ela e a observava ir e vir. Estavam atentos às expressões dela e à maneira como caminhava.

Alguns diziam que ela estava possuída. Diziam isso porque ela parecia sobrecarregada de seus próprios problemas.

Embora fosse muito jovem, eu a via como uma mulher adulta; uma planta que, mal florescia, já estava pronta para ser colhida; um fruto maduro no começo da primavera.

Ela nasceu e foi criada em meio ao nosso povo; mas, para nós, parecia uma estrangeira vinda do Norte. Havia, no seu olhar, o estranhamento de alguém que não está familiarizado conosco.

E ela era tão altiva como a velha Maria, que marchou com os seus irmãos do Nilo até o deserto.

Depois, foi prometida a José, o carpinteiro.

Quando Maria estava grávida de Jesus, vagava pelas colinas, e, quando regressava à noite, tinha um misto de tristeza e encanto nos olhos.

Dizem que, quando Jesus nasceu, ela disse à sua mãe:

— Eu sou uma árvore não podada. Toma conta deste fruto.

Foi a parteira Marta quem ouviu essas palavras.

Após três dias, visitei-a. E havia maravilha nos seus olhos, seus seios latejavam e abraçava seu primogênito como uma concha do mar que protege a pérola.

Todos nós amávamos o filho de Maria e cuidávamos dele, pois havia um calor no seu ser e o coração dele cantava em sintonia com a vida.

As estações passaram, e ele tornou-se uma criança sorridente e um pouco distraída. Nenhum de nós seria capaz de adivinhar o que o destino guardava para ele, pois não parecia pertencer à nossa raça. Mas nunca o censuramos, apesar de ele ser animado e talvez demasiado imprudente.

Ele brincava mais com as outras crianças do que elas com ele. Um dia, quando tinha doze anos, salvou um cego que havia caído num riacho, arrastando-o para a margem.

Cheio de gratidão, o cego perguntou-lhe:

— Quem és tu, criança?

— Não sou uma criança, sou Jesus — respondeu.

E o cego disse, então:

— Quem é teu pai?

— Deus é meu Pai — respondeu Jesus.

O cego sorriu e retrucou:

— Muito bem, meu pequeno. Mas quem é a tua mãe?

E Jesus respondeu:

— Eu não sou teu pequeno, e a minha mãe é a Terra.

— Entendi. Fui tirado da água pelo Filho de Deus e da Terra — disse o cego.

— Eu te levarei para onde quiseres, e os meus olhos acompanharão teus passos — acrescentou Jesus.

E a criança cresceu como uma palmeira preciosa em nosso jardim.

Aos dezenove anos, ele era tão belo como uma gazela; seus olhos eram como mel e cheios da surpresa do dia.

Na sua boca havia uma sede comparável à do rebanho no meio do deserto.

Ele caminhava sozinho pelos campos, e os nossos olhos o seguiam, bem como o olhar das virgens de Nazaré. Mas sentíamo-nos acanhados em sua presença.

O amor sente-se sempre acanhado diante da beleza, mas a beleza será sempre perseguida pelo amor.

Depois, os anos se passaram e Jesus começou a falar no Templo e nos hortos da Galileia.

De vez em quando Maria o seguia para ouvir as palavras dele e ouvir o som do próprio coração. Mas, quando Jesus e aqueles que o amavam desceram a Jerusalém, ela não quis ir.

Porque, muitas vezes, mesmo quando íamos para lá entregar nossas ofertas no Templo, nós, homens do Norte, éramos tratados com zombaria nas ruas.

E Maria era muito orgulhosa para tolerar os insultos do Sul.

Jesus visitou outras terras, tanto a oriente como a ocidente. Nada sabíamos dessas terras; mesmo assim, nossos corações o acompanhavam.

Mas Maria esperava por ele à porta, e todas as noites os olhos dela buscavam a estrada esperando que ele regressasse.

Quando Jesus regressava, ela dizia-nos:

— Ele é grande demais para ser meu filho, eloquente demais para o meu coração silencioso. Como posso reclamá-lo para mim?

Era como se Maria não conseguisse aceitar que uma planície gerasse uma montanha; ela não compreendia, na pureza do coração, que o sopé é o início do caminho até o cume.

Ela conhecia o homem, mas não conseguia entender por que justamente aquele homem era seu filho.

Certo dia, quando Jesus foi ao lago para acompanhar os pescadores, ela me disse:

— O que é o homem se não um ser inquieto que almeja levantar-se da terra? O que é se não um anseio que almeja as estrelas? Meu filho é um anseio; um anseio de todos nós pelas estrelas. Eu disse "meu filho"? Que Deus me perdoe! No entanto, no íntimo de meu coração, gostaria realmente de ser sua mãe.

Não é fácil continuar a falar de Maria e de seu filho; mas, embora saiba que a minha voz vai morrer na garganta, e as palavras, quebradas pelo soluço, chegarão até vós tão incertas como um coxo de muletas, é necessário que eu relate o que vi e ouvi.

Foi na juventude do ano, quando as anêmonas vermelhas dão cor às colinas, que Jesus chamou seus discípulos e lhes disse:

— Vinde comigo a Jerusalém para testemunhar o sacrifício do cordeiro pascal.

Naquele mesmo dia, Maria veio bater à minha porta e disse:

— Ele vai para a Cidade Santa. Queres vir comigo e com as outras mulheres, para o seguir?

E partimos pelo longo caminho, seguindo Maria e seu filho; finalmente chegamos a Jerusalém. Já às portas da cidade uma pequena multidão de homens e mulheres acenava para nós, pois a vinda de Jesus havia sido anunciada àqueles que o amavam.

Mas, naquela mesma noite, Jesus e seus companheiros deixaram a cidade. Disseram-nos que ele tinha ido a Betânia. Maria ficou conosco na estalagem, esperando o regresso do filho.

Na véspera da quinta-feira seguinte, ele foi apanhado fora dos muros e feito prisioneiro.

Quando Maria ouviu a notícia da prisão do filho, não lhe saiu da boca uma palavra sequer; em seus olhos, porém, apareceu o cumprimento daquela promessa de tristeza e alegria que víamos nela quando era apenas uma jovem noiva em Nazaré.

Não derramou lágrimas, mas moveu-se entre nós como o fantasma de uma mãe que se recusa a lamentar o fantasma do filho.

Estávamos sentados no chão, mas ela continuava de pé, andando de um lado para outro.

Ficou perto da janela, olhando para o Levante; com os dedos das mãos, puxava o cabelo para trás.

Pela manhã, continuava de pé, ereta como bandeira solitária no coração do deserto, deixada ali pelos soldados.

Nós choramos, pois sabíamos qual seria o destino do filho dela. Mas ela não chorou, pois soubera antes o que ia acontecer a ele.

De bronze eram os seus ossos e de um olmo de cem anos as suas fibras; seus olhos eram como o céu: imenso e ousado.

Alguma vez ouviste cantar um tordo quando o vento lhe fustiga o ninho?

Alguma vez viste uma mulher cujo luto é pungente demais para que ela chore? Ou um coração ferido que quer elevar-se acima da dor?

Nunca viste mulher como essa, porque não conheceste Maria e não foste abraçado pela Mãe Invisível.

Naquele momento calmo em que o suave passo do silêncio descansa imperceptivelmente sobre o peito do desperto, João, o jovem filho de Zebedeu, veio e disse:

— Mãe Maria, Jesus está saindo. Vinde, sigamo-lo.

E Maria pôs a mão no ombro de João e saiu com ele, e nós os seguimos.

Quando chegamos à Torre de David, vimos Jesus, e ele carregava sua cruz nos ombros.

Havia uma grande multidão à sua volta, e dois outros homens também carregavam suas cruzes.

Maria manteve a cabeça erguida e, junto a nós, seguiu os passos do filho com firmeza. Atrás dela seguiam Sião e Roma — sim, o mundo inteiro — para se vingar de um homem livre.

Quando chegamos à colina, ele foi levantado na cruz.

Eu olhei para Maria, e o rosto dela não era o de uma mulher enlutada. Era o rosto da terra fértil, sempre dando a vida e sempre enterrando seus filhos.

Então, a lembrança da infância do filho lhe veio aos olhos, e ela gritou:

— Filho, que não és meu filho, homem, tu que uma vez visitaste o meu ventre e me glorificaste no teu poder, sei que cada gota de sangue que correr da tua mão será o manancial de uma nação! Morres nesta tempestade como um dia o meu coração morreu num pôr do Sol. Mas não hei de sofrer.

Naquela hora, gostaria de ter coberto o rosto com um manto e fugido em direção ao Norte. Mas, de repente, ouvi estas palavras de Maria:

— Filho, que não és meu filho, que disseste ao homem à tua direita, que mudaste em felicidade a sua agonia? A sombra da morte é agora leve no seu rosto e ele não pode desviar os olhos de ti. Agora sorris para mim, e esse sorriso me diz que triunfaste.

E Jesus olhou para a sua mãe e disse-lhe:

— Maria, a partir de agora serás a mãe de João.

E disse a João:

— Sê um filho carinhoso para essa mulher. Vai à casa dela e deixa a tua sombra atravessar a porta pela qual eu antes passava. Faz isso em minha memória.

Maria levantou a mão direita em direção a ele, e o corpo dela parecia uma árvore com apenas um ramo. E, mais uma vez, ela gritou:

— Filho, que não és meu filho! Se isso é obra de Deus, que Deus nos faça suportar e entender. Mas, se é obra do homem, que Deus perdoe o homem para sempre. Se isso é obra de Deus, que a neve do Líbano seja o teu sudário; se é obra desses sacerdotes e soldados, tenho aqui este manto para o teu corpo nu.

"Filho, que não és meu filho, o que Deus aqui levantou não perecerá; contudo aquilo que o homem destruir permanecerá intato, mas não para os olhos dele."

Naquela hora, os céus entregaram-no à terra, como um lamento e um suspiro.

E Maria entregou-o ao homem como uma chaga e um bálsamo.

E Maria disse:

— Eis que ele se foi. A batalha está terminada. A estrela brilhou. O navio chegou ao porto. Aquele que outrora embalei no coração agora pulsa no espaço.

Nós nos aproximamos dela, e ela disse:

— Mesmo na morte, ele sorri. Ele venceu. E orgulho-me de ser a mãe de um vencedor.

E Maria voltou para Jerusalém, apoiando-se em João, o discípulo amado. Foi uma mulher em que todas as promessas se cumpriram.

Quando estávamos às portas da cidade, examinei o seu rosto e fiquei surpresa, pois se naquele dia a cabeça de Jesus se ergueu mais alto que a dos homens, a de Maria não era menos alta do que a dele.

Tudo isso aconteceu na primavera.

Já estamos no outono, e Maria, a mãe de Jesus, está de volta, aqui, ao lugar onde viveu com ele; mas agora está sozinha.

Dois sábados atrás, senti meu coração transformar-se em pedra no meu peito, pois meu filho me deixou para embarcar num navio em Tiro. Ele queria ser marinheiro.

E me disse que nunca mais voltaria.

Uma noite depois, fui ver Maria.

Quando entrei em sua casa, vi-a sentada ao tear, mas não estava fiando. Olhava para o céu, muito longe, para além de Nazaré. E eu disse-lhe:

— Ave, Maria.

Ela estendeu os braços para mim, e disse:

— Senta-te ao meu lado, e vamos ver o Sol derramar o seu sangue sobre o monte.

Eu sentei-me ao lado dela no banco e ficamos a olhar para o Levante juntas à janela.

Mas, um instante depois, Maria me disse:

— Eu me pergunto quem o Sol está crucificando nesta noite.

E eu lhe disse:

— Vim ter contigo porque buscava conforto. Meu filho deixou-me para ir ao mar, e eu estou sozinha na casa do outro lado da rua.

— Eu gostaria de te confortar, mas como? — disse ela.

— Basta que me fale do teu filho, e eu ficarei confortada — respondi.

Maria sorriu-me, colocou a mão no meu ombro e disse:

— Falarei dele. O que te confortar também a mim confortará.

Depois, falou-me de Jesus, e falou longamente de tudo desde o início. E pareceu-me que, ao falar, ela não fazia diferença entre o filho dela e o meu. Pois ela me disse:

— O meu filho também é marinheiro. Por que não confias o teu filho às ondas como a elas confiei o meu? A mulher será sempre o útero e o berço, mas nunca será sepultura. Expomo-nos à morte para dar vida à vida, tal como nossas mãos trabalham o fio de uma roupa que não vamos usar e lançam a rede para apanhar o peixe que não iremos provar. É por isso que sofremos, mas é nisso, também, que reside a nossa alegria.

Assim falou Maria comigo. Deixei-a e regressei para a minha casa. E, embora a luz do dia estivesse acabando, sentei-me ao tear para tecer a roupa que nunca vestirei.

José, o justo
Jesus, o viajante

Dizem que ele era vulgar, rebento comum de uma semente comum; um homem rude e violento.

Dizem que só o vento lhe penteava o cabelo, e só a chuva alinhava a roupa e o corpo dele.

Diziam que era louco, e atribuíam suas palavras aos demônios.

No entanto, esse Homem desprezado soava como um desafio, e o som de suas palavras nunca cessará.

Ele entoou uma canção cuja melodia não poderá ser interrompida; soará de geração em geração e elevar-se-á de esfera em esfera ecoando os lábios que a cantavam e o espírito que a embalava.

Ele era um estranho. Sim, é verdade, era um estranho, um viajante a caminho de um santuário, um visitante que bateu à nossa porta, um hóspede de um país distante.

E, porque não encontrou um anfitrião generoso, regressou ao lugar de onde viera.

Filipe
Quando ele morreu, toda a humanidade morreu

Quando nosso amado morreu, toda a humanidade morreu e todas as coisas que havia no espaço ficaram paradas e sem cor. Então, o Levante escureceu, e dali veio uma tempestade que varreu toda a terra. Os olhos do céu se abriram e fecharam, e a chuva desceu em torrentes e lavou o sangue que jorrava das mãos e dos pés dele.

Eu também morri. Mas, apesar de minha indiferença, ouvi-o dizer: "Pai, perdoai-os, pois eles não sabem o que fazem".

E a sua voz encontrou o meu espírito que se afogava e me trouxe de volta à praia.

Eu abri os olhos e vi o seu corpo branco pendurado contra uma nuvem, e as suas palavras que tinha ouvido tomaram forma dentro de mim e fizeram de mim um novo homem. E eu nunca mais voltei a sofrer.

Quem sofreria pelo mar que desvela o próprio rosto, ou por uma montanha que sorri para o Sol?

Que coração humano se atreveria a dizer tais palavras ao ser trespassado por uma lança?

Que outro juiz de homens perdoou seus próprios juízes? Alguma vez, algum amor desafiou o ódio com o poder de uma segurança tão firme em si mesma?

Alguma vez se ouviu um clarim como aquele, que pôde reverberar no céu e na terra?

Alguma vez se soube de um assassinado que se compadeceu de seus assassinos? Ou de um meteoro que detêve seus passos diante de um quebra-mar?

As estações e os anos envelhecerão antes que estas palavras passem: "Pai, perdoai-os, pois eles não sabem o que fazem".

E nós, ainda que nasçamos de novo e de novo, jamais as esqueceremos.

E agora caminho para minha casa, para mendigar, com orgulho, à sua porta.

Bárbara, a amonita
Jesus, o impaciente

Jesus era paciente com os simples e ignorantes; era como o inverno aguardando a primavera. Era paciente como uma montanha ao vento.

Respondia com doçura aos duros questionamentos de seus inimigos. Calava-se diante de discussões vãs, pois era forte, e os fortes são pacientes.

Mas Jesus também era impaciente.

Ele não poupava os hipócritas. Não cedia aos homens de astúcia nem àqueles que jogavam com as palavras.

Ninguém podia dominá-lo.

Era impaciente com aqueles que não acreditavam na luz porque habitavam na sombra; e com aqueles que procuravam sinais no céu e não nos próprios corações.

Era impaciente com aqueles que pesavam e mediam o dia e a noite antes de confiarem nos próprios sonhos para o amanhecer ou para o anoitecer.

Jesus era paciente. Mas, ao mesmo tempo, foi o mais impaciente dos homens.

Exigia que tecessem o pano, em vez de passarem anos entre o tear e o linho.

Mas nunca permitiu que rasgassem um centímetro do que já fora tecido.

Da mulher de Pilatos a uma senhora romana
O amor e a força

Passeava certo dia com minhas donzelas nos bosques fora de Jerusalém quando o vi rodeado de homens e mulheres; e ele falava numa língua que eu só compreendia em parte.

Mas não é preciso uma língua para perceber um pilar de luz ou uma montanha de cristal. O coração sabe o que a língua não pode nunca dizer e os ouvidos nunca ouvir.

Ele falava aos amigos sobre o amor e a força. Entendi que falava do amor porque havia melodia em sua voz; e sei que ele falava de força porque seus gestos atraíam legiões e exércitos. Ele era terno, mas mesmo meu marido não podia falar com tamanha autoridade.

Quando ele me viu passar, parou de falar por um momento e olhou-me com doçura. Eu me senti humilde, e minh'alma sabia que eu havia passado por um deus.

Desde aquele dia a sua imagem visita-me no íntimo, onde ninguém me visitaria; seus olhos penetram os segredos de minha alma, quando meus próprios olhos estavam fechados; e a sua voz governa a quietude das minhas noites.

Sinto-me eterna prisioneira desse encanto; mas encontro paz na minha dor e liberdade nas minhas lágrimas.

Querida amiga, nunca viste esse homem, e nunca o verás.

Ele está além do alcance dos nossos sentidos; mas, entre todos os homens, ele é agora o mais próximo de mim.

Um homem dos arrabaldes de Jerusalém
Judas

Judas veio à minha casa naquela sexta-feira, na véspera da Páscoa; e bateu à minha porta com força.

Quando entrou, olhei para ele e seu rosto estava sombrio. Suas mãos tremiam como galhos secos ao vento, e suas roupas estavam molhadas como se tivesse saído de um rio. Era noite de tempestade.

Ele olhou para mim. Tinha olheiras escuras e seus olhos estavam cheios de sangue. Disse:

— Entreguei Jesus de Nazaré aos inimigos dele e aos meus inimigos.

Judas torcia as mãos e dizia:

— Jesus declarou que venceria todos os seus inimigos e os inimigos do nosso povo. Eu acreditei nele e o segui.

"Quando nos chamou para que o seguíssemos, prometeu-nos um reino vasto e poderoso. Acreditamos nele e esperávamos que nos favorecesse para que tivéssemos postos importantes na sua corte.

"Imaginamo-nos como príncipes, tratando esses romanos como eles nos tratam. Jesus falou muito sobre o seu reino, e eu pensei que ele me tinha escolhido para ser o capitão dos seus carros e chefe dos seus guerreiros. Segui seus passos de boa vontade. No entanto, descobri que não era um reino que Jesus procurava, nem era dos romanos que ele queria libertar-nos.

"O seu reino era apenas o reino do coração. Ouvi-o falar de amor, caridade e perdão, e as mulheres no caminho o escutavam com alegria, mas o meu coração tornou-se amargo e endurecido.

"Aquele que prometia ser o rei da Judeia parecia ter virado flautista de repente, para acalmar a mente dos errantes e vagabundos.

"Eu o amava como o amavam outros da minha tribo. Via-o como uma esperança e uma libertação do jugo estrangeiro. Mas ele não proferiu uma palavra sequer, nem moveu a mão para nos libertar desse jugo. E, quando disse para dar a César o que era de César, o desespero tomou conta de mim e minhas esperanças morreram. E eu disse: 'Aquele que mata as minhas esperanças será morto, pois as minhas esperanças e expectativas são mais preciosas do que a vida de qualquer homem'."

Então Judas rangeu os dentes e baixou a cabeça. Quando voltou a falar, disse:

— Eu o entreguei e ele foi crucificado neste dia. Mas, quando morreu na cruz, morreu como um rei. Morreu na tempestade, como morrem os redentores, como gigantes que vivem além do sudário e da lápide.

"Durante o tempo todo em que estava para morrer, foi gentil e bondoso, com o coração cheio de piedade. Ele teve piedade até mesmo de mim, que o havia entregado.

E eu disse:

— Judas, cometeste um erro muito grave.

E Judas respondeu:

— Mas ele morreu como um rei. Por que não viveu ele como um rei?

Eu tornei a dizer:

— Cometeste um crime grave.

E ele sentou-se ali, naquele banco, e permaneceu quieto como uma pedra. Eu andava de um lado para o outro da sala, e uma vez mais disse:

— Cometeste um pecado grave.

Mas Judas não disse uma palavra. Ele permaneceu tão silencioso quanto a terra.

Depois de algum tempo, levantou-se, encarou-me e parecia mais alto. Ao falar, sua voz era como o som de um vaso rachado:

— O pecado não estava no meu coração. Nesta mesma noite, procurarei o seu reino. Estarei na sua presença e implorarei o seu perdão. Ele morreu como um rei, e eu morrerei como um criminoso. Mas, no meu coração, sei que ele me perdoará.

Depois de dizer essas palavras, ele se enrolou no manto ainda molhado e disse:

— Foi bom ter vindo aqui esta noite, apesar de ter-te trazido problemas. Espero que me perdoes. Diz aos teus filhos e aos filhos deles que Judas Iscariotes entregou Jesus de Nazaré aos seus inimigos porque acreditava que Jesus era inimigo da própria raça. Diz também que Judas, no mesmo dia do seu crime, seguiu o Rei até os degraus do seu trono para entregar a própria alma para julgamento. Eu direi a ele que o meu sangue também tem sede da terra, e que o meu espírito aleijado procura ser livre.

Então Judas encostou a cabeça na parede e gritou:

— Ó Deus, cujo temido nome nenhum homem pronunciará antes que os lábios sejam tocados pelos dedos da morte, por que me queimaste com um fogo que não tinha luz? Por que deste ao galileu uma paixão por uma terra desconhecida e me carregaste de um desejo que não escapa às paredes e à lareira da minha casa? E quem é este Judas, cujas mãos estão mergulhadas em sangue? Ajuda-me a despir-me dele; ajuda-me a despir-me desta roupa velha e esfarrapada. Ajuda-me a fazer isto esta noite e a ficar de novo fora destes muros. Estou cansado desta liberdade sem asas. Quero um calabouço maior do que este; correr como um manancial de lágrimas para o mar amargo. Gostaria de ter sido um homem da tua misericórdia, em vez de bater à porta do teu coração.

Assim falou Judas e, depois, abriu a porta e saiu na tempestade.

Três dias depois estive em Jerusalém e ouvi falar de tudo o que havia passado. Soube também que Judas havia se jogado do alto de um rochedo.

Tenho pensado muito, desde então, e entendi Judas. Ele consumou sua pequena vida, a qual pairava como uma névoa sobre esta terra escravizada pelos romanos, enquanto o grande profeta subia às alturas.

Um homem ansiava por um reino no qual fosse um príncipe. Outro homem desejava um reino em que todos os homens fossem príncipes.

Sarquis, um velho pastor grego chamado de "louco"

Jesus e Pã

Sonhei que Jesus e meu Deus Pã estavam sentados um ao lado do outro no coração da floresta.

Riam-se amavelmente de suas histórias, e o som de suas risadas era acompanhado pelo murmúrio festivo de um riacho que corria um pouco mais ao longe. O riso de Jesus era o mais alegre e eles conversaram por muito tempo.

Pã falou da terra e dos mistérios dela; falou também dos seus irmãos de pés de bode e das suas irmãs com chifres; e falou de sonhos. Falou das raízes e de como elas se escondem debaixo da terra, e da seiva que desperta e se levanta para cantar o verão.

E Jesus falou dos ternos botões da floresta, das flores e dos frutos, e das sementes que o solo guarda para as estações vindouras. Falou das aves do espaço e do canto delas que se perde entre as esferas superiores. Falou também do gamo branco que Deus conduz para os pastos do deserto.

E Pã se encantava com as histórias do novo Deus, e as suas narinas vibravam.

No mesmo sonho, ouvi aquelas palavras desaparecerem lentamente, e Pã e Jesus calarem-se no silêncio profundo das sombras verdejantes das folhas.

E vi Pã pegar a flauta e tocar para Jesus. E as árvores balançaram e as samambaias tremeram com a sua música. Fiquei assustado.

E Jesus disse a Pã:

— Meu bom irmão, tens as clareiras e as rochas escarpadas em tua flauta.

Pã estendeu a flauta a Jesus, dizendo:

— Toca agora; é a tua vez.

— Essas flautas são demais para a minha boca. Vou tocar a minha — disse Jesus.

E Jesus pegou a sua flauta e começou a tocar.

Naquela música eu ouvia o som da chuva, o canto dos pássaros ao longo das colinas e a melodia imperceptível da neve caindo levemente sobre os picos das montanhas.

As batidas do meu coração, que outrora pulsaram em sintonia com o vento, foram devolvidas ao vento, e todas as vagas do meu passado refluíram de volta à costa, e eu voltei a ser Sarquis, o pastor. A flauta de Jesus era a música de diversos pastores tocando para inúmeros rebanhos.

Então, Pã disse a Jesus:

— Muito mais do que a minha idade, tua juventude é adequada para a flauta. E já muitas vezes antes, no silêncio da solidão, ouvi teu canto e o murmúrio do teu nome. Teu nome tem um belo som; eleva-se com facilidade, como a seiva que chega aos ramos, e corre fácil, como o casco dos animais pelas colinas. Não me é estranho o teu nome, embora o meu pai nunca me tenha chamado assim. Foi a tua flauta que despertou a minha memória. Agora, toquemos juntos as nossas flautas.

E Pã e Jesus tocaram juntos.

E o céu e a terra tremeram com o som daquela música, e um terror abalou todos os seres vivos. Ouvi o uivo das bestas e o grito de fome da floresta.

E tenho ouvido o lamento de todos os homens solitários e o grito daqueles que anseiam por algo que não conhecem.

Ouvi o suspiro da virgem ansiosa pelo seu amado, e a respiração ofegante do caçador que não apanhou a presa.

E, então, a paz chegou àquela música, e os céus e a terra cantaram juntos.

Tudo isso eu vi no meu sonho, e tudo isso eu ouvi.

Anás, o sumo sacerdote
Jesus, o plebeu

Fazia parte da ralé; era um bandido, um charlatão e um aventureiro. Recorria apenas aos impuros e miseráveis, e era obrigado a seguir o caminho de todos os manchados e contaminados.

Ele desdenhava de nós e das nossas leis; zombava da nossa honra e da nossa dignidade. Chegou a dizer que destruiria o templo e profanaria os lugares santos. Não tinha decência e teve de morrer uma morte vergonhosa.

Era um homem da Galileia dos Gentios, um estrangeiro do Norte, onde Adônis e Astarote ainda reclamam o poder contra Israel e o Deus de Israel.

Aquele, cuja língua parodiava os nossos profetas, falava alto e de forma estridente utilizando-se da língua bastarda da canalha e da ralé.

Que mais me restava senão decretar a sua morte?

Por acaso não sou o guardião do templo? Não devo guardar a lei? Podia eu ter virado as costas à Lei, dizendo tranquilamente que ele era um louco entre loucos? Devia deixá-lo consumir-se no próprio delírio, visto que os loucos e os idiotas tomados por demônios não são nada no caminho de Israel?

Podia eu ter ficado impassível quando nos chamou de mentirosos, hipócritas, lobos, víboras e filhos de víboras?

Pelo fato de ele ser louco, eu devia fingir ser surdo? O demônio que o possuía era ele próprio; por isso provocou-nos e desafiou-nos.

Mandei crucificá-lo como sinal e aviso para os outros que estão estigmatizados com a mesma marca maldita.

Sei que fui responsabilizado por isso, até mesmo por alguns anciãos do Sinédrio. Mas eu tinha consciência naquela altura, como tenho agora, que é melhor que um homem morra pelo povo do que ter um povo desviado por um homem.

Jesus foi conquistado por um inimigo externo. Eu não podia deixar que a Judeia fosse conquistada de novo, por um inimigo interno.

Nenhum maldito homem do Norte tomará o nosso Santuário; tampouco a sua sombra cairá sobre a Arca da Aliança.

Uma vizinha de Maria

Uma canção de lamento

No quadragésimo dia após a morte de Jesus, as vizinhas de Maria foram até ela para consolá-la e cantar elegias. Uma delas cantou esta canção:

Onde estás, minha primavera, onde estás?
E a que outro espaço ascende o teu perfume?
Em que outros campos andarás?
E a que céu levantarás a tua cabeça para falar do que está em teu coração?

Estes vales serão desertos,
E não teremos mais do que campos secos e estéreis.
Tudo o que é verde amarelará ao sol;
Nossos pomares darão maçãs ácidas
E as nossas vinhas, uvas amargas.
Teremos sede do teu vinho
E falta de tua fragrância.

Onde estás, Flor de nossa primeira primavera. Onde?
Já não voltarás?
O teu jasmim não voltará a nos visitar
E tuas flores não cobrirão mais nossos caminhos,
Para nos dizer que também temos raízes na terra
E que nossos suspiros se elevem sempre para os céus?

Onde estás, Jesus? Onde estás,
Filho da minha vizinha Maria,
E amigo de meu filho?
Aonde irás, primeira primavera nossa?
Para que outros campos?
Voltarás para nós?
Visitará a maré do teu amor às margens estéreis dos sonhos nossos?

Acás, o corpulento
O estalajadeiro

Lembro-me bem da última vez que vi Jesus, o Nazareno. Ao meio-dia de uma quinta-feira, Judas veio ter comigo para me implorar que preparasse o jantar para Jesus e seus amigos.

— Compra tudo o que for necessário para a nossa ceia — disse-me ele.

Depois que ele partiu, minha mulher exclamou:

— É mesmo uma grande honra!

Pois Jesus era então um profeta e tinha realizado vários milagres.

Ao entardecer, Jesus e seus seguidores chegaram e sentaram-se à mesa na sala de cima. Mas permaneceram em silêncio, sem fazer barulho.

No ano anterior e dois anos antes, também vieram para a estalagem, e sempre se tinham alegrado. Partilhavam pão, bebiam vinho e cantavam os velhos hinos dos nossos pais; e Jesus conversava com eles até tarde da noite.

Depois, deixavam-no só, ali no pequeno quarto de cima, e iam dormir em outros quartos, porque, depois da meia-noite, Jesus gostava de ficar sozinho.

Ele ficava ali, acordado, e eu, deitado em minha cama no andar de baixo, podia ouvi-lo caminhar pelo quarto.

Dessa última vez, porém, eles não festejavam.

Minha mulher tinha-lhes servido peixes do lago da Galileia recheados com arroz e sementes de romã, e eu tinha-lhes servido um jarro do meu vinho de cipreste.

Pedi-lhes, então, que me dessem licença, pois compreendi que desejavam ficar sozinhos.

Ficaram à mesa até escurecer; depois desceram as escadas. Mas Jesus permaneceu ao pé da escada por alguns instantes. Olhou para mim e para a minha mulher e, de repente, acariciando a cabeça da minha menina, disse:

— Boa noite a todos vós. Devemos voltar para o salão de cima, mas não partiremos cedo desta vez. Ficaremos aqui até que o Sol se ponha no horizonte. Logo voltaremos e tornaremos a pedir-vos pão e vinho. Tu e tua esposa nos trataram bem; quando estivermos no nosso palácio e nos sentarmos à nossa mesa, lembrar-nos-emos de vós.

E eu lhe disse:

— Senhor, foi um privilégio servir-te. Os outros estalajadeiros têm inveja das visitas com que me honrais. Por isso, quando os encontro no mercado, saúdo-os com um sorriso cheio de orgulho, e por vezes, confesso, até lhes faço caretas.

E ele me disse:

— É justo que o estalajadeiro se orgulhe do seu ofício, pois aquele que serve o pão e o vinho é um irmão para aquele que colhe as espigas e as junta em feixes na eira e para aquele que esmaga as uvas no lagar. Sois pessoas de bom coração, pois servis a todos generosamente, mesmo àqueles que trazem consigo apenas a fome e a sede.

Em seguida, voltou-se para Judas Iscariotes, que era o tesoureiro deles, e disse:

— Dê-me dois ciclos.

Judas entregou-lhe os dois ciclos, dizendo:

— Estas são as últimas moedas de prata que tenho em minha bolsa.

Então Jesus olhou para ele e disse:

— Em breve, muito em breve, a tua bolsa estará cheia de prata.

Depois, colocou as duas moedas na minha mão e disse:

— Com estas moedas, compra um cinto de seda para a tua filha, e diga a ela que o use no dia da Páscoa, para lembrar-se de mim.

Olhando uma vez mais para o rosto da minha menina, inclinou-se para lhe beijar a testa. Em seguida, despediu-se:

— Boa noite a todos vós.

E foi-se embora.

Disseram-me que aquelas palavras foram gravadas num pergaminho por um de seus discípulos, mas eu as repito como ouvi dos lábios dele.

Jamais me esquecerei do som da sua voz quando proferiu aquelas palavras:

— Boa noite a todos vós.

Se quiserdes saber mais sobre ele, perguntai à minha filha. Ela é agora uma mulher, mas guarda no coração a memória da infância. E mais fluidas que as minhas são as palavras dela.

Barrabás

As últimas palavras de Jesus

Eles libertaram-me e escolheram-no. Depois, ele levantou-se e eu caí.

Fizeram dele uma vítima e um sacrifício pela Páscoa.

Fui liberto das minhas cadeias e caminhei junto à multidão atrás dele, mas eu era um homem vivo a caminho da sepultura.

Devia ter fugido para o deserto, onde a vergonha é queimada pelo sol. Mas fui com aqueles que o tinham escolhido para pagar pelo meu crime.

Quando o pregaram na cruz, fiquei ali. Vi e ouvi, mas parecia estar fora do meu corpo.

O ladrão que foi crucificado à sua direita disse-lhe:

— Teu sangue corre como o meu, Jesus de Nazaré?

E Jesus respondeu:

— Se não fosse este prego que prende minha mão, eu a estenderia e apertaria a tua. Fomos crucificados um ao lado do outro, mas gostaria que a tua cruz estivesse mais perto da minha.

Então ele olhou para baixo, viu a sua mãe e um jovem que estava ao lado dela, e disse:

— Mulher, eis aí o teu filho. Eis um homem que levará estas gotas do meu sangue para a terra do Norte.

Quando ouviu o pranto das mulheres da Galileia, disse:

— Elas choram e eu tenho sede. Estou muito no alto para alcançar as suas lágrimas. Não beberei vinagre e fel para saciar esta sede.

Seus olhos se abriram para o céu, e ele disse:

— Pai, por que me desamparaste?

E afirmou em compaixão:

— Pai, perdoa-lhes, porque não sabem o que fazem.

Quando ele disse essas palavras, vi todos se prostrarem diante de Deus implorando perdão pela crucificação daquele homem singular.

Em seguida, ele disse em alta voz:

— Pai, na tua mão entrego o meu espírito.

E, por fim, levantou a cabeça e disse:

— Tudo está consumado, mas apenas sobre este monte.

E ele fechou os olhos.

Então um raio rasgou o céu escuro, e houve um grande trovão.

Agora sei que aqueles que o mataram em meu lugar condenaram-me a um tormento sem fim.

A crucificação de Jesus durou apenas uma hora. Mas a minha durará toda a vida.

Cláudio, um centurião romano
Jesus, o estoico

Depois que ele foi capturado, levaram-no a mim. Pôncio Pilatos ordenou-me que o mantivesse sob custódia até a manhã seguinte.

Meus soldados levaram-no prisioneiro, e ele os obedeceu.

À meia-noite, deixei minha mulher e meus filhos e fui até o arsenal. Tinha o hábito de fazer a ronda e ver se tudo estava em ordem com meus batalhões em Jerusalém; e naquela noite visitei o arsenal onde ele estava detido.

Meus soldados e alguns dos jovens judeus estavam a fazer troça dele. Tinham-no despojado das vestes e colocado uma coroa de espinhos na cabeça dele.

Puseram-no sentado contra um pilar, enquanto dançavam e gritavam diante do prisioneiro.

Haviam dado a ele uma placa para que segurasse.

Quando entrei, alguém gritou:

— Vês, Capitão? É o Rei dos Judeus.

Eu olhava para ele e tinha vergonha. Não sabia por quê.

Lutei na Gália e na Espanha, e enfrentei a morte com meus homens. No entanto, nunca conheci o medo, nem me acovardei. Mas, quando aquele homem olhou para mim, perdi a coragem. Parecia que meus lábios estavam selados, e eu não conseguia dizer palavra alguma. Imediatamente, deixei o arsenal.

Isso foi há trinta anos. Meus filhos, que àquela altura eram bebês, já são homens feitos. E servem a César e Roma.

Muitas vezes, ao aconselhá-los, falei dele, um homem que enfrenta a morte com a seiva da vida nos lábios e com compaixão por seus algozes nos olhos.

Já estou velho. Vivi plenamente a vida. E penso sinceramente que nem

Pompeu nem César foram tão grandes comandantes como aquele homem da Galileia, pois, desde que ele morreu sem resistir, um exército levantou-se da terra para lutar por ele. E ele, mesmo morto, é mais bem-servido por eles do que jamais o foram Pompeu e César quando vivos.

Tiago, irmão de Jesus
A última ceia

Inúmeras vezes assaltou-me a lembrança daquela noite. E sei que não conseguirei apagá-la da memória.

A terra esquecerá os sulcos deixados pelo arado no seu peito e a mulher se esquecerá da dor e da alegria do parto, antes que eu me esqueça daquela noite.

À tarde, estivemos fora das muralhas de Jerusalém, e Jesus disse:

— Vamos para a cidade cear na estalagem.

Estava escuro quando chegamos à estalagem, e tínhamos fome. O estalajadeiro saudou-nos e levou-nos para um salão que ficava no piso superior.

Jesus pediu que nos sentássemos à volta da mesa, mas ele ficou de pé, e o seu olhar repousou em nós.

Ele disse ao estalajadeiro:

— Traz-me uma bacia, um cântaro de água e uma toalha.

Voltou a olhar para nós e disse, gentilmente:

— Retirai as vossas sandálias.

Não compreendemos o sentido daquilo, mas o obedecemos.

O estalajadeiro chegou com a bacia e o cântaro, e Jesus disse:

— Vou lavar os vossos pés. Tenho de limpá-los do pó da estrada antiga e dar a eles a liberdade do novo caminho.

Nós todos ficamos perplexos e embaraçados com aquilo.

Então, Simão Pedro levantou-se e disse:

— Como posso permitir que o meu Mestre e Senhor se recline para me lavar os pés?

E Jesus respondeu:

— Lavarei os vossos pés para que vos lembreis de que aquele que serve os homens será o maior entre os homens.

E ele olhou para cada um de nós e disse:

— O Filho do Homem, que vos escolheu como irmãos, que teve os pés ungidos ontem com mirra da Arábia e secos pelos cabelos de uma mulher, deseja agora lavar os vossos pés.

E ele tomou a bacia e o cântaro, ajoelhou-se e lavou os nossos pés, começando por Judas Iscariotes.

Depois, sentou-se conosco à mesa. O rosto dele era como o amanhecer num campo de batalha depois de uma noite de luta e derramamento de sangue.

Entretanto, o estalajadeiro e sua esposa entraram trazendo comida e vinho.

Eu, que estava com fome antes de ver Jesus ajoelhar-se a meus pés, não tinha mais estômago para comer. Havia uma chama em minha garganta que nem mesmo o vinho conseguia apagar.

Então Jesus pegou um pão e deu-nos, dizendo:

— Talvez não voltemos a partir o pão. Comeremos este pedaço como lembrança dos nossos dias na Galileia.

E derramou vinho do cântaro num copo, bebeu-o, deu-nos de beber e disse:

— Bebei como lembrança de uma sede que conhecemos juntos. E também como esperança da nova vindima. Quando eu estiver envolto no sudário e não mais estiver entre vós, e quando vos encontrardes aqui ou noutro lugar, parti o pão e servi o vinho; comei e bebei como fazeis agora. Quando olhardes em volta, ver-me-eis sentado convosco à mesa.

Depois disso ele começou a servir pedaços de peixe e faisão, como se fosse um pássaro alimentando os filhotes.

Comemos pouco, mas nos fartamos; bebemos apenas uma gota, mas sentimos que a taça era como um espaço entre esta terra e outra terra.

Então, Jesus disse:

— Antes de deixarmos esta mesa, levantemo-nos e cantemos os alegres hinos da Galileia.

E nos levantamos e cantamos juntos. A voz dele se sobressaía, e cada palavra que entoava era como uma campana.

Ele olhou para cada um de nós e disse:

— Agora, despeço-me de vós. Vamos para além destas paredes. Vamos até o Getsêmani.

João, o filho de Zebedeu, disse:

— Mestre, por que te despedes de nós esta noite?

E Jesus afirmou:

— Não vos deixeis perturbar pelo vosso coração. Deixo-vos para preparar um lugar para vós na casa do meu Pai. Mas, se precisardes de mim, voltarei para vós. Onde me chamardes, lá vos ouvirei; e, onde quer que vosso espírito me procure, lá estarei. Não vos esqueçais de que a sede leva ao lagar e a fome, ao banquete de casamento. No anseio, encontrareis o Filho do Homem, pois o anseio é a fonte do júbilo e o caminho para o Pai.

João tornou a falar e disse:

— Se nos deixares, como teremos bom ânimo? E por que nos falas de separação?

E Jesus disse:

— O veado conhece a flecha do caçador antes de a sentir no peito; e o rio sabe que o mar existe mesmo antes de encontrá-lo. Quanto ao Filho do Homem, este conheceu os caminhos dos homens. Antes que outra amendoeira abra seus botões para o Sol, as minhas raízes alcançarão o seio de outro campo.

Disse, então, Simão Pedro:

— Mestre, não nos deixes agora, e não nos negues a alegria da tua presença. Onde quer que vás, também iremos; onde quer que habites, nós também lá estaremos.

E Jesus pôs a mão no ombro de Simão Pedro, sorriu e disse:

— É possível que, antes que esta noite acabe, tu me negues e me deixes antes que eu te deixe.

Entretanto, acrescentou:

— Partamos.

Ele deixou a estalagem e fomos com ele. Quando chegamos às portas da cidade, Judas Iscariotes já não estava entre nós. Atravessamos o Vale de Hinom. Jesus seguia muito à frente, e nós andávamos uns perto dos outros.

Ao chegar a um olival, ele parou, virou-se para nós e disse:

— Descansemos aqui por uma hora.

A noite estava fria, embora já fosse primavera. As amoras desabrochavam, as macieiras floriam e os jardins eram belos.

Cada um de nós procurou o tronco de uma árvore para se recostar e descansamos. Eu me envolvi no manto e deitei-me sob um pinheiro.

Entretanto, Jesus caminhava pelo olival. Eu observei-o enquanto os outros dormiam.

Às vezes ele parava, mas voltava a caminhar inquieto. Fez isso muitas vezes. Depois, vi-o erguer a cabeça para o céu e esticar os braços para os dois lados. Certa vez, ele dissera: "O céu e a terra e o próprio inferno são do homem". Lembrei-me disso e soube que Aquele que caminhava pelo olival era o céu feito homem, e pensei que o ventre da terra não é um princípio nem um fim, mas um carro e uma parada; um momento de espanto e surpresa. Vi também o inferno no vale chamado de Hinom, que se elevava entre Jesus e a Cidade Santa.

Eu estava deitado, envolto em meu manto; enquanto ele andava, ouvi-o repetir três vezes a palavra Pai. Foi tudo o que ouvi.

Passado algum tempo, abaixou os braços e ficou parado como um cipreste entre os meus olhos e o céu.

Por fim, veio até nós e disse:

— Despertai e levantai-vos. Chegou a minha hora. O mundo já está sobre nós, armado para a batalha.

E acrescentou:

— Há pouco ouvi a voz do meu Pai. Se não vos voltar a ver, lembrai-vos de que o conquistador não terá paz até ser conquistado.

E, quando nos levantamos e fomos até ele, o seu rosto era como o céu estrelado acima do deserto.

Então ele beijou cada um de nós no rosto. Quando os seus lábios tocaram a minha face, estavam quentes, como a mão de uma criança febril.

Ouvimos um grande barulho vindo da entrada do horto. Parecia uma multidão. Ao chegarem mais perto, vimos que era uma companhia de homens que se aproximava com lanternas e escravos. Vinham apressados.

Quando chegaram ao bosque, Jesus deixou-nos e foi ao encontro deles. Judas Iscariotes era quem os conduzia.

Eram soldados romanos com gládios e hastas, e homens de Jerusalém com bastões e forcados.

Judas aproximou-se de Jesus e o beijou na face. Em seguida, disse aos soldados armados:

— Eis o Homem.

E Jesus disse a Judas:

— Judas, foste paciente comigo. Isso podia ter ocorrido ontem.

Então, voltou-se para os homens armados e disse:

— Levai-me agora. Mas cuida que a minha jaula seja grande o bastante para estas asas.

Então caíram sobre ele e amarraram-no, e todos gritavam.

Mas nós, aterrorizados, fugimos e procuramos escapar. Corri sozinho entre as oliveiras. Não tive forças para entender o que estava acontecendo, e nenhuma voz falava em mim, exceto o medo.

Durante as duas ou três horas que me restaram daquela noite, fugi e me escondi. De manhã, já estava numa aldeia perto de Jericó.

Por que eu o tinha abandonado? Não sei. Mas, para minha tristeza, deixei-o. Acovardei-me e fugi dos inimigos dele.

Depois fiquei doente e envergonhado no coração. Regressei a Jerusalém, mas ele já era um prisioneiro, e nenhum amigo podia falar com ele.

Ele foi crucificado, e o sangue dele fez da terra vida nova.

Eu ainda vivo e me alimento do favo de mel que a sua vida doce produziu.

Simão de Cirene
Aquele que carregou a cruz

Eu caminhava para os campos quando o vi carregando a cruz, seguido pela multidão. Eu caminhava ao lado dele.

O peso que carregava fazia com que ele parasse no caminho muitas vezes, pois o seu corpo estava exausto.

Um soldado romano aproximou-se de mim e disse:

— Aproxima-te; és forte e firme; ajuda esse homem a carregar a cruz.

Quando ouvi essas palavras, meu coração se alegrou; senti-me agraciado com aquilo e carreguei a cruz.

Era pesada, feita de choupo, umedecido pelas chuvas do inverno.

Jesus olhou para mim, e o suor da sua testa escorria sobre a barba dele.

Ele olhou para mim de novo e disse:

— Tu também bebes deste cálice? Em verdade te digo que o apurarás comigo até o fim dos tempos.

Ao dizer aquilo, colocou a mão sobre o meu ombro livre. E caminhamos juntos em direção ao Gólgota.

Eu já não sentia o peso da cruz. Sentia apenas a sua mão. E era como a asa de um pássaro sobre o meu ombro.

Depois chegamos ao topo da colina e lá estavam eles para o crucificar.

Foi quando senti o peso do madeiro.

Ele não disse nada quando lhe pregaram os pregos nas mãos e nos pés; não emitiu sequer um gemido. E seus membros não tremeram sob os golpes do martelo.

Parecia que suas mãos e seus pés tinham morrido e que só voltariam a viver quando banhados em sangue. Parecia também que desejava os pregos da mesma maneira que o príncipe deseja o cetro, e que ele buscava ser levado às alturas.

Meu coração não se ocupou de ter piedade, pois a perplexidade tomava conta de mim. Agora, o homem cuja cruz eu carreguei tornou-se a minha própria cruz.

Se me dissessem novamente para carregar a cruz daquele homem, eu carregaria até o fim da vida. Mas imploraria a ele que colocasse a mão sobre o meu ombro.

Isso aconteceu há muitos anos; mas sempre que sigo o sulco do arado no campo, e naqueles momentos de sono antes de dormir, penso no Homem Amado. E sinto a sua mão alada no meu ombro esquerdo.

Cibória

Mãe de Judas Iscariotes

Meu filho era um homem bom e direito. Era terno e bondoso comigo; amava sua família e os conterrâneos. Ele odiava os nossos inimigos, os malditos romanos, que usavam pano púrpura, embora não fiassem nem trabalhassem o tear; eles colhiam e recolhiam onde não haviam lavrado nem semeado.

Meu filho tinha apenas dezessete anos quando foi preso por atirar flechas contra uma legião romana que passava por nossa vinha. Nessa idade, ele já falava aos outros rapazes sobre a glória de Israel e dizia outras coisas estranhas que eu não entendia.

Ele era meu filho, meu único filho.

Ele bebeu a vida destes seios agora secos e deu os primeiros passos neste jardim, agarrado a estas mãos que agora tremem.

Com estas mesmas mãos, quando eram jovens e tenras como as uvas do Líbano, guardei as primeiras sandálias dele num lenço de linho que a minha mãe me havia dado. Ainda as tenho ali, naquela arca, ao lado da janela.

Ele foi meu primogênito, e, quando deu os primeiros passos, senti que caminhava com ele, pois as mulheres só viajam quando levadas pelos filhos.

Agora, dizem-me que foi morto pelas próprias mãos; que ele se atirou da Rocha Alta por remorso, porque tinha traído seu amigo, Jesus de Nazaré.

Eu sei que o meu filho está morto. Mas sei que ele não traiu ninguém, pois ele amava o próximo e só odiava os romanos.

Meu filho buscava a glória de Israel, e nada mais do que essa glória lhe ocupava o pensamento e determinava suas ações.

Quando encontrou Jesus na estrada, deixou-me para segui-lo. Dentro de mim, eu sabia que ele estava errado ao seguir qualquer um. Quando se despediu, eu lhe disse isso, mas ele não me ouviu.

Os nossos filhos não nos dão ouvidos; são como a maré alta de hoje que não aceita conselho da maré alta de ontem.

Peço-te que não me questiones mais sobre o meu filho.

Eu o amava e sempre amarei. Se o amor fosse de carne e osso, eu o queimaria com ferros quentes e ficaria em paz. Mas ele está na alma, inatingível.

Já não quero falar mais. Vá questionar uma mulher mais honrada que a mãe de Judas.

Questiona a mãe de Jesus. A espada também pesa no coração dela. Ela te falará de mim; então, entenderás.

A mulher de Biblos
Lamentação

Chorai comigo, filhas de Astarote e adoradores de Tamuz. Que os vossos corações se martirizem e se derramem como lágrimas de sangue, pois aquele que foi feito de ouro e marfim já não existe.

Na floresta escura, o javali venceu-o, e seus colmilhos perfuraram a carne dele. Hoje ele dorme manchado pelas folhas de antanho, e seus passos nunca mais despertarão as sementes que dormem no seio da primavera. A sua voz não virá com o amanhecer à minha janela, e eu estarei sozinha para sempre.

Chorai comigo, filhas de Astarote e adoradores de Tamuz, porque o meu Amado me deixou; ele, que falava como falam os rios; ele, cuja voz era gêmea do tempo; ele, cuja boca era uma dor de fogo que se volvia doce; ele, sobre cujos lábios o fel se tornava mel.

Chorai comigo, filhas de Astarote e adoradores de Tamuz. Chorai comigo à volta do seu túmulo, enquanto as estrelas choram, e enquanto as pétalas da lua caem sobre o seu corpo ferido. Molhai, com as vossas lágrimas, a coberta de seda do meu leito, onde o meu amado descansou outrora no meu sonho e desapareceu em minhas horas de vigília.

Eu vos conjuro, filhas de Astarote e adoradores de Tamuz, despi os vossos seios e chorai, e confortai-me, pois Jesus de Nazaré está morto.

Maria Madalena, trinta anos depois
A ressurreição do Espírito

Digo mais uma vez que Jesus, ao morrer, venceu a morte e voltou da sepultura como um espírito e uma potência. Ele caminhou na nossa solidão e visitou os jardins da nossa paixão.

Ele não está ali, naquela rocha fendida atrás da pedra.

Nós, que o amamos, vimo-lo com estes nossos olhos que ele fez para ver; e tocamo-lo com estas nossas mãos que nos ensinou a usar.

Conheço aqueles que não acreditam nele. Eu era um desses, que são muitos. Mas amanhã serão poucos.

Será preciso quebrar a própria harpa e a própria lira para que encontremos a música que aí se encerra? Ou será preciso que uma árvore caia para que nos convençamos de que dá frutos?

Esses odeiam Jesus porque na terra do Norte disseram que ele era o Filho de Deus. Odeiam-se uns aos outros porque cada um deles sente-se grande demais para considerar-se irmão do próximo.

Odeiam-no porque disseram que ele nasceu de uma virgem, e não de uma semente de homem.

Eles não conhecem mães que vão ao túmulo ainda virgem, nem homens que têm sede de descer à própria sepultura.

Não sabem que a Terra foi dada em casamento ao Sol e que é a Terra que nos envia para a montanha e para o deserto.

Há um abismo que dorme entre aqueles que o amam e aqueles que o odeiam, entre aqueles que acreditam e aqueles que não acreditam.

Mas, quando os anos tiverem aterrado esse abismo, saberão que aquele que viveu em nós é imortal, que é o Filho de Deus, e que nós somos também filhos de Deus; que ele nasceu de uma virgem, assim como nós nascemos de uma terra sem marido.

É estranho que a terra não desse aos descrentes nada além das raízes com que dela se nutririam, nem as asas com que voariam alto para beberem o orvalho do espaço e serem preenchidos por ele.

Mas eu sei o que sei, e isso basta.

Um homem do Líbano
Dezenove séculos depois

Mestre, mestre do canto,
Mestre das palavras não ditas,
Sete vezes nasci, e sete vezes morri
Desde a tua visita fugaz,
Na tua efêmera presença.
Vês que eu tornei a viver
E a lembrar-me de um dia e uma noite entre as colinas,
Quando subia a tua maré.
Desde então, por muitas terras e mares passei,
E onde quer que eu levasse a minha sela ou desfraldasse as minhas velas,
Teu nome era, para mim, bênção ou justificação;
Para outros, louvor ou maldição.
Maldição, como protesto contra o fracasso,
Louvor, como um hino do caçador
Que retorna das montanhas
Com provisão para o companheiro.

Teus amigos estão conosco, como conforto e amparo,
E os inimigos também, como força e segurança.
Tua mãe está conosco;
Vi o brilho do rosto dela no semblante de todas as mães;
Suas mãos balançam os berços com doçura,
Suas mãos dobram o sudário com ternura.

E Maria Madalena ainda está entre nós;
Ela, que bebeu o vinagre da vida e, depois, o vinho.
E Judas, o homem da dor e das pequenas ambições,
Ele também caminha na terra;
E, mesmo agora, quando sua fome não encontra mais nada,
Torna-se presa de si próprio
E se destrói em busca da própria alma.
João, aquele cuja juventude amava a beleza, também está;
Ele canta sem ser ouvido.
E Simão Pedro, o impetuoso, aquele que te negou
Para viver um dia mais,
Também ele senta-se conosco ao redor do fogo.
Ele poderá negar-te de novo antes da aurora,
Mas morrerá por ti, sentindo-se indigno da tua cruz.
E Caifás e Anás ainda vivem o dia deles,
A julgar os culpados e os inocentes.
Dormem em cama emplumada,
Enquanto aquele que julgaram
Geme sob o látego e as varas.

E a mulher que foi apanhada em adultério
Também percorre as ruas das nossas cidades,
Pedindo o pão que ainda não foi assado,
E vive sozinha numa casa vazia.
E Pôncio Pilatos também está aqui:
Ele ainda te admira e te questiona,
Mas não põe em risco sua posição,
Nem desafia uma raça estrangeira,
E continua a lavar as mãos.
Ainda hoje, Jerusalém lhe segura a bacia
E Roma lhe traz o jarro,
E milhares de mãos ainda se sentem sujas.

Mestre, Mestre da poesia,
Mestre das palavras cantadas, das palavras ditas,
Foram erguidos templos para abrigar teu nome,

E, nas alturas, levantaram a tua cruz,
Um sinal e um símbolo para guiar os errantes,
Mas não para a tua alegria.
Tua alegria se projeta além da visão deles,
E isso não os conforta.
Querem honrar um homem que não conhecem.
E que consolo terão num homem igual a eles,
Um homem cuja bondade, amor e misericórdia
É como a bondade, o amor e a misericórdia deles próprios?

Não idolatram o homem vivo,
O primigênio que lhes abriu os olhos e os fez enxergar o Sol
Com pálpebras firmes.
Eles não o conhecem e não querem ser como ele.

Querem ser desconhecidos, na procissão do desconhecido;
Suportariam o sofrimento, o próprio sofrimento,
E não encontrariam conforto na tua alegria.
Um coração ferido não procura consolo em tuas palavras.
A dor, silenciosa e inabalável, que sentem
Faz deles criaturas solitárias e desprezadas.
Mesmo entre amigos e familiares,
Vivem com medo e sozinhos;
No entanto, não amam a solidão.
Curvam-se para Leste quando o vento sopra de Oeste.

Eles chamam-te rei,
E pertenceriam à tua corte.
Eles te declaram o Messias,
E gostariam de ser ungidos com óleo santo.
Sim, gostariam de viver de acordo com a tua vida.

Mestre, Mestre das Canções,
Tuas lágrimas foram como as chuvas de maio,
E o teu riso, como as ondas brancas do mar.
Tuas palavras eram como um sussurro que se perde na distância,

Um sussurro, antes de arder, nos lábios deles;
Tu sorriste, mas a medula de seus ossos
Não estava pronta para risos;
E choraste, choraste por olhos que ainda estavam secos.
A tua voz foi para eles pai do pensamento e do entendimento.
A tua voz foi para eles mãe das palavras e do alento.
Sete vezes nasci e sete vezes morri,
E agora volto a viver, e te contemplo,
Lutador entre os lutadores,
Poeta dos poetas
Rei acima de todos os reis,
Um homem esfarrapado com teus companheiros de estrada.
Todos os dias, o bispo inclina a cabeça
Ao dizer teu nome.
E todos os dias os pedintes dizem:
"Pelo amor de Jesus,
Dá-nos um cêntimo para comprar pão".
Apelamos um ao outro,
Mas, na verdade, nós te invocamos,
Nossa vontade e ambições são como a maré cheia da primavera,
E a maré que baixa quando chega o outono.
Seja ela alta ou baixa, teu nome está sempre em nossos lábios,
Mestre da compaixão infinita.

Mestre, Mestre das nossas horas solitárias,
Aqui e ali, entre o berço e o túmulo,
Encontro teus irmãos silenciosos,
Homens livres, sem correntes,
Filhos da tua mãe terra e do espaço.
Eles são como as aves do céu,
E como os lírios do campo.
Vivem tua vida, pensam teus pensamentos
E ecoam a tua canção.
Mas estão de mãos vazias,
Não são crucificados pela grande crucificação,
E por isso sofrem.

O mundo crucifica-os todos os dias,
De muitas pequenas maneiras.
O céu não se abala sozinho,
E a terra não trabalha com os mortos dela.
Eles são crucificados e não há ninguém que lhes testemunhe a agonia.
Viram o rosto para a direita e para a esquerda
E não veem ninguém que lhes prometa um posto em um reino.
No entanto, seriam crucificados de novo e de novo.
Que o teu Deus seja o Deus deles,
E o teu Pai, o Pai deles.

Mestre, Mestre do amor,
A princesa aguarda a tua chegada em sua câmara perfumada,
E a esposa desprezada, em sua cela;
A prostituta que busca o pão nas ruas da vergonha,
E a freira no claustro, onde que há marido;
A mulher sem filhos aguarda também, à janela,
Onde a geada desenha a floresta no vidro;
Ela te vê nessa simetria,
Sente-se como tua mãe e se conforta.

Mestre, Mestre da poesia,
Mestre dos nossos desejos silenciosos,
O coração do mundo vibra com o palpitar do teu coração,
Mas não se inflama com a tua canção.
O mundo senta-se e ouve a tua voz com serenidade,
Mas não se levanta do lugar
Para subir as encostas dos teus montes.
O homem anseia sonhar teu sonho,
Mas não desperta para a tua aurora
Que é o sonho maior.
Quer ver com os olhos teus,
Mas não arrasta os pés pesados para o teu trono.
No entanto, muitos receberam tronos em teu nome
E mitras pelo teu poder;
Transformaram o ouro da tua vinda

Em coroas para as próprias cabeças
E cetros para as próprias mãos.

Mestre, Mestre da Luz,
Cujos olhos guiam os dedos tateantes dos cegos,
Continuas a ser desprezado e escarnecido
Como um homem demasiado fraco para ser Deus,
Como um Deus demasiado homem para ser adorado.
A missa e o hino, o sacramento e o rosário,
Não são para ti, mas para a prisão de suas almas.
Tu és para eles o eu distante, o grito longínquo e a paixão.

Mas, Mestre, Coração de Céu,
Cavaleiro do nosso sonho mais belo,
Neste dia ainda caminhas;
Nem arcos nem lanças deterão teus passos.
Caminhas através das flechas.
Sorris para nós,
E, embora sejas o mais jovem de todos nós,
És, para nós, o pai.

Poeta, Cantor, Coração Gigante,
Que o nosso Deus abençoe o teu nome,
O ventre que te deu à luz e os seios que te deram leite.
E que Deus nos perdoe a todos.

Segredos do coração

A tempestade

I

Iussif el Faqri tinha 30 anos quando se retirou da sociedade para viver isolado em um eremitério nas proximidades do Vale de Cadija, no norte do Líbano. O povo das aldeias próximas ouvia vários relatos sobre Iussif. Alguns diziam que ele vinha de uma família rica e nobre e que amara uma mulher que o traiu, o que o levou a adotar uma vida isolada. Outros, porém, diziam que ele era um poeta que abandonara a cidade agitada e se retirara para um lugar calmo para registrar seus pensamentos e dar voz à sua inspiração. Muitos, no entanto, estavam seguros de que ele era um místico que se contentava com o mundo espiritual, ainda que a maioria das pessoas insistisse que ele era, de fato, um louco.

Quanto a mim, não cheguei a nenhuma conclusão a respeito desse homem, pois eu estava certo de que ele devia guardar um segredo profundo no coração, segredo esse que a simples especulação não podia revelar.

Havia muito tempo que eu aguardava a oportunidade de encontrar-me com esse homem estranho. Imaginei diversas maneiras de conquistar-lhe a amizade para compreender sua realidade, aprender suas histórias indagando sobre o seu propósito de vida, mas meus esforços foram todos vãos. Quando o encontrei pela primeira vez, ele caminhava pela floresta dos Cedros Sagrados do Líbano. Saldei-o com palavras delicadas, mas ele respondeu-me simplesmente abanando a cabeça.

Noutra ocasião, eu me encontrava num pequeno vinhedo perto de um mosteiro e, mais uma vez, cumprimentei-o, dizendo-lhe:

— Os aldeões dizem que esse mosteiro foi construído por um grupo siríaco no século XIV. O senhor conhece a história dele?

Ele respondeu friamente:

— Não sei nada sobre esse mosteiro nem quero saber.

Virou as costas para mim e acrescentou:

— Por que não pergunta aos seus avós, que devem ser mais velhos do que eu e devem conhecer melhor a história deste vale do que eu?

Ao perceber o meu fracasso, fui embora.

Dois anos se passaram e a vida excêntrica daquele estranho homem continuava a perturbar-me o pensamento.

II

Certo dia de outono, eu andava pelos montes e colinas nas cercanias do eremitério de Iussif el Faqri e fui surpreendido por uma ventania e uma chuva torrencial. A tempestade me fustigava por todos os lados como um barco com o leme quebrado e o mastro partido na procela. Com dificuldade, apressei o passo em direção ao eremitério de Iussif, dizendo a mim mesmo: "Esta é, finalmente, a oportunidade pela qual tanto tenho esperado. A tempestade servirá de pretexto para eu entrar ali, e minhas roupas molhadas servirão de motivo para eu permanecer ali".

Eu estava numa situação miserável quando alcancei o eremitério. Bati à porta e o homem, a quem havia muito eu queria ver, abriu-a. Em uma das mãos ele segurava um pássaro ferido, que tinha um machucado na cabeça e as asas partidas. Eu o saldei, dizendo:

— Desculpe-me por esta intromissão, mas a tempestade me pegou e eu estou longe de casa.

— Há muitas outras cavernas neste descampado onde poderia encontrar abrigo — disse ele com desdém.

No entanto não fechou a porta e meu coração bateu mais rápido, pois percebi que poderia realizar meu intento.

Ele passou a acariciar a cabeça do passarinho com muito cuidado e atenção, demonstrando uma qualidade que me tocou o coração. Fiquei surpreso por aquele homem exibir duas características tão opostas entre si, como a piedade e a crueldade. Tínhamos consciência daquele prolongado silêncio. Ele se ressentiu da minha presença, mas eu queria permanecer ali. E como se ele sentisse meus pensamentos, olhou para cima e disse:

— A tempestade é pura e não gosta de comer carne amarga. Por que procurou escapar dela?

Eu respondi com um toque de humor:

— É possível que a tempestade não queira carne amarga nem salgada, mas está decidida a esfriar e a amaciar tudo e, sem dúvida alguma, teria prazer em consumir-me se me apanhasse de novo.

Ele respondeu com uma expressão grave:

— Se a tempestade tivesse te engolido teria te concedido uma grande honra, ainda que não seja merecedor disso.

— É verdade. Fugi da tempestade para não receber uma honra da qual não sou merecedor — disse eu.

Ele, então, virou o rosto procurando esconder o sorriso, foi até um banco de madeira perto da lareira e convidou-me para sentar-me lá e secar minhas roupas. Mal pude controlar minha euforia.

Sentei-me de frente para ele, num banco escavado na rocha. Ele molhou a ponta de um dedo num pote que continha uma espécie de unguento e aplicou-o suavemente na cabeça e nas asas do passarinho. Sem erguer a cabeça, ele falou:

— A ventania arremessou esse passarinho sobre as rochas, deixando-o entre a vida e a morte.

Repliquei, em tom de comparação:

— E a ventania mandou-me para cá a tempo de evitar que eu ferisse a cabeça e quebrasse as asas.

Ele olhou seriamente para mim e disse:

— É desejo meu que os homens tivessem o instinto dos pássaros e é desejo meu que a tempestade quebrasse as asas das pessoas. A inclinação do homem é para o medo e a covardia. Assim que ele sente a chegada da tempestade, ele rasteja até as cavernas e fendas da terra para se esconder.

Meu propósito era obter a história do exílio que ele impusera a si próprio.

E provoquei:

— De fato, as aves possuem uma honra e uma coragem que os homens não têm. Eles vivem na sombra de leis e costumes criados por eles, mas as aves vivem de acordo com a eterna lei da Liberdade que faz a Terra seguir seu caminho majestoso em torno do Sol.

Os olhos e o rosto dele brilharam como se ele tivesse encontrado em mim um discípulo que entendia suas palavras e exclamou:

— Muito bem. Se acreditas em tuas próprias palavras, abandonarás a civilização e suas leis e tradições corrompidas e viverás como os pássaros, em um lugar vazio de tudo, exceto da magnífica lei do Céu e da Terra. Acreditar — continuou ele — é algo muito bom, mas colocar em execução essas crenças é uma prova de força. Muitos são os que falam como o rugido do mar, mas suas vidas são vazias e estagnadas como um pântano fétido. Muitos são os que levantam a cabeça acima do pico das montanhas, mas mantêm o espírito adormecido na escuridão das cavernas.

Ele ergueu-se trêmulo do assento e colocou o pássaro num tecido dobrado ao lado da janela. Colocou um pedaço de lenha seca ao fogo, dizendo:

— Tire as sandálias e aqueça os pés. A umidade faz mal à saúde. Seque suas roupas e fique à vontade.

A hospitalidade de Iussif manteve acesas minhas expectativas. Aproximei-me do fogo e um vapor começou a sair da minha capa molhada. Enquanto ele ficou na porta olhando para o céu cinzento, minha mente procurava abrir logo uma brecha em sua história. Perguntei-lhe inocentemente:

— Faz muito tempo que vive neste lugar?

Sem olhar para mim, respondeu tranquilamente:

— Vim para este lugar quando a terra ainda era disforme e vazia e havia trevas sobre a face do abismo. E o espírito de Deus se movia sobre a face das águas.

Fiquei perplexo ao ouvir essas palavras. Eu lutava para juntar meus pensamentos dispersos, e disse para mim mesmo: "Como esse homem é fantástico! E como é difícil penetrar em sua realidade! Devo agir com cautela e paciência até que sua resistência se transforme em comunicação e sua estranheza em entendimento".

III

A noite espalhava seu manto negro sobre aqueles vales. O barulho da tempestade aumentava e a chuva ficava mais intensa. Comecei a imaginar que o dilúvio bíblico recomeçava para destruir a vida e lavar o pecado do homem da terra de Deus.

Parecia que a revolta dos elementos havia criado no coração de Iussif aquela calma que, muitas vezes, chega como reação ao temperamento refratário e transforma a solidão em convívio. Ele acendeu duas velas e colocou diante de mim um jarro com vinho e uma bandeja com pão, queijo, azeitonas, mel e frutas secas. Sentou-se perto e, depois de desculpar-se pela frugalidade, mas não pela simplicidade da comida, pediu-me que o acompanhasse.

Repartimos o repasto em silêncio, escutando o gemido do vento e o pranto da chuva. Ao mesmo tempo, eu lhe contemplava as feições e buscava desvendar os segredos daquele homem, imaginando qual seria o motivo de sua existência incomum. Quando terminou de comer, tirou uma chaleira de cobre do fogo e despejou um pouco de café puro, muito perfumado, em duas xícaras; em seguida, abriu uma carteira e ofereceu-me um cigarro, dirigindo-se a mim como irmão. Peguei um cigarro enquanto bebia o café, um pouco surpreso com o que presenciava. Ele olhou para mim sorrindo e, depois de ter tragado profundamente o cigarro e provado um pouco de café, disse:

— Imagino que esteja pensando por que tenho vinho, tabaco e café, e talvez te surpreendam a comida e o conforto de que disponho. Tua curiosidade é totalmente justa, pois você é um daqueles que acreditam que viver longe das pessoas é ficar ausente da vida e abster-se de todo prazer.

Concordei prontamente:

— Sim, os sábios dizem que aquele que abandona o mundo para dedicar-se apenas a louvar a Deus deixa para trás todo o prazer e toda a plenitude da vida, contentando-se somente com os simples frutos de Deus e sobrevivendo de plantas e de água.

Após uma pausa de reflexão, ele disse:

— Eu podia adorar a Deus quando eu vivia entre suas criaturas, pois devoção não implica solidão. Não abandonei as pessoas para ver Deus, pois eu sempre O via na casa dos meus pais. Abandonei as pessoas porque a natureza delas estava em conflito com a minha e seus sonhos não eram iguais aos meus...

Eu deixei os homens porque descobri que a roda da minha alma movia-se num caminho e se enroscava nas rodas de outras almas que giravam no sentido oposto. Abandonei a civilização porque descobri que ela era uma árvore velha e corrupta, forte e terrível, cujas raízes se prendiam à escuridão da terra e cujos ramos se projetavam além das nuvens; suas flores eram a ambição, o mal e o crime; e seus frutos, o sofrimento, a miséria e o medo. Os que tentaram misturar nela o bem e mudar sua natureza, não conseguiram. Morreram desapontados, perseguidos e atormentados.

Iussif inclinou-se para o lado da lareira como se esperasse que suas palavras ficassem marcadas no meu coração. Achei melhor ficar ouvindo, e ele continuou:

— Não, eu não busquei a solidão para rezar e levar a vida de um eremita, pois a oração, que é o canto do coração, sempre chega aos ouvidos de Deus, mesmo quando se mistura aos gritos e lamentos de milhares de vozes. Levar a vida de um recluso é torturar o corpo e a alma e mortificar as inclinações; é um tipo de existência repugnante para mim, pois Deus ergueu os corpos como templos para o espírito, e a nossa missão é merecer e manter a confiança que Ele depositou em nós.

— Não, meu irmão — continuou —, não busquei a solidão por razões religiosas, mas apenas para evitar as pessoas e as suas leis, os seus ensinamentos e as suas tradições, as suas ideias, os seus clamores e as suas queixas. Busquei a solidão para não ver o rosto de homens que se vendem e compram pelo mesmo preço as coisas que são espiritual e materialmente inferiores a eles. Busquei a solidão não para encontrar as mulheres que caminham com arrogância, com mil sorrisos nos lábios, enquanto no fundo dos seus corações guardam apenas um propósito. Busquei a solidão para me afastar de indivíduos presunçosos que imaginam enxergar o espectro do conhecimento e terem atingido objetivos próprios na vida.

Deixei a sociedade para evitar aqueles que, ao despertar, veem apenas um pálido retrato da realidade e gritam ao mundo inteiro que adquiriram a plena essência da verdade.

Deixei o mundo e procurei a solidão porque me cansei de prestar homenagem às multidões que acreditam que a humildade seja uma espécie de fraqueza, a compaixão uma espécie de covardia e o esnobismo uma forma de poder.

Tenho buscado a solidão porque minha alma está farta de lidar com aqueles que acreditam sinceramente que o Sol, a Lua e as estrelas brilham apenas em seus cofres e se põem apenas em seus jardins.

Fugi daqueles burocratas que prejudicam o destino terreno das pessoas ao atirar-lhes pó de ouro aos olhos e encher-lhes os ouvidos de conversa fiada.

Afastei-me dos padres que não vivem de acordo com o que pregam e que exigem dos outros o que não exigem de si próprios.

Busquei a solidão porque nunca obtive a gentileza de um ser humano sem que eu tivesse que pagar o preço cheio com o meu coração.

Tenho buscado a solidão porque detesto essa grande e terrível instituição a que as pessoas chamam civilização; essa monstruosidade simétrica erigida sobre a perpétua desgraça da raça humana.

Tenho buscado a solidão porque nela o espírito, o coração e o corpo podem encontrar a plenitude da vida. Descobri as imensas pradarias onde descansa a luz do Sol, onde as flores exalam o perfume para o espaço e onde os riachos cantam a caminho do mar. Descobri as montanhas, onde senti o fresco despertar da primavera, o colorido anseio do verão, os cânticos profundos do outono e o maravilhoso mistério do inverno. Cheguei a este canto remoto do domínio divino porque ansiava conhecer os segredos do Universo e aproximar-me do trono de Deus, concluiu.

※

Iussif respirava profundamente, como se tivesse se libertado de um fardo. Seus olhos brilhavam com uma luz estranha e mágica e, em seu rosto radiante, apareciam sinais de orgulho, vontade e satisfação.

Passaram-se alguns momentos, durante os quais o encarei calmamente, refletindo sobre a revelação do que antes eu desconhecia. Depois, virei-me para ele e disse:

— Tens, sem dúvida, razão na maioria das coisas que disseste, e o teu diagnóstico de doença social também mostra que és um bom médico. Acredito que a sociedade doente precisa desesperadamente de um médico como tu, que a cure ou a deixe morrer. Este mundo aflito pede a tua atenção. Consideras correto ou misericordioso recuar diante do doente que sofre e negar-lhe cuidados?

Iussif olhou para mim, pensativo; depois, disse num tom desconsolado:

— Desde os primórdios do mundo os médicos tentam curar as doenças das pessoas; alguns usaram bisturis, outros recorreram a poções, mas a peste espalhou-se inevitavelmente. Seria bom se o paciente se contentasse em permanecer na sua cama suja, meditando sobre as feridas que não cicatrizam; em vez disso, estica as mãos sob as cobertas, agarra o pescoço de quem quer que o visite e estrangula-o. Que ironia! O doente mau mata o médico, depois fecha os olhos e diz para si: "Era um grande médico". Não, irmão, ninguém pode fazer o bem à humanidade. O semeador, por mais sábio e experiente que seja, não pode fazer brotar o campo no inverno.

— O inverno da humanidade — retorqui — passará, a bela primavera virá, as flores certamente florescerão nos campos e os riachos voltarão a correr pelos vales.

Iussif franziu o cenho e disse amargamente:

— Ai de mim! Será que Deus dividiu a vida humana, que é toda a criação, em estações semelhantes às do ano? Será que uma tribo de seres humanos, agora vivendo na verdade e no espírito de Deus, desejará alguma vez reaparecer na face desta Terra? Chegará o tempo em que o homem estará à direita da vida e ali habitará, desfrutando da luz brilhante do dia e do silêncio sereno da noite? Poderá esse sonho tornar-se realidade? Poderá materializar-se depois de a Terra ficar coberta de carne humana e embebida no sangue do homem?

Depois, levantou-se e, erguendo uma das mãos para o céu, como se apontasse para um mundo diferente, continuou:

— Isso não é senão um sonho vão para o mundo, mas estou logrando realizá-lo para mim, e o que estou descobrindo aqui ocupa todos os espaços no meu coração, nas montanhas e nos vales.

Nesse instante, ele levantou o tom da voz, que era intenso:

— O que eu sei ser verdade é o grito mais profundo do meu ser. Estou aqui, vivo, e, nas profundezas da minha existência, há sede e fome, e sinto alegria em tomar parte do pão e do vinho da vida contidos nos vasos que formo com as minhas próprias mãos. Por essa razão, deixei o palco dos homens para vir a este lugar; e aqui ficarei até ao fim!

Agitado, ele continuava a andar de um lado para o outro da sala enquanto eu pensava em suas palavras e ponderava sobre a descrição que fizera das chagas abertas da sociedade. Uma vez mais, aventurei-me a uma crítica discreta:

— Tenho grande respeito por tuas opiniões e veemência; invejo e respeito tua solidão e isolamento, mas sei que este triste país sofreu uma grande perda com a tua expatriação, pois ele precisa de um médico capacitado para ajudá-lo a superar as dificuldades e a despertar-lhe o espírito.

Ele abanou lentamente a cabeça e disse:

— Este país é como qualquer outro. E as pessoas são todas feitas do mesmo elemento, variando apenas na aparência exterior, o que não importa. A desgraça dos nossos países orientais é a desgraça do mundo, e o que se chama civilização no Ocidente é apenas mais um espectro entre os muitos fantasmas de um trágico engano.

— A Hipocrisia — continuou — estará sempre presente, mesmo que tenha as pontas dos dedos polidas e pintadas; o Engano nunca mudará, mesmo que o seu toque se torne suave e delicado; a Mentira nunca se tornará Verdade, mesmo que se vista com roupas de seda e seja colocada num palácio; a Ganância nunca se tornará Satisfação nem o Crime se transformará em Virtude. E a Servidão Eterna aos ensinamentos, aos costumes e à história continuará a ser Servidão mesmo que pinte o rosto e altere a voz. A Servidão continuará a ser Servidão, com toda a sua horrível forma, mesmo que queira chamar a si própria de Liberdade.

— Não, meu irmão, o Ocidente não é superior nem inferior ao Oriente, e a diferença entre os dois não é maior do que a diferença entre o tigre e o leão. Por trás da máscara da sociedade, descobri uma lei justa e perfeita, que nivela a miséria, a prosperidade e a ignorância; ela não privilegia uma nação em detrimento de outra nem oprime uma raça para enriquecer outra.

— Então a civilização é uma coisa vã — disse —, e tudo o que nela se encontra é igualmente vão!

— Sim — respondeu prontamente o meu interlocutor —, a civilização é uma coisa vã e tudo o que nela se encontra é vão... Invenções e descobertas são apenas diversão e conforto para o corpo quando se está cansado e fatigado. A conquista de longas distâncias e a vitória nos mares são apenas falsos frutos que não satisfazem à alma, não alimentam o coração nem elevam o espírito, porque estão muito afastados da natureza. E as estruturas e as teorias a que o homem chama conhecimento e arte não são senão algemas e correntes douradas que ele arrasta, regozijando-se com os reflexos brilhantes e os chiados que elas produzem. São jaulas robustas cujas barras o próprio homem começou a fabricar há séculos, sem se aperceber de que as estava construindo de dentro para fora e que, portanto, em breve se tornaria prisioneiro de si mesmo pela eternidade. Sim, as ações do homem são vãs, tal como os seus propósitos, e tudo é vaidade nesta vida.

Fez uma pausa e, depois, acrescentou:

— E entre todas as vaidades da vida, há uma coisa que o espírito ama e pela qual anseia. Uma coisa deslumbrante e única.

— Qual será? — perguntei eu com voz vacilante.

Iussif olhou para mim durante um longo momento; depois, fechou os olhos. Então levou as mãos ao peito enquanto seu rosto brilhava, e com uma voz serena e sincera, respondeu:

— É um despertar do espírito; é um despertar dos recantos mais íntimos do coração; é uma força esmagadora e magnífica que irrompe subitamente na consciência do homem e lhe abre os olhos, permitindo-lhe, dessa forma, ver a vida no meio de uma explosão de música esplêndida, rodeada por uma luz intensa, com o homem atuando como um pilar de beleza entre a Terra e o firmamento. É uma chama que, de repente, acende no espírito e purifica o coração, elevando-se acima da Terra e subindo para o céu aberto. É uma bondade que envolve o coração do indivíduo, o qual, por isso, sente-se impelido a desaprovar qualquer pessoa que se oponha a ele, e se volta contra aqueles que se recusam a compreender o seu elevado significado. É uma mão oculta que removeu o véu que estava diante dos meus olhos quando fiz parte da sociedade, no seio de minha família, meus amigos e concidadãos.

— Muitas vezes, maravilhei-me e disse para mim mesmo: "O que é este Universo, e por que sou diferente das pessoas que me veem? Como as conheço, onde as conheci e por que vivo entre elas? Sou eu um estranho entre elas ou serão elas os estranhos nesta terra construída pela vida, que me confiou as chaves?

Iussif ficou subitamente em silêncio, como se se lembrasse de algo que tinha visto muito antes e se recusava a revelar. Depois, esticou os braços e sussurrou:

— Foi isso o que me aconteceu há quatro anos, quando deixei o mundo e vim para este lugar deserto para viver no despertar da vida e desfrutar dos bons pensamentos e do magnífico silêncio.

Ele caminhou em direção à porta, olhando para a escuridão profunda como se estivesse prestes a enfrentar a tempestade. Mas, com uma voz vibrante, disse:

— É um despertar do espírito. Aqueles que o experimentaram não podem revelá-lo por meio de palavras, e aqueles que não o experimentaram nunca poderão refletir sobre o irresistível e esplêndido mistério da existência.

IV

Passou uma hora e Iussif el Faqri continuava a andar pela sala, parando ocasionalmente para olhar com atenção para o terrível céu cinzento. Fiquei em silêncio, ponderando a estranha consonância da alegria e da tristeza na vida solitária daquele homem.

Mais tarde à noite, aproximou-se de mim e olhou fixamente para o meu rosto durante muito tempo, como se quisesse imprimir na memória a imagem do homem a quem tinha revelado os segredos pungentes da sua vida. Minha mente estava agitada e o meu olhar, enevoado.

— Agora — disse calmamente —, vou dar um passeio noturno na tempestade para sentir de perto a manifestação da natureza. É algo que gosto de fazer durante o outono e o inverno. Aqui tem vinho e tabaco. Por favor, aceite a minha hospitalidade para a noite e sinta-se em casa.

Então envolveu-se num manto preto e acrescentou com um sorriso:

— Amanhã de manhã, quando sair, por favor, tranque a porta para evitar a entrada de intrusos, pois tenciono passar o dia na Floresta do Cedro Sagrado.

Depois, foi até a porta, segurando na mão uma longa espada larga, e concluiu dizendo:

— Se a tempestade surpreender-te de novo enquanto estiveres na vizinhança, não hesites em refugiar-te neste eremitério... Espero que aprendas por ti próprio a amar e a não temer a tempestade... Boa noite, meu irmão.

Ele abriu a porta e saiu de cabeça erguida para a escuridão. Fiquei à porta para ver em que direção seguia, mas ele já havia sumido de vista. Durante alguns minutos, ouvi o som dos seus passos sobre as pedras partidas do vale.

V

Depois de uma noite de profunda reflexão, a manhã chegou; a tempestade tinha cessado, o céu estava limpo e as montanhas e planícies celebravam os raios quentes do Sol. Ao regressar à cidade, senti o despertar espiritual de que Iussif el Faqri tinha falado passar por todas as fibras do meu ser com fúria, e pensei que todos me viam tremendo. Quando me acalmei, tudo em mim era beleza e perfeição. Assim que voltei a estar entre os seres humanos repugnantes, ouvi suas vozes e observei suas ações. Parei e pensei: "Sim, o despertar espiritual é a coisa mais essencial na vida do homem, é o único propósito da existência. Não será a civilização, com todas as suas formas trágicas, um motivo supremo para o despertar espiritual? Então, como podemos negar a existência da matéria, se tal existência é prova irrefutável da sua adaptabilidade à condição desejada? A civilização atual pode ter objetivos evanescentes, mas a lei eterna previu para tais fins uma escada cujos degraus podem conduzir a uma substância livre."

Nunca mais vi Iussif el Faqri, pois, no final do outono daquele ano, durante os meus esforços para curar os males da civilização, a vida expulsou-me do Norte do Líbano e fui obrigado a viver no exílio, num país distante cujas tempestades são menos violentas.

Levar a vida de eremita neste país é uma espécie de loucura gloriosa, pois a sociedade, nele, também se encontra doente.

Escravidão

Os homens são escravos da vida, e é a escravidão que enche os dias dos homens de miséria e tristeza e faz suas noites transbordar de lágrimas e angústia.

Passaram sete mil anos desde que entrei na luz pela primeira vez, e desde esse dia tenho visto os escravos da vida arrastando com dificuldade suas pesadas correntes.

Vaguei pelo Oriente e pelo Ocidente da Terra e andei na luz e na sombra da vida. Vi a procissão das civilizações marcharem da luz para as trevas, cada uma arrastada para o Inferno por almas humilhadas, vergadas pelo jugo da servidão. Os fortes são acorrentados e subjugados, e os fiéis ajoelham-se em adoração aos seus ídolos. Segui o homem da Babilônia até o Cairo e de Ain Dur até Bagdá, e percebi os rastros de suas correntes na areia. Ouvi os ecos das idades em mudança, repetidos nos vales e nas pradarias eternas.

Visitei templos e altares, entrei em palácios reais e sentei-me diante dos tronos. Vi o aprendiz escravizar o artesão, o artesão escravizar o mestre, o mestre escravizar o soldado, o soldado escravizar o governador, o governador escravizar o rei, o rei escravizar o sacerdote e o sacerdote escravizar o ídolo... E o ídolo não é mais do que terra moldada por Satanás e erguida sobre um monte de crânios.

Entrei nos palácios dos ricos e visitei os barracos dos pobres. Vi o infante sugar o leite da escravidão do peito da mãe e a criança aprender a submissão juntamente ao alfabeto. As donzelas vestem as roupas de contenção e passividade e as noivas retiram-se com lágrimas para os leitos da obediência e da submissão legal.

Viajei os séculos desde as margens do Ganges até as margens do Eufrates; desde a foz do Nilo até as planícies da Assíria; desde a ágora de Atenas até as igrejas de Roma; desde as favelas de Constantinopla até os palácios de Alexandria... Entretanto, vi a escravidão predominando em toda parte, numa gloriosa e impressionante procissão de ignorância. Já vi pessoas sacrificarem jovens e virgens aos pés do ídolo e chamar-lhe de Deus; deitar vinho e perfume aos seus pés e chamar-lhe de Rei; queimar incenso perante a sua imagem e chamar-lhe de Profeta; ajoelhar-se perante ele, adorá-lo e chamar-lhe de Lei; lutar e morrer por ele e chamar-lhe de Pátria; submeter-se à sua vontade e chamar-lhe de Sombra de Deus na Terra; destruir e demolir casas e instituições em seu nome e chamar-lhe de Fraternidade; lutar, roubar e trabalhar por ele e chamar-lhe de Fortuna e Felicidade; matar em seu nome e chamar-lhe de Igualdade.

Esse ídolo tem muitos nomes, mas apenas uma realidade; tem muitos aspectos, mas consiste em apenas um elemento. Em verdade, é uma aflição eterna que é transmitida de geração em geração.

———

Deparei-me com a escravidão cega, que liga o presente dos homens ao passado dos pais e leva aqueles a submeterem-se às tradições e aos costumes destes, colocando espíritos antigos em novos corpos.

Deparei-me com a escravidão muda, que liga a vida de um homem à de uma noiva que ele abomina, e que coloca o corpo da mulher na cama de um marido odiado, matando o espírito da vida de ambos.

Deparei-me com a escravidão surda, que sufoca a alma e o coração, reduzindo o homem ao eco vazio de uma voz e à sombra lamentável de um corpo.

Deparei-me com a escravidão coxa, que coloca o homem sob o jugo do tirano e submete corpos fortes e mentes fracas aos filhos da cupidez para que possam usá-los como instrumentos do seu poder.

Deparei-me com a escravidão feia, que desce com o espírito das crianças desde o vasto firmamento até a casa da miséria, onde a necessidade habita ao lado da Ignorância e a Humilhação habita ao lado do Desespero. E as crianças crescem miseráveis, vivem como criminosos e morrem desprezadas e proscritas como seres cuja existência deve ser negada.

Tenho-me deparado com a escravidão astuta, que nomeia as coisas com nomes que não as descrevem; chama a astúcia de inteligência, a vaidade de conhecimento, a fraqueza de afeto e a covardia de firme recusa.

Deparei-me com a retorcida escravidão, que move a língua do enfraquecido pelo medo, levando-o a dizer coisas que não ouve para que finja meditar sobre o seu estado enquanto, na realidade, ele não passa de um saco vazio que até uma criança pode dobrar ou pendurar.

Deparei-me com a encurvada escravidão, que faz com que uma nação cumpra as leis e os costumes de outra e se curve para trás todos os dias.

Deparei-me com a escravidão perpétua, que coroa os filhos dos monarcas como reis sem levar em conta o mérito.

Deparei-me com a negra escravidão, que imprimiu para sempre a marca da vergonha e da desonra nos filhos inocentes dos criminosos.

Ao contemplar a escravidão, percebe-se que ela possui os poderes perversos da continuidade e do contágio.

Cansado de seguir as eras dissolutas e farto de contemplar procissões de homens de pedra, parti sozinho para o Vale da Sombra da Vida, onde o passado tenta esconder-se na culpa, e a alma do futuro, dobrada sobre si mesma, repousa por muito tempo. Ali, na margem do rio de sangue e lágrimas, rastejando como uma víbora peçonhenta e contorcendo-me como os sonhos de um criminoso, fiquei ouvindo os sussurros aterrorizados dos fantasmas dos escravos e olhei para o vazio.

Quando a meia-noite chegou e os espíritos emergiram dos seus redutos, vi um espectro pálido e moribundo cair de joelhos e olhar fixamente para a Lua. Aproximei-me dele e perguntei-lhe:

— Qual é o teu nome?

— Meu nome é Liberdade — respondeu-me aquela sombra fantasmagórica de um cadáver.

— Onde estão os teus filhos? — voltei a perguntar.

E a Liberdade, tomada pelas lágrimas e enfraquecida, suspirou:

— Um deles morreu na cruz, outro morreu louco e o terceiro ainda não nasceu.

Cambaleou e continuou a falar, mas uma névoa em meus olhos e os gritos do meu coração impediram-me de ver e ouvir.

Satanás

As pessoas consideravam o padre Samaã um guia em assuntos espirituais e teológicos, pois ele era uma autoridade e uma fonte de conhecimento profundo sobre os pecados veniais e mortais, muito familiarizado com os segredos do Céu, do Inferno e do Purgatório.

A missão do padre Samaã no norte do Líbano consistia em viajar de aldeia em aldeia, pregar e curar as pessoas da doença espiritual que o pecado representa, e salvá-las das terríveis armadilhas de Satanás. O reverendo padre estava constantemente em guerra com Satanás. O felá honrava-o e respeitava-o, e estava sempre ansioso por retribuir os conselhos ou orações do padre com moedas de ouro e prata, e a cada colheita dava-lhe os melhores frutos dos seus campos.

Numa noite de outono, enquanto caminhava em direção a uma aldeia isolada, atravessando vales e montanhas, padre Samaã ouviu um grito de dor vindo de uma vala à beira da estrada. Parou para escutar de onde vinha a voz e viu um homem despido deitado no chão. Das feridas profundas em sua cabeça e em seu peito jorravam fluxos de sangue. O homem implorou lamentavelmente por ajuda, dizendo:

— Salva-me, ajuda-me. Tem compaixão de mim. Estou morrendo.

O padre olhou perplexo para o homem que sofria e disse para si próprio: "Deve ser um ladrão... Provavelmente tentou roubar alguns viajantes, mas se deu mal. Alguém o feriu e receio que, se ele morrer, eu possa ser acusado de matá-lo".

Depois de ponderar a situação dessa forma, retomou a sua viagem, mas o moribundo impediu-o ao gritar:

— Não me deixe! Estou morrendo!

Então o padre ponderou novamente e seu rosto ficou pálido ao perceber que se recusava a ajudar aqueles que precisavam. Seus lábios tremiam, mas, mais uma vez, disse para si próprio: "Deve ser um louco que anda sem rumo por esses lugares desertos. A visão das suas feridas enche o meu coração de medo. O que posso fazer? Por certo, um médico do espírito não é capaz de curar as feridas da carne".

Padre Samaã deu mais alguns passos em frente, porém o moribundo proferiu um gemido tão doloroso que era capaz de comover até mesmo o coração de uma pedra, e disse com dificuldade:

— Chega-te mais perto! Vem, pois somos amigos há muito tempo... Tu és o padre Samaã, o bom pastor, e eu não sou nem ladrão nem louco... Aproxima-se, não me deixes morrer neste lugar deserto. Vem e eu te digo quem sou.

O padre aproximou-se do homem, ajoelhou-se e olhou para ele, mas viu um rosto estranho com traços contrastantes; viu nele inteligência e astúcia, fealdade e beleza, maldade e doçura. Levantou-se de repente e exclamou:

— Quem é você?

Com uma voz suave, o moribundo disse:

— Não tenha medo, padre, pois somos grandes amigos há muito tempo. Ajude-me a levantar. Leve-me ao riacho próximo e limpe minhas feridas com as suas roupas de linho.

Mas o padre tornou a perguntar:

— Diz-me quem és, pois não te conheço nem me lembro de alguma vez ter-te visto.

E o homem respondeu com uma voz agonizante:

— Conheces a minha identidade! Já me viste mil vezes e falas comigo todos os dias. Sou mais caro a ti do que a tua própria vida.

Mas o padre repreendeu-o:

— És um impostor mentiroso! Um moribundo deve dizer a verdade... Nunca vi a tua cara maligna em toda a minha vida. Diz-me quem és ou deixar-te-ei morrer, afogado na vida que te escapa.

Então, o homem ferido moveu-se lentamente e olhou nos olhos do sacerdote, e nos lábios dele havia um sorriso místico. Depois, com a voz calma, profunda e persuasiva, ele disse:

— Eu sou Satanás.

Ao ouvir essas palavras aterradoras, padre Samaã deu um grito tão forte que ressoou nos cantos mais remotos do vale. Depois, olhou fixamente e percebeu que o corpo do moribundo, com as suas grotescas deformações, assemelhava-se ao Satanás reproduzido num quadro religioso que havia na parede da igreja da aldeia. O padre tremeu e gritou:

— Deus mostrou-me a tua imagem infernal e levou-me, com razão, a odiar-te. Que sejas amaldiçoado para sempre! O cordeiro deformado deve ser abatido pelo pastor para que não contamine os outros cordeiros!

— Não te apresses, padre — respondeu Satanás —, e não percas este tempo fugaz com conversa vazia... Vem e fecha depressa as minhas chagas antes que a vida deixe o meu corpo.

Mas o padre respondeu:

— As mãos que diariamente oferecem sacrifício a Deus não tocarão num corpo formado pelas secreções do Inferno... Tens de morrer amaldiçoado pela língua das Eras e pelos lábios dos homens, pois és o inimigo da humanidade e o teu objetivo declarado é destruir a virtude.

Satanás moveu-se, apesar da dor que sentia, apoiado num dos cotovelos, e respondeu:

— Não sabes o que dizes nem compreendes o crime que cometes contra si próprio. Tenha cuidado, pois vou contar-te a minha história. Hoje, caminhava sozinho por este vale solitário e, quando cheguei a este lugar, um grupo de anjos desceu para me atacar e feriu-me gravemente. Se não fosse por um deles, que empunhava uma espada flamejante com duas pontas afiadas, eu teria conseguido repeli-los, mas não pude fazer nada contra aquela espada.

Por um momento, Satanás deixou de falar e apertou a mão trêmula contra uma ferida profunda na ilharga, e prosseguiu:

— O anjo armado — creio que era Miguel — era um gladiador experiente. Se eu não me tivesse atirado sobre a terra amiga fingindo-me de morto, ele me teria infligido uma morte brutal.

Com voz triunfante, erguendo os olhos para o céu, o padre disse:

— Bendito seja o nome de Miguel que salvou a humanidade deste inimigo maligno.

Mas Satanás protestou:

— Meu desprezo pela humanidade não é maior do que o teu ódio por ti mesmo... Abençoas Miguel que nunca veio em teu auxílio... E amaldiçoa-me na hora da minha derrota, embora eu fosse, e ainda sou, a fonte da tua paz e da tua felicidade... Negas-me a tua bênção e a tua caridade ainda que vivas e prosperes à sombra do meu ser... Tomaste a minha existência como pretexto e como arma para prosperar na tua carreira e usas o meu nome para justificar as tuas ações. O meu passado não fez com que foste devedor do meu presente e do meu futuro? Não alcançaste o objetivo de acumular toda a riqueza que desejavas? Não descobriste que era impossível extorquir mais ouro e mais prata aos seus seguidores, a menos que os ameaçasses com meu reino? Não percebes que morrerás de fome se eu perecer? O que farás amanhã se me deixares morrer hoje? Que vocação seguirás se o meu nome desaparecer? Há décadas que andas por estas aldeias para avisar as pessoas para não caírem em minhas mãos. E as pessoas pagam-te pelos teus conselhos com os poucos bens que possuem e os produtos das suas terras. Por que teriam de pagar-te amanhã se descobrissem que o inimigo maligno deles já não existe? A tua ocupação morreria comigo, pois as pessoas já não correriam o risco de pecar. Como padre, não compreendes que foi apenas a existência de Satanás que criou o inimigo dele, a Igreja? Esse antigo conflito é a mão secreta que tira o ouro e a prata do bolso dos fiéis e os deposita na bolsa de pregadores e missionários. Como podes deixar-me morrer aqui quando sabes que isso certamente o fará perder o prestígio, a sua igreja, o seu lar e o seu sustento?

Por um momento, Satanás ficou em silêncio e a sua humildade transformou-se em livre ousadia, e ele continuou:

— Padre, és orgulhoso, mas ignorante. Revelar-te-ei a história da fé e nela encontrarás, nas profundezas do ser, a verdade que nos une e que liga a minha existência à tua própria consciência.

— Na primeira hora do início dos tempos, o homem apresentou-se diante do Sol e, estendendo os braços, pela primeira vez gritou, dizendo: "Além dos céus há um grande Deus, cheio de amor e bondade". Depois, virou as costas para o grande círculo de luz, viu a própria sombra sobre a terra, e declarou: "Nas entranhas da terra há um diabo negro que adora a iniquidade". E o homem voltou para a própria caverna, murmurando consigo: "Encontro-me entre duas forças irresistíveis: numa devo refugiar-me e contra a outra devo lutar". E os séculos marcharam em procissão enquanto o homem continuava a viver entre duas forças, uma que ele abençoou porque foi exaltado por ela, e outra que amaldiçoou porque se assustou com ela. Mas nunca entendeu o significado de uma bênção nem de uma maldição; permaneceu entre as duas forças, como uma árvore entre o verão, durante o qual floresce, e o inverno, durante o qual treme do frio.

— Quando o homem — continuou — viu a aurora da civilização, que é o entendimento humano, a família como unidade constituiu-se. Depois vieram as tribos, dentro das quais o trabalho era dividido de acordo com a capacidade e a inclinação de cada pessoa: um grupo cultivava a terra, outro construía abrigos, outros mais teciam roupas ou caçavam para comer. Mais tarde, a adivinhação apareceu na Terra e essa foi a primeira ocupação adotada por aqueles que não tinham necessidade nem urgência das coisas.

Por um momento, Satanás deixou de falar. Depois, desatou a rir e o seu riso abalou o vale deserto; mas, ao rir-se, lembrou-se das suas feridas e, sentindo dor, colocou a mão na ilharga. Quando se recuperou, continuou a falar:

— Assim, a adivinhação apareceu e espalhou-se sobre a Terra de uma forma estranha. Na primeira tribo havia um homem chamado Lao Viz. Não conheço a origem do seu nome. Era uma criatura inteligente, mas extremamente preguiçosa e detestava cultivar a terra, construir abrigos, pastorear o gado e envolver-se em qualquer outra atividade que demandasse esforço físico. E, como naqueles dias, não era possível conseguir alimentos a não ser por meio do trabalho árduo, Lao Viz dormiu durante muitas noites com o estômago vazio.

— Numa noite de verão, os membros da tribo reuniram-se em volta da cabana do chefe conversando sobre o progresso do dia enquanto aguardavam a hora de ir dormir. De repente, um homem atirou-se aos pés deles e, apontando para a Lua, soltou um grito e disse: "Olhai para a Deusa da Noite! O rosto dela escureceu, a sua beleza desapareceu e ela transformou-se numa pedra negra suspensa na abóbada do céu!". Eles olharam fixamente para a Lua e todos gritaram consternados, tremendo de medo, como se as mãos das trevas tivessem agarrado o coração deles, pois viram a Deusa da Noite transformar-se lentamente num globo escuro que mudou a aparência brilhante da Terra e, diante dos olhos deles, fez desaparecer as colinas e os vales atrás de um véu escuro.

— Nesse momento, Lao Viz, que já vira um eclipse antes e entendera a causa daquilo, deu um passo em frente para aproveitar-se da ocasião. Ele ficou no meio da multidão, levantou as mãos para o céu e, em voz alta, dirigiu-se aos membros da sua tribo e disse: "Ajoelhai e orai, pois o Deus Maligno das Trevas está em batalha com a Deusa Brilhante da Noite. Se o Deus Maligno vencer, todos nós morreremos, mas se a Deusa da Noite triunfar, então salvaremos as nossas vidas... Por isso, orai agora e prostrai-vos em adoração... Cobri o rosto com terra... Fechai os olhos e não ergais a cabeça para o céu, pois quem testemunhar a luta entre os dois deuses perderá a visão e a razão e permanecerá cego e louco para o resto da vida! Abaixai as cabeças e, com todo o coração, animai a Deusa da Noite contra o seu inimigo, que é também o nosso inimigo mortal!".

— Lao Viz continuou a falar dessa forma, usando palavras misteriosas que inventara e que os outros nunca tinham escutado. Depois desse habilidoso ardil, quando a Lua voltou a brilhar, Lao Viz levantou ainda mais a voz e disse num tom solene: "Levantai-vos agora e olhai para a Deusa da Noite, que triunfou sobre o seu inimigo maligno. Ela está retomando sua viagem entre as estrelas. Sabei que, com vossas orações, vós a ajudastes a derrotar o Demônio das Trevas. Agora, ela está satisfeita e brilha mais forte do que nunca".

— A multidão levantou-se e viu a Lua brilhar em todo seu esplendor. O medo deles transformou-se em tranquilidade e a insegurança em alegria. Começaram a dançar, a cantar e a bater com paus em folhas de ferro, enchendo os vales com clamores e gritos. Nessa noite, o chefe da tribo chamou Lao Viz e disse-lhe: "Fizeste algo que nenhum homem jamais fez antes... Mostraste que conheces um segredo que mais ninguém entre nós compreende. Respeitando a vontade do meu povo, nomeio-te para a mais alta patente da tribo depois de mim. Eu sou o homem mais forte, tu és o mais sábio e o mais instruído... Atuarás como intermediário entre o nosso povo e os deuses, cujos desejos e ações a ti caberá interpretar. Irás ensinar-nos as coisas de que precisamos saber para lograr as bênçãos e o amor dos deuses".

— E Lao Viz assegurou-lhe com astúcia: "O que quer que o Deus do Homem me revele em meus sonhos divinos, eu vos comunicarei na vigília. Eu te asseguro de que agirei diretamente como intermediário entre tu e ele". O chefe, tranquilizado, deu-lhe dois cavalos, sete bezerros, setenta ovelhas e setenta cordeiros, e disse-lhe: "Os homens da tribo vão construir-te uma casa forte e, no final de cada estação, vão dar-te uma parte da colheita da terra para que possas viver como um honrado e respeitado Mestre".

— Lao Viz levantou-se e pôs-se a sair, mas o chefe o impediu, dizendo: "Quem e o que é aquele a quem chamaste de Deus do Homem? Quem é esse Deus que luta com a gloriosa Deusa da Noite? Nunca tínhamos considerado a existência dele antes". Lao Viz coçou a testa e respondeu: "Meu honrado Mestre, em tempos antigos, antes da criação do homem, todos os Deuses viviam juntos e em paz, num mundo superior para além da imensidão das estrelas. O Deus dos Deuses era o pai deles e sabia o que eles não sabiam e fazia o que eles não podiam fazer. Guardava para si os segredos divinos que existiam além das leis eternas. Durante a sétima época da décima segunda idade, o espírito de Bataar, que odiava o grande Deus, rebelou-se e, levantando-se perante o seu pai, disse: 'Por que reténs para ti a autoridade suprema sobre todas as criaturas, ocultando de nós os segredos e as leis do Universo? Não somos teus filhos, os que acreditam em ti e partilham contigo o grande intelecto e o ser perpétuo?'. O Deus dos Deuses ficou furioso e disse: 'Conservarei para mim o poder principal, a autoridade suprema e os segredos essenciais, pois eu sou o princípio e o fim'. E Bataar respondeu-lhe: 'Se não partilhares comigo a tua força e o teu poder, eu, os meus filhos e os filhos dos meus filhos nos revoltaremos contra ti!'. Nesse momento, o Deus dos Deuses levantou-se do seu trono nas profundezas do Céu, desembainhou uma espada, tomou o Sol como escudo e, com uma voz que fazia vibrar cada canto da eternidade, gritou: 'Desce, rebelde perverso, para o mundo sombrio e inferior, onde só existem desgraça e escuridão! Lá permanecerás exilado, vagando até que o Sol se transforme em cinzas e as estrelas não passem de partículas dispersas!'. E Bataar mergulhou instantaneamente do mundo celestial para o submundo, onde todos os espíritos malignos habitam. E, em seguida, jurou pelo segredo da vida que lutaria contra o próprio pai e irmãos, apresando cada alma que os adorasse.

— À medida que o chefe escutava, franzia a testa e empalidecia. Por fim, arriscou-se: "Então o nome do Deus Maligno é Bataar?". E Lao Viz respondeu: "O nome dele era Bataar quando estava no mundo celestial; quando entrou no submundo adotou um nome após outro: Belzebu, Satanail, Balial, Zamiel, Arimã, Mará, Abdom, Diabo e, finalmente, Satanás, que é o mais famoso".

— O chefe repetiu a palavra "Satanás" várias vezes com uma voz trêmula que soava como ramos secos ao barulho do vento; depois disse: "Por que Satanás odeia o homem tanto quanto odeia os Deuses?".

— Lao Viz respondeu prontamente: "Odeia o homem porque o homem descende dos irmãos e das irmãs de Satanás". O chefe exclamou: "Então Satanás é primo do homem?". Com uma voz que misturava dúvida e irritação, Lao Viz retorquiu: "Certamente, meu mestre, mas ele é também o grande inimigo do homem, que enche os dias dele de infortúnio e as noites de sonhos horríveis. Ele é o poder que conduz a tempestade às suas cabanas, leva a fome às suas plantações e faz a doença cair sobre eles e sobre o seu gado. Ele é um Deus maligno e poderoso, a sua perversão leva-o a rir-se das nossas desgraças e a entristecer-se quando estamos alegres. Por meio do meu conhecimento, devemos examiná-lo cuidadosamente, a fim de evitar a sua maldade; devemos estudar o seu caráter, a fim de evitar pôr os pés em seu caminho cheio de armadilhas".

— O chefe encostou a cabeça no seu grande bordão e murmurou: "Agora aprendi o segredo íntimo do estranho poder que dirige a tempestade para as nossas casas e traz a peste sobre nós e o nosso gado. O povo aprenderá tudo o que agora compreendo, e Lao Viz será abençoado, honrado e glorificado por revelar o mistério do nosso poderoso inimigo e por nos desviar do caminho do mal".

— Lao Viz deixou o chefe da tribo e retirou-se para a sua cabana. Estava encantado com a própria inteligência e intoxicado pelo vinho do prazer e da imaginação. Pela primeira vez, o chefe e toda a tribo, com exceção de Lao Viz, passaram uma noite em apuros, perturbados por fantasmas horríveis, espectros assustadores e sonhos perturbadores.

Satanás deixou de falar por um momento enquanto padre Samaã olhava para ele como se estivesse perplexo, e, nos lábios do padre, aparecia o pálido sorriso da morte. Então Satanás continuou:

— Foi assim que a adivinhação surgiu neste mundo, e a minha existência foi a causa do surgimento dela. Lao Viz foi o primeiro a adotar a minha crueldade como vocação. Depois da sua morte, a ocupação dele passou para os filhos e prosperou até se tornar uma profissão acabada e divina, exercida por pessoas dotadas de uma mente cheia de conhecimento, uma alma nobre, um coração puro e uma vasta imaginação.

Na Babilônia, as pessoas curvaram-se sete vezes para adorar um sacerdote que me havia combatido com seus encantamentos... Em Nínive, um homem que afirmava conhecer os meus segredos mais íntimos era considerado como o laço de ouro que unia Deus ao homem... No Tibete, a pessoa que lutou contra mim foi chamada de Filho do Sol e da Lua... Em Biblos, Éfeso e Antioquia, as pessoas ofereciam-se para sacrificar os próprios filhos aos meus adversários... Em Jerusalém e em Roma, as pessoas punham suas vidas nas mãos daqueles que diziam odiar-me e lutar contra mim com todas as forças.

— Em cada cidade sob o Sol, o meu nome era o eixo em torno do qual os círculos religiosos, artísticos e filosóficos giravam. Se não fosse por mim, nenhum templo teria sido construído, nenhum palácio e nenhuma torre teriam sido erguidos. Eu sou a coragem que induz a determinação no homem... De mim nasce a originalidade do pensamento... Eu sou a mão que move as mãos do homem... Eu sou Satanás, o imortal. Eu sou aquele que as pessoas lutam para manter vivo. Se deixarem de lutar contra mim, a indolência enfraquecerá os seus corações e as suas mentes, de acordo com os castigos sobrenaturais do seu terrível mito.

— Eu sou a tempestade furiosa e muda que agita a mente dos homens e o coração das mulheres. Por medo de mim irão a lugares de culto para me condenarem, ou a lugares onde o vício é praticado para me fazer feliz rendendo-se à minha vontade. O monge que reza no silêncio da noite para me afastar da sua cama é como a prostituta que me convida para o seu quarto. Eu sou Satanás, imortal e eterno.

— Eu sou aquele que constrói conventos e mosteiros sobre alicerces de medo; aquele que constrói tavernas e prostíbulos sobre uma fundação de luxúria e vaidade. Se eu deixasse de existir, não haveria mais medo nem prazer no mundo e, com eles, também deixariam de existir desejos e esperanças no coração humano. A vida tornar-se-ia vazia e fria, como uma harpa com cordas rompidas. Eu sou Satanás, o imortal. Eu inspiro falsidade, mentira, traição, engano e zombaria, e se esses elementos fossem eliminados do mundo, a sociedade dos homens seria um campo deserto em que apenas os espinhos da virtude floresceriam. Eu sou Satanás, o Todo-Poderoso.

— Eu sou o pai e a mãe do pecado e, se o pecado desaparecesse, aquele que luta contra ele desapareceria também, juntamente à sua família e às suas estruturas.

— Eu sou o coração de todo o mal. Desejarias que, quando meu coração parasse de bater, os homens também parassem de se mexer? Aceitarias o efeito depois de a causa ser destruída? Eu sou a causa! Deixar-me-ias morrer nesta charneca deserta? Cortarias realmente o laço que nos une? Responda-me, padre!

Satanás esticou os braços, inclinou a cabeça para a frente e ofegou profundamente. O seu rosto ficou cinzento de tal forma que se assemelhava a uma daquelas estátuas egípcias desgastadas pelos séculos nas margens do Nilo. Depois, fixou os olhos brilhantes no rosto do padre Samaã e disse com uma voz vacilante:

— Estou cansado e fraco. Não devia ter usado minhas últimas forças para contar-te coisas que já sabias. Agora, podes fazer o que quiseres... Podes levar-me para a tua casa e tratar das minhas feridas ou deixar-me neste lugar para morrer.

O padre tremia e esfregava as mãos nervosamente; depois disse, como que a pedir desculpa:

— Sei coisas agora que não sabia uma hora atrás. Perdoa a minha ignorância. Sei que a tua existência neste mundo cria a tentação, e a tentação é a medida pela qual Deus avalia as almas humanas, é a balança que Deus Todo-Poderoso usa para pesar os espíritos. Estou certo de que, se morreres, a tentação também morrerá contigo e, com o fim da tentação, a morte destruirá o poder da ideia que eleva o homem e o torna vigilante.

— É preciso que vivas, pois se morreres e as pessoas souberem disso, já não temerão o inferno e deixarão de cumprir seus deveres religiosos, porque nada mais seria pecado. Deves viver, porque a tua vida representa a salvação da humanidade do vício e do pecado. Quanto a mim, sacrificarei o ódio que sinto por ti no altar do amor que sinto pela humanidade.

Satanás deu uma gargalhada que fez a terra tremer e disse:

— Como és inteligente, padre! E como és sábio em matéria de Teologia! Graças a essa tua sabedoria, encontraste um propósito para a minha existência que eu nunca tinha compreendido antes, e, agora, apercebemo-nos do quanto precisamos um do outro. Aproxima-te de mim, meu irmão. A escuridão envolve as planícies e metade do meu sangue derramou-se nas areias deste vale. Tudo o que resta de mim agora são os restos de um corpo partido que a morte em breve fará seu, a menos que me ajudes.

Padre Samaã arregaçou as mangas do seu manto e, aproximando-se de Satanás, levantou-o, colocou-o sobre os ombros e dirigiu-se para casa.

No meio desses vales mergulhados em silêncio e adornados pelo véu das trevas, padre Samaã caminhou em direção à aldeia com as costas dobradas pelo pesado fardo. O seu manto preto e a barba comprida foram manchados com o sangue que escorria sobre ele, enquanto os seus lábios articulavam uma fervorosa oração pela vida do moribundo Satanás.

As sereias

Nas profundezas do mar, ao redor das ilhas próximas de onde o Sol nasce, encontra-se um abismo. Ali, onde há pérolas em abundância, está o cadáver de um jovem rodeado por sereias de longos cabelos dourados, que olham para ele com os seus olhos azuis profundos, falando entre si com vozes melodiosas. E a conversa, ouvida nas profundezas e levada até a costa pelas ondas, chegou-me através da brisa ligeira.

Uma das sereias disse:

— É um ser humano que entrou ontem no nosso mundo durante uma procela.

— O mar não estava proceloso. O homem, que se gaba de ser um descendente dos deuses, travava uma guerra impiedosa e o seu sangue foi derramado até a água do mar ficar vermelha. Este homem é uma vítima da guerra — falou outra sereia.

Uma terceira aventurou-se:

— Não sei o que é a guerra, mas sei o que é o homem. Depois de conquistar a terra, tornou-se agressivo e decidiu conquistar também o mar. Inventou, então, um estranho objeto capaz de transportá-lo pelas águas, de tal modo que o nosso severo Netuno ficou enfurecido com a ganância deles. Então, para acalmar Netuno, o homem começou a oferecer presentes e sacrifícios, e o corpo imóvel que está diante de nós é o último presente oferecido pelo homem para o nosso grande e temível Netuno.

A quarta disse:

— Netuno é grande e o coração dele é cruel. Se eu fosse o Sultão do Mar, recusar-me-ia a aceitar tal compensação... Vinde, vamos examinar esse resgate. Talvez sejamos capazes de compreender algo mais sobre a tribo dos homens.

As sereias aproximaram-se do jovem, vasculharam os seus bolsos e, junto ao coração dele, encontraram uma mensagem. Uma das sereias leu-a em voz alta para as outras:

— "Meu amado, mais uma vez chegou a meia-noite e só encontro conforto nestas lágrimas que derramo, e nada consegue consolar-me a não ser a esperança de que voltes para mim das garras sangrentas da guerra. Não posso esquecer-me das palavras que disseste quando partiste: 'Cada homem tem uma dívida de lágrimas que um dia tem de pagar'.

"Não sei o que dizer, meu amor, mas a minha alma se espraia sobre este pergaminho... Esta alma, que sofre pela separação, mas encontra conforto no amor, que transforma dor em alegria e aflição em felicidade. Quando o amor uniu nossos corações e aguardamos ansiosos o dia em que eles se juntariam ao poderoso sopro de Deus, a guerra emitiu o seu terrível chamado e tu o seguiste, impelido pelo dever para com os chefes.

"Que sentido tem esse dever que separa os amantes e torna as mulheres viúvas e órfãs as crianças? Que sentido tem esse patriotismo que provoca guerras e destrói os reinos a troco de nada? Toda causa, comparada com a vida humana, não seria fútil? Que sentido tem esse dever que leva os camponeses pobres, que os poderosos e os filhos da nobreza hereditária consideram como pouco mais do que nada, a morrer pela glória dos seus opressores? Se o dever destrói a paz entre as nações e o patriotismo perturba a quietude da vida de um homem, então teremos de dizer: 'Que a Paz esteja com o dever e o patriotismo'.

"Não, não, meu amado! Não leves em conta as minhas palavras! Sê corajoso e fiel à tua pátria... Não dês ouvidos às palavras de uma moça cega de amor e perdida pelo desapego e pela solidão... Se o amor não te trouxer de volta para mim nesta vida, certamente nos reunirá na próxima.

Tua para sempre".

As sereias colocaram a nota sob a camisa do jovem e partiram silenciosa e tristemente. Quando se reuniram a alguma distância do corpo do soldado morto, uma delas exclamou:

— O coração humano é mais duro do que o coração cruel de Netuno.

Nós e vós

Somos os filhos da Tristeza e sois os filhos da Alegria.
Somos os filhos da Tristeza,
E a Tristeza é a sombra de um Deus
Que vive no domínio dos corações iníquos.
Somos espíritos tristes, e a Tristeza é
Grande demais para existir em corações pequenos.
Quando sorrides, choramos e lamentamos; e aquele
Que uma vez se queimou e se purificou com
As próprias lágrimas permanecerá puro para sempre.
Não nos entendeis, mas vos ofertamos
Nossa simpatia. Vós correis na corrente
Do rio da vida sem olhar para nós,
Mas nos sentamos nas margens e ouvimos
Vossas estranhas vozes.
Não entendeis nosso lamento, pois
O clamor dos dias enchem vossos ouvidos,
Tapados pela dura substância de vossos
Anos de indiferença em relação à verdade;
Mas ouvimos vossas canções, pois o sussurro da noite
Apurou nossos ouvidos internos. Nós vos vemos

Parados sob a ponta dos dedos da luz,
Mas não podeis enxergar-nos, pois
Nos ocultamos na escuridão iluminada.

Somos os filhos da Tristeza; somos poetas,
Profetas e músicos. Tecemos os trajes
Da deusa com os fios dos nossos
Corações e enchemos as mãos dos
Anjos com as sementes do nosso ser interior.

Sois os filhos da busca pela alegria
Terrena. Colocais vossos corações nas mãos
Do Vazio, pois, para o Vazio, o toque das mãos
É suave e convidativo.

Residis na morada da Ignorância, pois
Nessa casa não há espelho em que
Possais vislumbrar vossas almas.

Suspiramos, e de nossos suspiros elevam-se
O sussurro das flores, o rumor das folhas
E o murmúrio dos riachos.

Quando zombais de nós, vossa zombaria
Mistura-se ao esmagar de crânios,
O clangor das correntes e o gemido do abismo.
Quando choramos, nossas lágrimas caem
No coração da vida, como caem as gotas de orvalho
Dos olhos da noite para o coração da alvorada;
E, quando rides, vosso riso de escárnio
Derrama-se como a peçonha da víbora sobre a ferida.

Choramos, e nos compadecemos do errante
Infeliz e da viúva aflita; mas vós exultais
E sorris à vista do ouro brilhante.

Choramos porque ouvimos os gemidos
Dos pobres e o lamento dos fracos oprimidos,
Mas rides porque não ouvis nada a não ser
O alegre som de taças de vinho.

Choramos porque, neste momento, nosso espírito
Está apartado de Deus, mas rides porque vossos
Corpos agarram-se com indiferença a terra.

Nós somos os filhos da Tristeza, e vós sois
Os filhos da Alegria
Comparemos os resultados
Da nossa tristeza e os feitos da vossa alegria
Diante da face do Sol...

Vós construístes as pirâmides sobre os corações
De escravos, mas as pirâmides erguem-se agora
Sobre a areia, celebrando para as eras
A nossa imortalidade e o vosso evanescer.

Erigistes Babilônia sobre os ossos
Dos fracos, e ergueste os palácios de Nínive
Sobre os túmulos dos miseráveis. Babilônia, agora,
É apenas a pegada do camelo na areia do deserto,
E a sua história é contada às nações,
Que nos abençoam e vos amaldiçoam.

Esculpimos Astarte em mármore maciço,
E a fizemos tremer em sua solidez
E falar em seu silêncio.

Compusemos e tocamos, com nossos instrumentos,
A canção persuasiva de Niavende, fazendo com que
O espírito do Amado viesse até nós, pairando
No firmamento; honramos o Ser Supremo
Com palavras e atos; as palavras tornaram-se

Palavras divinas e as ações transformaram-se
No imenso amor dos anjos.

Perseguis o divertimento, cujas garras afiadas
Rasgaram milhares de mártires nas arenas
De Roma e Antioquia... Mas nós seguimos
O Silêncio, cujos dedos cuidadosos
Realizaram a Ilíada, o Livro de Jó
E as Lamentações de Jeremias.

Deitai-vos com a Luxúria, cuja tempestade
Varreu mil procissões da alma da mulher e
Lançou-a na vala da vergonha e do horror...
Mas nós abraçamos a Solidão, em cuja sombra
Elevaram-se as belezas de Hamlet e Dante.

Vós vos humilhais a favor da Ganância,
Cujas espadas afiadas derramaram milhares
De rios de sangue... Mas nós buscamos
A companhia da Verdade, cujas mãos
Fizeram emanar conhecimento
Do Grande Coração do Círculo de Luz.

Nós somos os filhos da Tristeza e vós sois
Os filhos da Alegria; e entre a nossa tristeza e
A vossa alegria há um caminho estreito e áspero,
Onde vossos cavalos de fogo não podem correr
E suas magníficas carruagens não podem passar.

Temos pena da vossa mesquinhez, assim
Como tendes ódio da nossa grandeza; e entre
A nossa piedade e o vosso rancor o tempo
Para, desconcertado.
Vimos ter convosco como amigos,
Mas atacai-nos como inimigos; e entre a nossa
Amizade e a vossa inimizade há um desfiladeiro
Profundo pelo qual fluem lágrimas e sangue.

Construímos palácios para vós, e escavastes
Covas para nós; e entre a beleza do palácio
e a escuridão da sepultura, a humanidade
Caminha como uma sentinela com armas de ferro.

Espalhamos rosas em vossos caminhos,
Mas cobristes nossas camas com espinhos; e entre
Rosas e espinhos, a Verdade repousa agitada.

Desde o início do mundo tendes enfrentado
O nosso poder gentil com vossa fraqueza
Brutal; e quando triunfais por uma hora
Sobre nós, coaxais e vos divertis como
Rãs na água. E quando vos conquistamos
E vos subjugamos por um século,
Permanecemos como gigantes em silêncio.

Vós crucificastes Jesus e permanecestes diante dele,
Blasfemando e zombando, mas, no final,
Ele desceu à Terra e se sobrepôs às gerações,
Caminhando entre vós como um herói, enchendo
O universo com a sua glória e a sua beleza.

Envenenastes Sócrates, apedrejastes Paulo,
Massacrastes Ali Talib e assassinastes Madat Paxá,
E, contudo, esses imortais estarão
Conosco para sempre diante da face da Eternidade.

Mas vós viveis na memória do homem
Como cadáveres sobre a face da Terra; e não podeis
Encontrar um amigo para vos enterrar
Na escuridão da inexistência e do oblívio,
Que almejastes na Terra.

Somos os filhos da Tristeza, e a Tristeza é uma
Nuvem carregada, que despeja sobre as multidões

Conhecimento e verdade. Sois os filhos da Alegria,
e, por mais alto que ela possa alçar-se,
Vossa alegria será destruída pelos ventos
Do paraíso de acordo com a Lei de Deus,
E dispersa no nada, pois essa Alegria não é nada mais do que
Uma fina e vacilante coluna de fumaça.

O poeta

Sou um estrangeiro neste mundo e, no meu exílio, existe uma dura solidão e um isolamento doloroso. Estou sozinho, mas, nessa condição, contemplo um país desconhecido e fascinante, e essa contemplação preenche os meus sonhos com os espectros de uma grande terra distante que os meus olhos nunca viram.

Sou um estrangeiro entre o meu povo e não tenho amigos. Quando vejo um ser humano digo a mim próprio: "Quem é ele, como o conheço, por que está aqui e que lei me uniu a ele?".

Sou um estrangeiro até para mim; e quando ouço a minha língua falar, os meus ouvidos interrogam-se a quem pertence a minha voz. Vejo a minha parte mais íntima sorrir, chorar, ter coragem e medo; e a minha existência questiona a própria substância, enquanto a minha alma questiona o meu coração. Mas eu continuo desconhecido, submerso num silêncio assustador.

Meus pensamentos são estranhos ao meu corpo e, diante do espelho, vejo algo no meu rosto que a minha alma não vê, e encontro nos meus olhos o que o meu ser mais profundo não encontra.

Quando caminho com um olhar vazio pelas ruas da cidade barulhenta, as crianças seguem-me gritando: "É um cego! Vamos dar-lhe um cajado para que ele possa encontrar o seu caminho!". Quando fujo delas, encontro um grupo de donzelas, que agarram a bainha da minha roupa dizendo: "Ele é surdo como uma pedra. Vamos encher-lhe os ouvidos com a música do amor". E quando eu também fujo delas, uma multidão de velhos aponta para mim com dedos trêmulos dizendo: "Ele é um tolo que perdeu o juízo no mundo dos gênios e dos demônios".

⁓

Sou um estrangeiro neste mundo. Vaguei de um extremo ao outro do Universo sem conseguir encontrar um lugar para descansar a cabeça; e não conhecia nenhum dos seres humanos que conheci ou uma única pessoa que ouvisse a minha opinião.

Ao amanhecer, quando abro os olhos sonolentos, vejo-me aprisionado numa caverna escura de cujo teto pendem insetos e em cujo solo se arrastam víboras.

Quando saio ao encontro da luz, a sombra do meu corpo me segue, mas a sombra do meu espírito vai à frente e leva-me a um lugar desconhecido, em busca de coisas que estão além da minha compreensão, e apanham objetos que não fazem sentido para mim.

À noite, quando volto a deitar-me na minha cama feita de penas macias e debruada com espinhos, contemplo e sinto desejos que são, ao mesmo tempo, perturbadores e felizes, e sinto esperanças que são, ao mesmo tempo, dolorosas e alegres.

À meia-noite, os fantasmas das eras passadas e os espíritos das civilizações esquecidas penetram pelas fendas da gruta para me visitarem... Olho para eles e eles me devolvem o olhar; falo com eles e eles sorriem para mim. Depois, tento agarrá-los, mas eles escorregam-me pelos dedos e desaparecem como a névoa sobre o lago.

⁓

Sou um estrangeiro neste mundo e não há ninguém no Universo que compreenda a minha língua. Memórias bizarras formam-se subitamente na minha mente e os meus olhos dão origem a imagens curiosas e a espectros tristes. Caminho por desertas pradarias, observando o fluxo rápido dos riachos, desde as profundezas do vale até o pico da montanha; vejo as árvores nuas florescerem, darem frutos e perderem as folhas num instante; depois, vejo os ramos caírem e transformarem-se em cobras malhadas. Vejo as aves voando nas alturas, cantando e gemendo; de repente, elas param, abrem as asas e transformam-se em donzelas nuas de cabelos longos, que olham para mim com olhos apaixonados; sorriem para mim com lábios de mel; e estendem suas mãos perfumadas na minha direção. Depois, voam e desaparecem da minha vista como fantasmas, deixando o eco do seu riso de escárnio a ecoar no firmamento.

Sou um estrangeiro neste mundo... Sou um poeta que compõe em verso o que a vida oferece em prosa e põe em prosa o que a vida compõe em verso.

É por isso que sou um estrangeiro e continuarei a sê-lo até que as asas brancas e amigas da morte me levem de volta ao meu maravilhoso país. Lá, onde a luz, a paz e a compreensão habitam, esperarei pelos outros estrangeiros que o laço amigo do tempo resgatará deste mundo estreito e escuro.

As cinzas das eras e o fogo eterno

I

Primavera do ano 116 a. C.

Era uma noite calma e toda vida dormia na Cidade do Sol. As lâmpadas das casas espalhadas em redor dos grandes templos, em meio às oliveiras e aos loureiros, já haviam se apagado. O luar derramava seus raios sobre a brancura das altas colunas de mármore, que se erguiam como sentinelas gigantes na noite tranquila sobre o santuário dos deuses. Elas olhavam com admiração e respeito para as montanhas do Líbano, que se elevavam no ermo distante.

Naquela hora mágica, que fica entre os espíritos dos que dormem e os sonhos do infinito, Natã, filho do sacerdote, entrou no templo de Astarte. Carregava na mão trêmula uma tocha, com a qual acendeu as lâmpadas e os turíbulos. O cheiro doce de incenso e mirra subia no ar e a imagem da deusa foi adornada com um véu delicado como o véu do desejo e da ansiedade que envolve o coração humano. Ele se prostrou diante do altar revestido de marfim e ouro, ergueu as mãos em súplica e levantou os olhos cheios de lágrimas para o Céu. Com uma voz embargada pela dor e quebrada por duros soluços, exclamou:

— Piedade, ó grande Astarte! Piedade, ó deusa do amor e da beleza. Tenha piedade de mim e afasta de minha amada, a quem minh'alma escolheu para cumprir a tua vontade, a mão da morte. As poções e os pós dos médicos não surtiram efeito, e o sortilégio dos sacerdotes e dos sábios foram em vão. Tudo o que me resta é invocar teu nome santo para que me ajudes e me socorras. Escuta, pois, a minha oração; olha para o meu coração contrito e minha agonia de espírito, e deixa que ela, que é parte de minh'alma, viva, para que possamos desfrutar dos segredos do teu amor e exultar na beleza dessa juventude que proclama a tua glória... Das profundezas, eu te invoco, sagrada Astarte. Da escuridão desta noite busco a guarda de tua misericórdia.... Escuta a minha súplica! Sou teu servo Natã, filho do sacerdote Hirã, que dedicou a vida ao serviço do teu altar.

— Amo uma donzela e a tomei por mulher, mas as noivas dos gênios sopraram sobre o belo corpo dela o alento de uma estranha doença. Enviaram o mensageiro da morte para levá-la às grutas encantadas deles. Esse mensageiro, agora, ruge como uma besta faminta ao lado do leito dela, com suas asas negras abertas e as mãos sujas prontas para tirá-la de mim. Por isso vim a ti. Tenha piedade de mim e deixa-a viver. Ela é uma flor que não viveu ainda o verão da vida; um pássaro cujo canto alegre que saúda o amanhecer foi interrompido. Salva-a das garras da morte e cantaremos louvores e faremos holocaustos em glória do teu nome. Levaremos sacrifícios ao teu altar e encheremos tuas ânforas com vinho e azeite doce perfumado, e forraremos o teu tabernáculo com rosas e jasmim. Queimaremos incenso e madeira de aloés de cheiro doce diante da tua imagem... Salva-a, ó deusa dos milagres, e deixa que o amor vença a morte, pois tu és a senhora do amor e da morte.

Ele parou de falar, chorando e suspirando de agonia. Em seguida, continuou:

— Ai de mim, sagrada Astarte. Meus sonhos se destroçam e o último suspiro da minha existência se aproxima. Meu coração morre dentro do peito e as lágrimas queimam meus olhos. Ampara-me com tua compaixão e deixa que minha amada continue comigo.

Nesse momento, um de seus escravos entrou. Ele caminhou lentamente na direção de Natã e sussurrou ao ouvido dele:

— Ela abriu os olhos, meu senhor, e olha em volta do leito, mas não te vê. Vim para te buscar, pois ela não para de chamar por ti.

Natã levantou-se e saiu rapidamente, e o escravo foi atrás. Ao chegar ao seu palácio, entrou no quarto da moça doente e se postou à cabeceira do leito dela. Ele tomou-lhe a mão delicada e beijou-lhe os lábios repetidamente, como se pudesse inspirar neles uma nova vida. Ela virou o rosto, que estava escondido entre as almofadas de seda, em direção a ele, e abriu um pouco os olhos. A sombra de um sorriso surgiu nos lábios dela — era tudo o que ainda havia de vida em seu belo corpo; o último raio de luz de um espírito que partia; um eco de lamento de um coração que se aproximava ligeiro do fim.

— Os deuses me chamam, noivo de minh'alma; a morte vem para nos separar... Não fique triste, pois a vontade dos deuses é sagrada e as demandas da morte são justas... Parto agora, mas as copas gêmeas de amor e juventude ainda estão cheias em nossas mãos e os caminhos da doce vida estão diante de nós... Parto, meu amado, para os prados dos espíritos, mas voltarei a este mundo. Astarte traz de volta a esta vida as almas dos amantes que foram ao infinito antes de provarem as delícias do amor e as alegrias da juventude... Vamos nos encontrar de novo, Natã, e juntos beberemos o orvalho da manhã, e, nas copas do narciso, exultaremos ao sol com os pássaros das campinas. Adeus, meu amado.

A voz dela ficou baixa e seus lábios começaram a tremer como as pétalas de uma flor diante da brisa do amanhecer. Seu amante a agarrou, molhando de lágrimas o colo dela. Quando os lábios dele a beijaram, encontraram lábios de gelo. Ele deu um grito terrível, rasgou as vestes e se arrojou sobre o corpo morto da amada. O espírito de Natã, em agonia, pairava entre o profundo mar da vida e o abismo da morte.

Na quietude daquela noite, as pálpebras dos que dormiam tremeram, as mulheres da vizinhança soluçaram e as almas das crianças tiveram medo, pois a escuridão era rasgada por fortes gritos de luto e lágrimas amargas que se elevavam do palácio do sacerdote de Astarte. Quando amanheceu, o povo procurou Natã para consolá-lo e acalmá-lo da aflição, mas não o encontrou.

Muitos dias depois, quando a caravana do Oriente chegou, seu chefe contou que havia visto Natã de longe, no deserto, vagando como uma alma penada entre as gazelas das areias.

Séculos se passaram e os pés do tempo apagaram a obra dos séculos. Deuses partiram da Terra e outros deuses vieram no lugar — deuses de fúria, ávidos de destruição e de ruína. Arrasaram o belo templo da Cidade do Sol e destruíram seus belos palácios. Seus jardins verdejantes secaram e seus campos férteis se tornaram terra desolada. Nada restou naquele vale, a não ser ruínas decadentes para assombrar a memória com fantasmas de ontem e recordar o fraco eco dos salmos que um dia foram ali entoados sobre a glória de antes. Mas os tempos que passam e varrem as obras do homem não podem destruir seus sonhos nem enfraquecer seus sentimentos e emoções mais íntimos. Os sentimentos e as emoções perduram, como perdura o espírito imortal. Talvez estejam escondidos agora, mas talvez se escondam, como o Sol ao entardecer ou a Lua com a chegada da aurora.

II

Primavera do ano 1890 a. D.

O dia minguava e a luz da tarde enfraquecia enquanto o Sol recolhia suas vestes das planícies de Balbeque. Ali Al-Husaini conduziu seu rebanho até as ruínas do templo e sentou-se junto aos pilares caídos. Lembravam as costelas de um soldado que fora ali deixado, quebradas na batalha e despidas pelos elementos. As ovelhas se juntavam em torno dele, pastando, sentindo-se embaladas e seguras pelas melodias da flauta do pastor.

A meia-noite chegou e os céus lançavam nas negras profundezas as sementes do dia seguinte. As pálpebras de Ali se cansavam dos espectros da vigília. A mente dele estava fatigada pelas procissões de seres imaginários que marchavam no terrível silêncio daquelas paredes decaídas. Ele apoiou a cabeça no braço enquanto o sono pesava sobre ele e cobria sua vigília levemente com as dobras de seu véu, como uma névoa fina que toca a superfície de um lago calmo.

Esquecia-se do seu ser terreno ao encontrar seu ser espiritual; seu ser oculto cheio de sonhos que transcendem as leis e os ensinamentos dos homens. Uma visão apareceu diante de seus olhos e as coisas ocultas se revelaram para ele. Seu espírito se distanciou da procissão do tempo, que corre sempre em direção ao nada. Ficou sozinho diante das estreitas fileiras de pensamentos e emoções em conflito. Ele sabia — ou estava prestes a saber —, pela primeira vez na vida, as causas da fome espiritual que tomou conta de sua juventude. Era uma fome que juntava toda a amargura e toda a doçura da existência. Era uma sede que juntava num só grito o anseio e a serenidade da plenitude. Era um anseio que nem toda a glória deste mundo podia nublar e o curso da vida, ocultar.

Pela primeira vez na vida, Ali Al-Husaini sentiu uma estranha sensação, despertada nele pelas ruínas do templo. Uma sensação sem forma, que lembrava o incenso que saía dos turíbulos. Era uma sensação persistente que tocava incessantemente em seus sentidos como os dedos de um músico a tocar as cordas do alaúde. Uma nova sensação brotou do nada — ou talvez de algo. Cresceu e se desenvolveu até abraçar todo o seu ser espiritual. Um êxtase semelhante à morte, em sua bondade, com uma dor doce em sua amargura e agradável em sua firmeza, tomou conta da alma do pastor. Um sentimento que nascia nos vastos espaços de um minuto preenchido pela vigília. Um minuto que dava origem à forma das eras, como as nações, que crescem a partir de uma semente.

Ali olhou para o santuário em ruínas e seu cansaço deu lugar ao despertar do espírito. As ruínas do altar tomaram forma diante de seus olhos; o local dos pilares caídos e os alicerces das paredes desmoronadas ficaram claros e nítidos para ele. Seus olhos ficaram deslumbrados e seu coração batia com força; e, de repente, como um cego que volta a ver a luz, ele começou a enxergar — e passou a refletir. E do caos do pensamento e da desordem da reflexão nasceram os fantasmas da memória, e ele se lembrou. Lembrou-se daqueles pilares quando ainda se erguiam grandiosos e soberbos. Lembrou-se das lâmpadas de prata e dos turíbulos que rodeavam a imagem de uma deusa imponente. Lembrou-se dos veneráveis sacerdotes que colocavam suas oferendas diante de um altar revestido de marfim e ouro. Lembrou-se das virgens a bater seus tamborins e dos jovens cantando louvores à deusa do amor e da beleza. Lembrou-se dessas figuras e as viu ficarem claras diante de seus olhos. Teve a impressão de que coisas adormecidas se agitavam no silêncio do seu próprio ser, mas a lembrança não traz senão formas confusas, aquelas que revivemos do passado de nossas vidas. A lembrança traz apenas, aos nossos ouvidos, o eco de vozes que um dia ouvimos. Qual foi, então, a ligação que uniu essas estranhas memórias à vida passada de um jovem criado entre as tendas, que passou a primavera de sua vida cuidando de ovelhas no deserto?

Ali se levantou e caminhou entre as ruínas e as pedras quebradas. Aquelas lembranças distantes desvelaram o esquecimento dos olhos de sua mente como se fosse uma mulher a varrer uma teia de aranha do vidro do espelho. E, logo, chegou ao coração do templo e se deteve. Era como se uma atração magnética na terra estivesse atraindo os pés dele. De repente, viu diante de si uma estátua quebrada deitada no chão. Involuntariamente, ele se prostrou diante dela. Os sentimentos fluíam dentro dele como o fluxo de sangue de uma chaga exposta;

seus batimentos cardíacos aumentavam e diminuíam, como a subida e a descida das ondas do mar. Ele se mostrava humilde e deu um suspiro amargo de sofrimento, pois sentiu uma solidão que o feria e um distanciamento que o aniquilava e que afastava seu espírito daquele espírito de beleza que estivera ao seu lado antes de ele entrar nesta vida. Sentiu a própria essência como se não fosse nada mais do que uma chama ardente que Deus havia separado dele antes do início dos tempos.

Ali sentiu um leve tremular de asas em seus ossos ardentes e, ao redor das células relaxadas de seu cérebro, um amor forte e potente tomava posse de seu coração e de sua alma. Um amor que revelava as coisas ocultas do espírito ao espírito e que, com sua força, separava a mente das regiões dos pesos e das medidas. Era o amor de que ouvimos falar quando as línguas da vida estão em silêncio; que contemplamos como uma coluna de fogo, quando a escuridão oculta todas as coisas. Aquele amor, aquele deus, havia descido, naquela hora, sobre o espírito de Ali Al-Husaini, e despertado nele sentimentos amargos e doces, como o Sol que faz brotar as flores junto aos espinhos.

O que é esse amor? De onde ele vem? O que quer de um jovem que descansa com seu rebanho entre os santuários em ruínas? Que vinho é esse que percorre as veias de alguém, deixando-o impassível aos olhares das donzelas? Que melodias celestiais são essas que sobem e descem aos ouvidos de um beduíno que ainda não ouvira o doce canto das mulheres?

O que é esse amor e de onde ele vem? O que ele quer de Ali, ocupado com suas ovelhas e sua flauta longe dos homens? Seria algo semeado em seu coração pelas belezas humanas, sem que ele tivesse consciência disso? Ou seria uma luz brilhante velada pela névoa e que então irrompia para iluminar o vazio de sua alma? Seria por acaso um sonho que vinha no silêncio da noite para zombar dele ou uma verdade que existia e existirá até ao fim dos tempos?

Ali fechou os olhos úmidos e estendeu as mãos como um pedinte em busca de piedade. Sentiu seu espírito tremer, e desses tremores saíam soluços entrecortados que eram, ao mesmo tempo, sinais de lamento e o fogo da saudade. Com uma voz, cujo som era pouco mais alto do que um suspiro, ele clamou:

— Quem és tu, que tão perto do meu coração estás, mas permaneces invisível aos meus olhos, separando-me de mim mesmo, ligando meu presente a eras distantes e esquecidas? És uma ninfa, um espírito, vindo do mundo dos imortais para me falar da vaidade da vida e da fragilidade da carne? Serias o espírito da rainha dos gênios, que saiu das entranhas da terra para escravizar meus sentidos e fazer de mim motivo de riso entre os jovens de minha tribo? Quem és tu e o que é essa tentação que avança e destrói, apoderando-se do meu coração? Que sentimentos são esses que me enchem de fogo e de luz? Quem sou eu e o que é este novo ser a quem ainda chamo de "eu", mas que é um estranho para mim mesmo? Foi a água da fonte da vida tragada pelas partículas do ar fazendo com que eu me tornasse um anjo que vê e ouve todas as coisas secretas? Estaria eu embriagado pelo fermento do diabo e teria me tornado cego para as coisas reais?

Ele ficou em silêncio por um tempo. Sua emoção crescia forte e seu espírito engrandecia. Ele tornou a falar:

— Ó tu, que ao espírito te revelas e dele te aproximas, e que a noite esconde e distancia; ó belo espírito, que caminhas nos espaços dos meus sonhos, despertaste em meu ser sentimentos que eram como sementes de flores escondidas sob a neve, e passaste como a brisa, a portadora do sopro dos campos. Tocaste meus sentidos para que fossem abalados e perturbados como as folhas de uma árvore. Deixa-me ver-te, se tiveres corpo e substância. Manda que o sonho feche as minhas pálpebras para que eu possa enxergar-te nos sonhos, se estiveres livre da terra. Deixa-me tocar-te; deixa-me ouvir a tua voz. Rasga o véu que cobre todo o meu ser e destrói o tecido que oculta a minha divindade. Dá-me asas para que eu possa voar atrás de ti até as regiões da sublime congregação, se fores daqueles que lá habitam. Toca com teus sortilégios minhas pálpebras e eu te seguirei até os lugares secretos dos gênios se fores uma de suas ninfas. Põe tua mão invisível sobre o meu coração e me possuas, se fores livre para deixar seguir a quem quiser.

Ali sussurrava aos ouvidos da escuridão palavras que vinham do eco de uma melodia das profundezas do coração. Entre a visão de Ali e o ambiente, flutuavam os fantasmas da noite como se fossem incenso saindo das lágrimas ardentes do moço. Nas paredes do templo, apareceram pinturas encantadas nas cores do arco-íris. Assim, passou uma hora. Ele se regozijava com as lágrimas e se alegrava com a dor. Ouvia o batimento do próprio coração. Olhava para além de todas as coisas como se visse as formas desta vida desvanecer-se lentamente e, no lugar delas, um sonho maravilhoso de belezas e de imagens terríveis se formar. Como um profeta que olha para as estrelas dos céus em busca de inspiração divina, ele aguardou os próximos minutos. Um suspiro rápido lhe detinha a respiração silenciosa e seu espírito o abandonou para pairar ao redor e depois retornar como se estivesse procurando entre aquelas ruínas um ente querido.

Rompeu a aurora e o silêncio tremeu com o passar da brisa. Os vastos espaços sorriram como alguém que dorme e vê no sonho a imagem de quem ama. Os pássaros surgiam de fendas nas paredes em ruínas e se movimentavam entre os pilares, cantando e chamando uns aos outros, anunciando a aproximação do dia. Ali se levantou e colocou a mão na testa febril. Olhou em volta com os olhos entorpecidos. E, como Adão, quando seus olhos foram abertos pelo sopro de Deus, Ali olhou para aquilo que tinha diante de si e ficou maravilhado. Acercou-se das ovelhas e as chamou; elas se levantaram, sacudiram e trotaram calmamente atrás dele em direção aos pastos verdes.

Ali caminhava à frente do rebanho. Os olhos grandes dele observavam a atmosfera serena. Seus sentimentos mais íntimos haviam escapado da realidade para revelar-lhe os segredos e as coisas ocultas da existência; para mostrar-lhe o que havia passado em outros tempos e o que ainda persistia. Era como se tudo ocorresse num só instante. E um só instante bastou para fazê-lo esquecer-se de tudo aquilo e devolver-lhe a angústia e o anseio. E encontrou, entre si e o espírito de seu espírito, um véu, que era como um véu entre os olhos e a luz. Ele suspirou, e com o suspiro uma chama foi arrancada de seu coração ardente.

Ele chegou ao riacho cujos balbucios proclamavam os segredos dos campos, e sentou-se na margem sob um salgueiro cujos ramos caíam até as águas, como se fossem sugar-lhe a doçura. O rebanho aparava a relva com a cabeça abaixada e o orvalho da manhã fazia brilhar a brancura do velo das ovelhas.

Quando aquele minuto passou, Ali começou a sentir o coração bater rapidamente e a inquietação tomar conta de seu espírito. Como alguém que é despertado pelos raios do Sol, ele se moveu e olhou ao redor. Viu uma moça saindo de entre as árvores levando um cântaro no ombro. Ela caminhava vagarosamente em direção ao arroio; seus pés descalços estavam molhados pelo orvalho. Quando chegou à beira d'água, inclinou-se para encher o cântaro, e, ao olhar em direção à margem oposta, os olhos dela encontraram os de Ali. Ela deu um grito e deixou cair o cântaro, e recuou um pouco. Era um gesto de quem torna a encontrar alguém que havia perdido.

Um minuto passou e os segundos foram como lâmpadas a iluminar o caminho entre aqueles corações. Do silêncio, estranhas melodias surgiram como para envolver os dois jovens no eco de vagas lembranças. Um eco que os transportava a outro lugar, cercados de sombras e figuras, longe daquele arroio e daquelas árvores. Um olhou para o outro com olhares de súplica; e cada um encontrou favor nos olhos do outro; cada um escutou o suspiro do outro com os ouvidos do amor.

Conversaram um com o outro em todas as línguas do espírito. E quando o pleno entendimento e o conhecimento iluminaram a alma de ambos, Ali atravessou o arroio, atraído para lá por um poder invisível. Aproximou-se da moça, abraçou-a e beijou-lhe os lábios, o colo e os olhos. Ela deixou-se ficar nos braços dele, como se a doçura daquele abraço lhe tivesse roubado a vontade e a leveza do toque lhe tivesse tirado as forças. Ela cedeu como a fragrância do jasmim que cede às correntes do ar. Ela deixou cair a cabeça sobre o peito dele, como um ser fatigado que encontra repouso, e suspirou profundamente. Era um suspiro que expressava o nascimento da felicidade em um coração reprimido e a agitação da vida naquele que dormia e ora despertava. Ela ergueu a cabeça e olhou nos olhos dele. Era o olhar de quem dispensa a linguagem habitual dos homens e escolhe o silêncio para se expressar — a linguagem do espírito. Era o olhar de quem não aceita que o amor seja uma alma presa num corpo de palavras.

Os dois amantes caminharam entre os salgueiros, e a individualidade de cada um era uma linguagem que falava da indivisibilidade de ambos; um ouvido que escutava em silêncio a inspiração do amor; um olho vidente que vislumbrava a glória da felicidade. As ovelhas os seguiam, comendo a copa das flores e das ervas, e os pássaros vinham de todos os lados saudar os amantes com cantos de encantamento.

Ao chegaram ao fim do vale, o Sol já se punha e lançava sobre as montanhas um manto dourado. Os dois jovens sentaram-se junto a uma rocha que protegia as violetas com sua sombra. Depois de um tempo, a moça olhou para os olhos negros de Ali enquanto a brisa tocava os cabelos dele como se lábios invisíveis os estivessem beijando. Era como se a ponta de dedos mágicos lhe acariciassem a língua e os lábios, aprisionando-lhe a vontade. Logo, ela falou, e disse com uma voz tão doce que machucava:

— Astarte trouxe nossas almas de volta a esta vida para que as delícias do amor e a glória da juventude não nos fossem proibidas, meu amado.

Ali fechou os olhos, pois a música das palavras da moça cristalizavam as formas de um sonho que muitas vezes tivera. Ele sentia que asas invisíveis o levavam para longe daquele lugar, para um lugar de formato estranho. Ele se viu ao lado de um leito em que repousava o corpo de uma bela mulher cuja beleza a morte havia tomado juntamente ao calor de seus lábios. Ele gritou angustiado diante daquela cena terrível. Então abriu os olhos e a encontrou sentada ao seu lado. Nos lábios dela havia um sorriso de amor e, no olhar, os raios da vida.

O rosto de Ali iluminou-se e seu espírito sentiu-se reconfortado; as visões se dispersaram e ele se esqueceu tanto do passado quanto do futuro...

Os amantes se abraçaram e beberam o vinho dos beijos até ficarem saciados. Dormiram um nos braços do outro até que as sombras se afastaram e o calor do Sol os despertou.

Entre a noite e a manhã

Silêncio, coração, o espaço não pode
Ouvir-te; silêncio, o éter
Está carregado com gritos e lamentos e não pode
Conduzir teus cantos e teus hinos.

Silêncio, os fantasmas da noite
Não prestarão atenção aos sussurros dos
Teus segredos; tampouco as procissões
Das trevas deter-se-ão diante dos teus sonhos.

Silêncio, coração, até que chegue a noite,
Pois quem aguarda com paciência a aurora
Há de encontrá-la, por certo; e quem ama
A luz será amado por ela.

Silêncio, coração, ouve minha
História; em sonhos vi um rouxinol
Cantando sobre a cratera de um terrível
Vulcão, vi um lírio crescendo
Na neve, uma Húri nua

Dançando em meio aos túmulos e
Uma criança que brincava com crânios
Sorrindo.

Vi essas imagens nos sonhos, e
Quando abri os olhos e olhei em volta de mim,
O vulcão continuava rugindo, mas eu
Não ouvia mais o canto do rouxinol
Nem o via no ar.

Vi o céu esparramando a neve sobre os
Campos e os vales e ocultando sob
Brancas mortalhas os corpos tranquilos das
Açucenas. Vi uma carreira de túmulos diante
Do silêncio das Eras, mas não havia
Ninguém dançando nem orando em meio
A eles. Vi uma pilha de crânios, mas não havia
Ninguém sorrindo, a não ser o vento.

Desperto, vi dor e sofrimento;
O que aconteceu com a alegria e a doçura
Dos meus sonhos? Para onde foi a beleza do meu
Sonho e de que forma as
Imagens desapareceram?

Como pode a alma ter paciência antes que o sono
Restabeleça os fantasmas alegres da esperança e
Do desejo?
Atenção, coração, ouve minha história;
Ontem, minha alma era uma árvore
Velha e forte cujas raízes penetravam
Fundo na terra e cujos ramos
Alcançavam o infinito. Minha alma florescia
Na primavera e dava frutos no verão; e,
Quando o outono chegava, eu colhia os frutos
Numa bandeja de prata para o

Pasto do andarilho da rua; e todos os
Que passavam partilhavam com gosto
E continuavam a andar.

E quando o outono passava e afogava
A alegria no lamento e no gemido,
Eu olhava para a bandeja e lá havia apenas
Um fruto; eu o tomava e o provava,
Mas era amargo como fel
E azedo como uvas verdes; e eu dizia para
Mim mesmo: "Ai de mim. Coloquei uma
Maldição na boca das pessoas e uma
Moléstia em seus corpos. O que fizeste,
Minha alma, com a doce seiva que
As tuas raízes sugaram da terra e com
A fragrância que atraíste do céu?".
Na raiva, cortei a árvore velha
E forte da minha alma junto a cada uma
Das raízes persistentes, das profundezas
Da terra.

Arranquei-a do passado pelas raízes e retirei
Delas as lembranças de milhares de
Primaveras e milhares de outonos, e
Plantei a árvore da minha alma em outro
Lugar. Ela está agora em um campo distante
Da senda do tempo; e vigiei-a dia
E noite, dizendo para mim: "A vigília
Levá-nos-a para perto das estrelas".
Reguei-a com sangue e lágrimas, falando:
"Há certo sabor no sangue e uma doçura
Nas lágrimas". Quando a primavera voltou,
Minha árvore refloresceu e, no verão,
Frutificou; quando o outono chegou, colhi
Os frutos todos numa bandeja de prata e
Ofereci nas ruas; as pessoas passavam,
Mas não desejavam meus frutos.

Depois, peguei um fruto e levei-o à
Boca, e era doce como o favo de mel,
Estimulante como o vinho da Babilônia
E perfumado como o jasmim. E eu gritei
Dizendo: "O povo não quer uma
Bênção na boca, nem uma verdade no
Coração, porque a Bênção é filha
Das lágrimas e a verdade é filha do sangue!".

Deixei a cidade ruidosa para me sentar à sombra
Da árvore solitária da minha alma, num
Campo afastado do caminho da vida.

Silêncio, coração, até que a aurora chegue;
Cala-te e assiste à minha história.
Ontem, meus pensamentos eram um barco que navegava
No meio das ondas no mar e se movia
Com os ventos de uma terra para outra.
Em meu barco nada havia, a não ser sete
Frascos com as cores do arco-íris; e chegou
A hora em que me cansei de vagar
Sobre a face do mar e disse a
Mim mesmo: "Voltarei com o barco
Vazio dos meus pensamentos para o porto da
ilha onde nasci".

E preparei-me pintando meu barco de amarelo,
Como o pôr do sol, verde como o coração
Da primavera, azul como o céu e vermelho
como a anêmona. E, nos mastros e no leme,
Desenhei estranhas figuras que
Chamavam a atenção e deslumbravam o olhar.
Ao terminar a tarefa, o barco dos meus pensamentos
Parecia uma visão profética navegando entre
Os dois infinitos: o mar e o firmamento.

Entrei no porto da ilha onde
Nasci e as pessoas vieram encontrar-me
Cantando e sorrindo.
A multidão convidou-me para entrar na cidade;
Tocava seus instrumentos
E soava seus tambores.

Davam-me as boas-vindas porque meu barco
Era deslumbrante, mas ninguém entrou
E viu o interior do barco
Dos meus pensamentos, sequer perguntou
O que eu trazia de além dos mares; sequer
Observou que eu tinha o barco vazio,
Pois seu brilho deixou a todos cegos.
Por isso, disse para a mim:
"Deixei o povo sem esperanças, e com os
Sete jarros de cor enganei os olhos dele".

Depois disso, subi ao barco dos
Meus pensamentos e voltei a navegar.
Visitei as ilhas do Oriente e juntei
Mirra, incenso e sândalo, e coloquei-os
Em meu barco...
Naveguei pelas ilhas do Ocidente e trouxe marfim, rubi e
Esmeralda, e muitas gemas raras...
Naveguei pelas ilhas do Sul e voltei com
Belas armaduras, espadas reluzentes,
Lanças e toda espécie de armas... Enchi
O barco dos meus pensamentos com as coisas
Mais sortidas e preciosas da Terra,
E retornei ao porto da ilha onde nasci,
Dizendo: "As pessoas devem glorificar-me
Novamente, mas com honestidade, e
Deverão convidar-me a entrar na
Cidade, mas com merecimento".

Mas quando cheguei ao porto, ninguém
Veio receber-me... Caminhei pelas ruas
Da minha glória passada, mas ninguém olhava
Para mim... Parei no mercado
Propagando às pessoas os tesouros
Do meu barco, mas zombaram de mim
E não me deram atenção.
Voltei ao porto abatido, confuso e decepcionado.
E quando vislumbrei meu barco, observei
Algo que não havia visto durante minha
Viagem, e falei: "As ondas do mar
Lavaram as cores e as figuras do meu barco,
E ele parece um esqueleto". Os ventos e
Os respingos, juntamente à insolação
Esmaeceram o brilho e meu barco parecia
Vestido de farrapos imundos. Isso não
Enxerguei, pois, em meio aos meus tesouros,
Estava cego por dentro.

Eu havia recolhido as coisas mais preciosas
Da terra e as colocado num baú flutuante
Sobre a face das águas e voltei para
Meu povo, mas eles me ignoraram e
Não podiam olhar para mim, pois seus olhos

Foram seduzidos por objetos brilhantes
E vazios.

Naquele momento, abandonei o barco dos
Meus pensamentos, fui para a Cidade dos Mortos
E sentei-me entre os túmulos enfeitados
Para contemplar os seus segredos.

Silêncio, coração, até que chegue a aurora.
Silêncio, pois o barulho da tempestade zomba
Dos teus íntimos sussurros e as cavernas

Dos vales não ecoam a vibração das
Tuas cordas.

Silêncio, coração, até que chegue a aurora,
Pois quem espera com paciência a chegada
Da aurora será abraçado ansiosamente
Pela maré da manhã.

A manhã está chegando. Fala se puderes,
Coração. Eis aí a procissão da
Maré da manhã... Por que não falas?
O silêncio da noite não te deixou
Um canto na profundeza de teu ser
Para que pudesses encontrar a aurora?

Eis aí a revoada de pombas e de
Rouxinóis que se movem na parte mais afastada
Do vale. És capaz de voar
Com os pássaros, ou a noite terrível
Enfraqueceu-te as asas? Os pastores
Tiraram as ovelhas dos apriscos; por acaso
O fantasma da noite deixou-te alguma força
Para que pudesses segui-los até as
Verdes pradarias? Os jovens
Caminham graciosamente ao longo dos
Vinhedos. Serias capaz de erguer-te
E caminhar com eles? Ergue-te, coração, e
Caminha com a aurora, pois a noite passou
E o medo do escuro desapareceu com
Seus negros sonhos, terríveis pensamentos
E viagens insanas.

Ergue-te, coração, e levanta tua voz com
Música, pois quem não reparte a manhã
Com as canções é um dos filhos da eterna
Escuridão.

Os segredos do coração

Um majestoso palácio abrigava-se sob as asas da noite silenciosa enquanto a vida abrigava-se sob o manto da morte. Dentro do palácio, uma donzela sentava-se a uma escrivaninha de marfim; levava a linda cabeça curvada à sua mão macia, como um lírio que, murchando, dobra-se sobre as próprias pétalas. Olhou em volta, sentindo-se como uma prisioneira miserável, tentando desesperadamente penetrar nas paredes da masmorra com o olhar para ver a vida seguindo a procissão da Liberdade.

As horas passavam como os espíritos da noite, como uma procissão da qual se elevava o cântico lisonjeiro da sua dor, e a donzela sentia-se segura entre as lágrimas derramadas na solidão torturante. Quando já não conseguiu suportar o peso do sofrimento e se sentiu completamente na posse dos segredos mais preciosos do seu coração, pegou o cálamo e, misturando lágrimas com a tinta no pergaminho, escreveu:

"Minha amada irmã,

"Quando o coração transborda de segredos, os olhos começam a arder com lágrimas de fogo e as costelas estão à beira de rebentar — porque o coração já não suporta estar aprisionado nelas —, ninguém pode encontrar uma expressão para esse labirinto a não ser quem tem urgência de liberdade.

"Os aflitos sentem alguma alegria em reclamar, os amantes encontram conforto e compaixão nos sonhos e os oprimidos alegram-se em receber simpatia.

Escrevo-te agora porque me sinto como uma poetisa que imagina a beleza das coisas e, guiada por um poder divino, exprime em verso a impressão que recebe dela... Sou como a filha de uma pobre mulher esfomeada, chorando porque quer comer, impelida pela intensidade da fome, desatenta à condição desesperada da sua pobre e miserável mãe, derrotada pela vida.

"Ouve a minha dolorosa história, querida irmã, e chora comigo, pois os soluços são como uma oração e as lágrimas de compaixão são como um gesto de caridade, pois vêm de uma alma viva, sensível e boa e não são derramadas em vão. Foi pela vontade do meu pai que me casei com um homem nobre e rico. Como a maioria dos homens ricos, as únicas alegrias do meu pai na vida eram aumentar a riqueza dele acrescentando mais ouro aos seus cofres, por medo da pobreza, e combinar nobreza com magnificência, prevenindo-se contra a chegada de dias piores... Agora, com todo o meu amor e todos os meus sonhos, encontro-me uma vítima num altar de ouro que odeio e com honras herdadas que desprezo.

"Respeito meu marido porque ele é generoso e bom para todos; ele esforça-se por me fazer feliz e gasta o seu ouro para agradar ao meu coração, mas me apercebi de que todas essas coisas não valem um único momento de amor verdadeiro e divino. Não te rias de mim, minha irmã, pois agora conheço verdadeiramente as necessidades do coração de uma mulher, aquele coração palpitante que é como um pássaro voando no vasto céu do amor... É como um vaso cheio do vinho dos tempos, feito para ser bebido pelas almas... É como um livro em cujas páginas são lidos os capítulos da felicidade e da infelicidade, da alegria e da tristeza, do riso e do pranto. Ninguém pode ler esse livro a não ser o verdadeiro companheiro, a outra metade da mulher, criada para ela desde a aurora do mundo.

"Sim, agora sei melhor do que qualquer outra mulher o propósito da alma e a intenção do coração, pois descobri que os meus esplêndidos cavalos, as minhas belas carruagens, os meus cintilantes cofres cheios de ouro e a minha sublime nobreza não valem um único olhar daquele pobre jovem que espera pacientemente e sofre as dores da tristeza e da infelicidade... Aquele jovem oprimido pela vontade cruel do meu pai e aprisionado na estreita e triste cela da vida...

"Por favor, minha querida, não tentes consolar-me, pois o meu maior consolo é a desgraça que me permitiu compreender a força do meu amor. Agora, em lágrimas, espero ansiosamente a chegada da morte para que me leve ao lugar onde encontrarei o companheiro da minha alma e o abraçarei como o fiz antes de entrarmos neste mundo estranho.

"Não penses mal de mim, pois cumpro o meu dever como esposa devotada e mantenho-me discreta e pacientemente fiel às leis e às regras dos homens. Honro o meu marido, respeito-o com o meu coração e reverencio-o com a minha alma, mas há algo em mim que lhe é negado, pois Deus concedeu parte de mim ao meu amado mesmo antes de conhecê-lo. O Céu quis que eu passasse a vida com um homem que não foi destinado a mim; por isso, desperdiço os meus dias em silêncio, segundo a vontade do Céu, mas se as portas da eternidade não se abrirem, permanecerei com a maravilhosa metade da minha alma e voltar-me-ei para o passado, e esse passado é o presente... Olharei para a vida como a primavera olha para o inverno e contemplarei os obstáculos da vida como alguém que subiu pelo caminho acidentado até ao cume da montanha".

Nesse momento, a donzela deixou de escrever, cobriu o rosto com as mãos e pôs-se a chorar amargamente. Seu coração recusou-se a confiar seus segredos mais sagrados ao cálamo, mas recorreu a lágrimas secas, que rapidamente se dispersaram, misturando-se com o éter sutil, o refúgio das almas dos amantes e a essência das flores. Após um momento, tornou a pegar no cálamo e acrescentou:

"Lembra-te daquele jovem? Lembra-te da luz que emanava dos olhos dele e dos sinais de infelicidade no rosto dele? Não te lembras daquele rosto que revelou as lágrimas de uma mãe, arrancadas do seu único filho? Consegues lembrar-te daquela voz serena que ecoava num vale distante? Lembra-te dele a meditar e a olhar com longanimidade e calma para os objetos e a falar deles em termos estranhos, e, depois, baixar a cabeça e suspirar como se tivesse medo de revelar os segredos do seu grande coração? Lembra-te dos sonhos dele e das coisas em que ele acreditava? Consegues reunir todas essas coisas num jovem que a humanidade conta entre seus filhos e que meu pai via com ar de superioridade porque esse jovem estava acima da ganância mundana e era mais nobre do que a grandeza hereditária?

"Sabes, minha querida irmã, que sou um mártir neste mundo mesquinho e uma vítima da ignorância. Serás solidária com uma irmã que se senta no silêncio da noite terrível dando rédea solta aos seus sentimentos mais íntimos e revelando-te os segredos do coração? Estou certa de que me compreenderás, pois sei que o amor já visitou teu coração".

A madrugada chegou e a donzela rendeu-se ao sono, na esperança de encontrar sonhos mais doces do que aqueles que tinha encontrado durante as suas horas de vigília...

Meus conterrâneos

O que buscais, meus conterrâneos?
Desejais que eu construa para vós
Palácios deslumbrantes, decorados
Com palavras vazias, ou
Templos cobertos de sonhos? Ou
Mandais que eu destrua o que
Mentirosos e os tiranos construíram?
Deveria eu desarraigar com os dedos
O que hipócritas e iníquos
Plantaram? Contai-me vosso insano
Desejo!

O que pretendeis que eu faça,
Meus conterrâneos? Devo ronronar como
Um gatinho para vos satisfazer, ou rugir
Como o leão para meu próprio prazer?
Cantei para vós, mas não dançastes;
Chorei perante vós, mas não chorastes.
Devo cantar e chorar ao mesmo tempo?

Vossas almas sofrem das dores da fome
E, no entanto, o fruto do conhecimento
É mais abundante do que as
Pedras dos vales.
Vossos corações definham de sede
E, no entanto, as fontes da vida
Correm ao lado de vossas casas.
Por que não bebeis? O mar tem
Fluxo e refluxo, a Lua tem crescentes e minguantes,
As épocas têm seus invernos e verões
E todas as coisas variam como a sombra
De um Deus que ainda não nasceu e
Que se move entre a Terra e o Sol.
Mas a verdade não pode ser mudada nem passará;
Por que razão, então, tentais
Desfigurar o teu semblante?

Chamei-vos no silêncio da noite
Para apontar a glória da Lua e a dignidade
Das estrelas, mas vos assustastes
No sono e agarrastes as vossas
Espadas com medo, gritando:
"Onde está o inimigo? Temos de matá-lo primeiro!".
Ao amanhecer, quando o inimigo chegou,
Chamei-vos de novo, mas não despertastes
Do sono, pois estáveis
Encerrados no medo, lutando com
As procissões dos espectros de
Vossos sonhos.

E eu vos disse: "Subamos ao
Alto da montanha para ver a
Beleza do mundo". E vós me respondestes: "Nas profundezas
Deste vale viveram nossos pais,
Na sombra dele morreram e nas
Cavernas do vale foram sepultados. Como

Podemos deixar este lugar por outro que
Eles não honraram?".

E eu vos disse: "Desçamos
À planície que entrega a beleza dela
Ao mar". E me dissestes timidamente:
"O tumulto do abismo assustará
Nossos espíritos e o terror das profundezas
Matará os nossos corpos".

Eu vos amei, meus conterrâneos, mas
Meu amor por vós é doloroso para mim
E inútil para vós; e hoje vos odeio,
E o ódio é um dilúvio
Que arrasta as folhas secas
E deixa as casas arruinadas.

Tenho pena da vossa fraqueza, meus
Conterrâneos, mas a minha piedade não fez
Senão aumentar a vossa fraqueza,
Exaltando e alimentando a preguiça, que é
Inútil para a vida. E hoje vejo
A vossa enfermidade, que a minha alma abomina
E teme.

Chorei pela vossa humilhação
E submissão; e minhas lágrimas correram
Cristalinas, mas não puderam afastar
A vossa fraqueza estagnada; no entanto
Tiraram-me o véu dos olhos.

Minhas lágrimas nunca chegaram aos
Vossos corações petrificados, mas limparam
A escuridão do meu ser interior.
Hoje, zombo do vosso sofrimento,
Pois o riso é um trovão enfurecido que

Precede a tempestade e nunca ruge
Depois dela.

O que desejais, meus Conterrâneos?
Desejais que vos mostre
O fantasma do vosso semblante sobre
A face da água parada? Vinde,
Agora, e vede como sois horríveis!

Olhai e meditai! O medo deixou
Vossos cabelos grisalhos,
A dissipação marcou vossos
Olhos e transformou-os em buracos negros,
A covardia tocou-vos nas faces, que agora
Aparecem como fossos sombrios no Vale,
E a morte beijou-vos os lábios
E deixou-os amarelos
Quando o outono partiu.

O que buscais, meus Conterrâneos?
O que vos pede a vida
Que já não vos conta
Entre os teus filhos?

Vossas almas estão geladas nas
Garras dos sacerdotes e feiticeiros,
Vossos corpos tremem sob as patas dos
Déspotas e os derramadores de sangue,
E o vosso país treme sob os pés do
Inimigo conquistador; o que podeis esperar
Mesmo estando orgulhosos perante a face do
Sol? Vossas espadas estão cobertas
De ferrugem, vossas lanças estão partidas
E os vossos escudos, perfurados; por que, então,
Continuais de pé no campo de batalha?

A hipocrisia é a vossa religião,
A falsidade é a vossa vida e
O nada é o vosso fim; por que, então,
Continuais a viver? Não é
A morte o único conforto dos
Miseráveis?

A vida é uma resolução que
Acompanha a juventude, uma diligência
Que segue a maturidade e uma
Sabedoria que persegue a senilidade; mas
Vós, meus Conterrâneos, nascestes velhos
E fracos. As vossas peles enrugaram
E as vossas cabeças encolheram, pelo que
Vos tornastes crianças, correndo para o
Lodaçal e lançando pedras
Umas sobre as outras.

O conhecimento é uma luz que enriquece
O calor da vida, e todos os que o
Procuram podem desfrutar dele; mas vós,
Meus Conterrâneos, buscais as trevas
E fugis da luz, esperando que a
Rocha verta água; e a
Miséria da vossa nação é o vosso
Crime... Não vos perdoo dos
Vossos pecados, pois sabeis o que
São feitos vossos.

A humanidade é um rio brilhante
Cantando pelo caminho e levando consigo
Os segredos das montanhas para
O coração do mar; mas vós,
Meus conterrâneos, sois pântanos
Estagnados, infestados de insetos
E de víboras.

O Espírito é uma tocha azul e sagrada,
Queimando e devorando
As plantas secas, crescendo
Com a tempestade e iluminando
As faces das deusas; mas vós,
Meus Conterrâneos… As vossas almas
São como cinzas que os ventos dispersam
Sobre a neve e que as
Tempestades espalham para sempre
Nos vales.

Não temais o fantasma da morte,
Meus Conterrâneos, pois a grandeza
E a misericórdia deles recusam-se a aproximar-se da
Vossa pequenez; e não temais a
Adaga, porque ela se recusará a alojar-se em
Vossos corações vazios.

Eu vos odeio, meus Conterrâneos, porque
Odiais a glória e a grandeza.
Desprezo-vos porque desprezais
A vós próprios. Eu sou vosso inimigo porque
Vós vos recusais a perceber que sois
Os inimigos das deusas.

Yuhanna, o louco

I

Nos verões, Yuhanna saía todas as manhãs para o campo conduzindo seus bois e bezerros e carregando um arado nos ombros enquanto ouvia o canto dos tordos e o murmúrio das folhas nas árvores. Ao meio-dia, ele se sentava ao lado do ribeiro dançante que cortava as terras baixas dos prados verdes. Naquele lugar, tomava a refeição, deixando migalhas de pão na relva para os pássaros. À noite, quando o Sol poente levava consigo a luz do dia, Yuhanna voltava para sua humilde morada defronte às aldeias e aos vilarejos do norte do Líbano. Sentava-se junto aos pais idosos e escutava em silêncio a conversa e os comentários que faziam sobre os acontecimentos do dia. E, aos poucos, o sono e o cansaço tomavam conta dele.

Durante o inverno, ele se agachava junto à lareira para se aquecer e ouvir o sussurro do vento e o grito dos elementos, e pensava em como as estações se sucediam umas às outras. Ele olhava pela janela em direção aos vales cobertos de neve e às árvores despidas de folhas, como se fossem uma multidão de indigentes deixados ao relento, à mercê do frio rigoroso e dos ventos fustigantes. Durante as longas noites, ficava acordado até que seus pais dormissem. Então abria uma arca de madeira e tirava dela o livro dos Evangelhos para lê-lo em segredo ao brilho fraco de uma lâmpada, olhando furtivamente de vez em quando para o pai, que o havia proibido de lê-lo.

Os sacerdotes proibiam as pessoas simples de investigar os segredos dos ensinamentos de Jesus. Se elas o fizessem, a Igreja excomungá-las-ia. Assim Yuhanna passou os dias da juventude, entre o campo de belezas maravilhosas e o livro de Jesus, repleto de luz e espírito. Sempre que seu pai falava, ele permanecia em silêncio, ouvindo-o, mas sem dizer uma palavra sequer. Muitas vezes, sentava-se com os companheiros de sua idade, quieto e com o olhar distante, olhando para onde o crepúsculo da noite encontrava o azul do céu. Quando ia à igreja, voltava com um sentimento de tristeza porque os ensinamentos que ele ouvia do púlpito e do altar não eram os mesmos que lia nos Evangelhos. E a vida levada pelos fiéis e seus chefes não era igual à vida de Jesus de Nazaré e ao que era narrado no livro Dele.

A primavera voltava aos campos e aos prados, e a neve derretia. No topo das montanhas ainda restava um pouco de neve que, por fim, derretia e corria pelas encostas das montanhas, transformando-se em arroios sinuosos que corriam pelos vales e se juntavam formando os rios de corredeira, cujo rugido anunciava a todos que a Natureza despertara. As macieiras e as nogueiras floresciam e o álamo e o salgueiro estavam carregados de folhas novas. Nos montes, brotavam a relva e as flores.

Yuhanna estava cansado daquela vida ao redor da fogueira; os bezerros se inquietavam no pequeno aprisco em que estavam e sentiam fome dos pastos verdes, pois a ração de cevada e palha estava quase terminando. Então, Yuhanna os soltou e os levou para o campo. Carregava consigo a Bíblia sob um manto para que ninguém a visse, até chegar ao prado que descansava sobre o vale, perto dos campos de um mosteiro que se levantava como uma torre em meio às colinas. Ali, seus bezerros se dispersaram para pastar na grama. Yuhanna sentou-se apoiado numa rocha e via o vale em toda sua beleza enquanto lia as palavras do livro que lhe falavam do Reino dos Céus.

Era um dia próximo ao final da Quaresma, quando os aldeões, que se abstinham de comer carne, esperavam impacientemente a chegada da Páscoa. Mas Yuhanna, como todos os camponeses pobres, não sabia a diferença entre dias de jejum e dias de festa. Para ele, a própria vida era um longo dia de jejum. Sua comida nunca foi mais do que o pão amassado com o suor do rosto e frutas compradas com muito sacrifício. Para ele, a abstenção de carne e alimentos ricos era natural. O jejum não lhe trazia a fome do corpo, mas a fome do espírito, pois o fazia lembrar-se da tristeza do Filho do Homem e do fim da vida Dele na Terra.

Ao redor de Yuhanna, os pássaros se agitavam, chamando uns aos outros, e os bandos de pombas voavam rapidamente por cima dele. As flores balançavam suavemente à brisa, banhando-se nos raios quentes do Sol. Ele lia o livro, concentrado, e, de vez em quando, erguia a cabeça para ver o domo das igrejas dos vilarejos espalhados pelo vale e ouvir os sinos. Fechou os olhos e deixou o espírito viajar pelos séculos até a antiga Jerusalém, para acompanhar os passos de Jesus nas ruas, perguntando aos passantes sobre Ele. Eles responderam e disseram:

— Aqui, Ele curou o cego e fez o paralítico andar. Ali, eles fizeram para Ele uma coroa de espinhos e a colocaram na cabeça dele. Nesta rua, Ele parou e se dirigiu à multidão falando por meio de parábolas. Neste lugar, amarraram-no a um poste e lhe cuspiram no rosto, e O fustigaram. Nesta rua, Ele perdoou os pecados da meretriz. Mais adiante, Ele caiu ao chão sob o peso da cruz.

Passavam as horas e Yuhanna sofria pela agonia do corpo do Homem-Deus, e se exaltava com Ele em espírito. Quando Yuhanna se levantou, o Sol estava a pino. Ele olhou em volta e procurou seus bezerros por toda parte, perplexo por terem desaparecido naqueles pastos planos. E quando chegou ao caminho que cortava os campos como as linhas da palma de sua mão, viu um homem de preto parado ao longe, no meio dos jardins. Ele se apressou a encontrá-lo e, ao se aproximar, viu que era um dos monges do mosteiro. Yuhanna curvou a cabeça, cumprimentou o monge e perguntou se ele tinha visto seus bezerros nos jardins.

O monge, tentando esconder a raiva, olhou para Yuhanna e respondeu de forma ríspida:

— Sim, eu os vi, eles estão ali. Vem e tu os verás.

Yuhanna seguiu o monge até eles chegarem ao mosteiro. Lá, ele viu os bezerros amarrados por cordas dentro de um curral e guardados por outro monge, que tinha nas mãos um cajado grosso com o qual fustigava os bezerros sempre que se moviam. Quando Yuhanna tentou resgatá-los, o monge o agarrou pelo manto e, virando-se na direção da porta do mosteiro, gritou em voz alta:

— Aqui está o pastorinho culpado! Eu o peguei.

Diante daquele grito, os sacerdotes e os monges acorreram de todas as direções, conduzidos por seu superior, um homem que se distinguia dos companheiros pelo traje de fino material e pelo olhar severo. Eles cercaram Yuhanna como soldados que se juntam após o saque. Yuhanna olhou para o superior e com uma voz suave disse:

— O que fiz para me chamar de criminoso e por que me prendeu?

O superior respondeu-lhe com uma voz ríspida:

— Tu levaste teus bezerros para pastar em terras do mosteiro e ele morderam e mastigaram nossas videiras. Nós os apreendemos porque o pastor é responsável pelos danos causados por seu rebanho.

O rosto do sacerdote se tornava cada vez mais severo enquanto falava. Em seguida, Yuhanna falou, suplicando:

— Padre, eles não passam de criaturas sem inteligência, e eu sou um homem pobre e não possuo nada, exceto a força do meu braço e esses animais. Deixai-me levá-los embora e prometo não voltar mais a estes prados.

O padre superior deu um passo adiante, levantou a mão em direção ao céu e falou:

— Deus nos colocou neste lugar e nos confiou a guarda desta terra, a terra de Seu escolhido, o grande Elias. Dia e noite, nós a guardamos com todas as nossas forças, pois é terra santa; aqueles que se aproximarem dela serão consumidos pelo fogo. Se te recusares a prestar contas ao mosteiro, a própria erva se transformará em veneno no estômago de teus animais. Não há escapatória para ti, pois manteremos os bezerros aqui em nosso recinto até que nos pagues.

O superior estava prestes a partir quando Yuhanna o chamou e disse em voz de súplica:

— Eu vos rogo, meu senhor, pelos dias santos em que Jesus sofreu e Maria chorou de tristeza, que me deixai ir com meus bezerros. Não endureçais o vosso coração contra mim. Eu sou pobre e o mosteiro é rico e poderoso. Ele certamente me perdoará pelo erro e terá compaixão do meu pai, que já está velhinho e depende de mim.

O superior olhou para ele com desdém e disse:

— O mosteiro não te perdoará, nem sequer por um grão, estúpido. Não importa se és rico ou pobre. Quem és tu para me falar das coisas sagradas? Nós, apenas nós, conhecemos os segredos dos mistérios ocultos. Para retirar os bezerros daqui terás de pagar a soma de três denários para nos indenizar por aquilo que eles consumiram.

Yuhanna, então, falou com a voz trêmula:

— Eu não tenho nada, padre. Nada mesmo. Tende pena de mim e da minha pobreza.

O superior acariciou a barba grossa e disse:

— Então, vai e vende parte de tuas terras e volta com os três denários. Não é melhor para ti entrar no Céu sem que tenhas terras do que atrair a ira de Elias com essa discussão sem fim diante de seu altar, e descer ao Inferno, onde tudo é fogo eterno?

Yuhanna permaneceu em silêncio por um tempo. Então em seus olhos brilhou uma luz e suas feições se expandiram de alegria. Sua atitude mudou, transformando a súplica em força e determinação. Quando ele falou, foi com uma voz em que havia a sabedoria e a perseverança da juventude:

— Devem os pobres vender os campos que lhes dão o pão e manter sua existência para encher ainda mais os cofres do mosteiro, pesados de ouro e prata? É justo que os pobres sejam ainda mais pobres e que os miseráveis morram de fome para que o grande Elias possa perdoar os pecados dos animais famintos?

O superior sacudiu a cabeça com arrogância.

— Jesus, o Cristo, disse: "Porque a todo o que tem será dado, e terá abundância; mas ao que nada tem, até o que tem lhe será tirado".

Ao ouvir essas palavras, o coração de Yuhanna bateu mais forte no peito, e o espírito do menino elevou-se em estatura. Era como se a terra estivesse se desenvolvendo aos seus pés. Ele tirou do bolso sua Bíblia como um guerreiro que saca da espada para se defender, e gritou:

— É dessa forma que zombais dos ensinamentos deste livro, hipócritas, e usais do que é mais sagrado na vida para difundir o mal?! Ai de vós quando o Filho do Homem vier uma segunda vez e deitar em ruínas o vosso mosteiro e espalhar suas pedras pelo vale e queimar com fogo vossos altares e imagens! Ai de vós pelo sangue inocente de Jesus e pelas lágrimas de Sua mãe, pois eles vos esmagarão e vos levarão até as profundezas do abismo! Ai de vós, que vos prostrastes diante dos ídolos de vossa ganância e ocultastes sob vosso traje negro a negrura de vossos gestos! Ai de vós, que moveis os lábios em oração enquanto vossos corações são duros como pedra; que vos humilhais diante do altar enquanto vossas almas se rebelam contra o vosso Deus! Com vossos corações endurecidos me trouxestes aqui e me agarrastes como um transgressor em nome de um pequeno pedaço de pasto que o Sol nutriu igualmente para todos. Quando vos rogo em nome de Jesus e vos conjuro nos dias de dor e tristeza Dele, zombais de mim como alguém que fala na ignorância. Tomai, então, este livro, examinai-o e mostrai-me em que momento Jesus deixou de perdoar. Lede esta tragédia divina e dizei-me onde Ele fala sem misericórdia e compaixão. Foi no Sermão da Montanha ou nos ensinamentos no templo diante dos perseguidores da meretriz miserável, ou sobre o Gólgota, quando Ele abriu os braços na cruz para abraçar toda a humanidade? Olhai para baixo, ó vós, de corações endurecidos; olhai para essas pobres cidades e aldeias em cujas habitações os doentes padecem em agonia sobre os leitos em agonia, em cujas prisões os infelizes passam os dias em desespero, em cujos portões mendigam os miseráveis, em cujas estradas o estrangeiro dorme e em cujos cemitérios as viúvas e os órfãos choram. Mas aqui viveis confortavelmente no ócio e na preguiça, desfrutando da renda dos campos e das uvas da videira. Por acaso visitais os doentes e os presos, alimentais os famintos ou dais refúgio ao forasteiro ou conforto aos que sofrem? Não vos contentais com o que tendes e com o que saqueastes dos nossos antepassados? Estendeis as mãos como a víbora estende a cabeça, para roubar da viúva o trabalho de suas mãos e do camponês o que guarda para a velhice.

Yuhanna parou de falar para que pudesse recuperar o fôlego. Em seguida continuou, com a cabeça erguida e com a voz gentil:

— Sois muitos e eu, apenas um. Fazei como quiserdes. A ovelha pode ser presa dos lobos na calada da noite, mas o sangue dela manchará as pedras do vale até que venha a aurora e o brilho do Sol.

Assim falou Yuhanna, e sua voz tinha a força da inspiração; uma força que manteve os monges imóveis e fez com que a raiva e a ira crescessem dentro deles. Eles tremeram de raiva e rangeram os dentes como leões famintos, esperando um sinal do chefe para que caíssem sobre o jovem e o desfizessem em pedaços. Assim permaneceram até que Yuhanna parasse de falar e ficasse em silêncio, como a calmaria que se segue a uma tempestade capaz de quebrar os galhos mais altos das árvores e as plantas mais fortes. Então o superior, cheio de raiva, gritou:

— Prendam esse miserável pecador! Tirem o livro dele e o metam numa cela escura! Os que maldizem o escolhido do Senhor não devem ser perdoados, nem aqui, nem no além!

Os monges caíram sobre Yuhanna como leões sobre a presa. Amarraram-lhe os braços e o levaram para uma pequena cela. E, antes que fechassem a porta, machucaram-no com golpes e pontapés.

Naquele lugar escuro permaneceu Yuhanna, o vencedor, a quem a fortuna entregou ao inimigo como cativo. Por uma pequena abertura na parede ele olhou para o vale que repousava à luz do Sol. Seu rosto se iluminou e seu espírito sentiu o abraço da resignação divina; uma doce quietude apoderou-se dele. A cela estreita lhe aprisionava o corpo, mas seu espírito estava livre para vagar com a brisa entre os prados e as ruínas. As mãos dos monges haviam machucado seus membros, mas não haviam tocado seus sentimentos mais profundos; neles, ele sentia-se seguro na companhia de Jesus Nazareno. A perseguição não causa dano ao homem justo; tampouco a opressão destrói aquele que está do lado da verdade. Sócrates bebeu cicuta sorrindo, Paulo se regozijava enquanto era lapidado. Quando nos opomos à consciência oculta, ela nos faz mal. Quando nós a traímos, ela nos julga.

Os pais de Yuhanna souberam o que acontecera com seu único filho. Sua mãe foi até o mosteiro caminhando com a ajuda de um bastão e atirou-se aos pés do superior. Ela chorou e beijou-lhe as mãos, suplicando para que ele tivesse piedade do filho dela e perdoasse a ignorância dele. O superior levantou os olhos para o céu como se estivesse acima dos problemas do mundo e disse à mulher:

— Podemos perdoar a brincadeira de seu filho e mostrar tolerância para com as tolices dele, mas o mosteiro possui direitos sagrados que devem ser respeitados. Em nossa humildade, perdoamos as transgressões dos homens, mas o grande Elias não perdoa quem profana seus vinhedos e os que levam seus rebanhos a pastar na terra dele.

A mãe olhou para o padre enquanto as lágrimas lhe corriam pelas bochechas velhas e murchas. Ela tirou um colarzinho de prata que tinha em torno do pescoço, colocou-o na mão dele e disse:

— Eu não tenho nada a não ser este colarzinho, padre. Foi um presente de minha mãe no dia do meu casamento. O mosteiro o aceitará como uma expiação pela culpa de meu único filho?

O superior pegou o colar, colocou-o no bolso e se dirigiu à mãe enquanto ela beijava as mãos dele em sinal de gratidão:

— Ai desta geração, em que os versículos do livro sagrado tomam o sentido contrário, os filhos se alimentam de uvas verdes e os dentes dos pais já não mordem! Vai agora, boa mulher, e reza por teu filho tolo, para que o Céu o cure e lhe devolva a razão.

Yuhanna saiu da cela e caminhou lentamente à frente de seus bezerros e ao lado da mãe, que se apoiava no cajado devido ao peso da idade. Quando chegou à cabana, colocou os bezerros no aprisco e sentou-se à janela em silêncio, olhando para a luz do dia que se desvanecia. Algum tempo depois, ouviu o pai sussurrar estas palavras ao ouvido da mãe:

— Muitas vezes eu te disse, Sara, que nosso filho é fraco da cabeça, mas tu nunca concordaste com isso. Agora não mais me contradirás, pois as atitudes dele justificam as minhas palavras. O que o reverendo pai te disse hoje, eu tenho dito há anos.

Yuhanna permaneceu olhando para o Oeste, onde os raios do Sol poente davam cor às nuvens pesadas.

II

Era Páscoa, e o jejum dava lugar ao banquete. A nova igreja estava concluída; ela se erguia em meio às casas de Besharry, alta como o palácio de um príncipe entre as habitações humildes dos súditos. O povo se juntou à espera do bispo, que viria para dedicar o santuário e consagrar os altares. Quando perceberam que a hora estava próxima, foram recebê-lo em procissão. Ele entrou com eles na aldeia em meio ao canto de louvor dos jovens e o canto solene dos sacerdotes, entre o toque dos címbalos e o tilintar dos sinos. Quando o bispo desmontou do cavalo, que estava adornado com uma sela enfeitada e uma rédea de prata, foi recebido pelos religiosos e por pessoas notáveis com pompa, palavras solenes e cantos litúrgicos. Ao chegar à nova igreja, ele foi investido com um manto sacerdotal bordado de ouro e uma coroa incrustada de joias. Em seguida, recebeu o báculo, de rico entalhe e decorado com pedras preciosas. Percorreu a igreja, cantando e rezando junto aos sacerdotes, em meio ao fumo do incenso perfumado que subia ao ar e das chamas cintilantes de muitas velas.

Naquela hora, Yuhanna estava entre os pastores e os camponeses numa plataforma elevada e observava aquele espetáculo com os olhos entristecidos. Suspirou com amargura ao ver, de um lado, roupas de seda e vasos de ouro, turíbulos e lâmpadas de prata, e, de outro, a multidão de pobres e miseráveis que vinham das pequenas aldeias e vilarejos para participar das festividades e da cerimônia de consagração. De um lado, o poder, trajado de veludos e cetins; do outro, a miséria, em farrapos e andrajos. Ali, a riqueza e o poder personificavam a religião com seus cantos e liturgias; ali, um povo fraco, humilde e pobre, divertia-se com os mistérios da Ressurreição.

Do fundo daqueles corações partidos brotavam uma reza silenciosa e sussurros que flutuavam no éter. Ali, os chefes e os notáveis a quem o poder deu vida, como a vida cheia dos ciprestes viçosos. Ali, os camponeses submissos, cuja existência era como um barco cujo capitão era a morte, cujo leme foi partido pelas ondas e cujas velas foram rasgadas pelos ventos, ora subindo, ora afundando entre a ira do abismo e o terror da tormenta. Ali, a tirania opressora, a obediência cega. Qual deles é pai para o outro? Acaso a tirania é uma árvore forte que só viceja em terreno baixo? E a submissão, um campo abandonado no qual só crescem espinhos?

Yuhanna ocupava o pensamento com essas reflexões dolorosas e torturantes. Apertou os braços contra o peito como se estivesse sem ar, com medo de que o peito se rasgasse para soltar a respiração. E assim ele ficou até ao final da cerimônia de consagração, quando todos se dispersaram e seguiram seus caminhos.

Logo, ele começou a sentir como se houvesse um espírito no ar exortando-o a levantar-se e a falar em seu nome; e, na multidão, um poder que o impelia a pregar diante do céu e da terra.

Ele foi até o final da plataforma e, levantando os olhos, fez um sinal com a mão para o céu. Com uma voz potente que chamou a atenção de todos, ele gritou:

— Olha, ó Jesus, Homem de Nazaré, que estás sentado no círculo de luz nas alturas. Olha, da cúpula azul do céu para esta terra, cujos elementos usaste ontem como manto. Olha para nós, ó fiel lavrador, pois os espinhos do matagal estrangularam as flores, a cujas sementes deste vida com o suor do Teu rosto. Olha, ó bom Pastor, pois o cordeiro fraco que carregavas em Teus ombros foi despedaçado pelas feras selvagens. Teu sangue inocente foi tragado pela terra e Tuas lágrimas ardentes secaram no coração dos homens. O calor do Teu sopro dispersou-se nos ventos do deserto. Este campo santificado por Teus pés se tornou um campo de batalha, onde os pés dos fortes esmagam as costelas dos miseráveis, onde as mãos dos opressores afogam os espíritos dos fracos. Os perseguidos gritam da escuridão e aqueles que se sentam nos tronos a Ti consagrados não prestam atenção ao clamor dos aflitos. Nem o pranto dos enlutados é ouvido por aqueles que pregam Tuas palavras nos púlpitos. O cordeiro que enviaste como mensageiro do Senhor tornou-se uma besta furiosa que fez em pedaços o cordeiro que levaste nos braços. A palavra de vida que nos trouxeste do coração de Deus encontra-se oculta nas páginas dos livros, e no lugar dela ouvimos um grito de terror que impõe o medo e o pavor em todos os corações. Essas pessoas, ó Jesus, levantam templos e tabernáculos para a glória do Teu nome e os adornam com tecidos de seda e ouro fundido. Deixam nus os corpos dos pobres ao relento, mas enchem o ar com o fumo do incenso e das velas. Aqueles que acreditam na Tua divindade tiveram o pão roubado. E embora o ar ecoe os Teus salmos e hinos, não se ouvem o grito do órfão e o lamento da viúva. Vem então, ó Jesus, uma segunda vez, e expulsa do templo aqueles que negociam a religião, pois fizeram dela um ninho de víboras por meio da astúcia e da fraude. Vem, e julga esses Césares que tiram dos fracos o que é deles e de Deus. Contempla as vinhas que Tua mão direita plantou. Os vermes devoram os rebentos e as uvas são esmagadas inutilmente. Considera aqueles sobre os quais trouxeste a paz e vede como estão divididos, como lutam entre si. Nossas almas perturbadas e nossos corações oprimidos se tornaram vítimas de guerras. Nos dias de festa e nos dias santos, os sacerdotes levantam as vozes dizendo glória a Deus nas alturas, paz na Terra e alegria a todos os homens. Pode teu Pai celestial ser glorificado quando lábios corruptos e línguas mentirosas proferem Seu nome? Existe paz na Terra quando os filhos da dor labutam nos campos e padecem à luz do Sol para alimentar a boca dos fortes e encher a barriga dos tiranos? Existe alegria entre os homens quando os miseráveis olham para a morte com os mesmos olhos que os vencidos olham para o seu libertador? O que é a paz, ó doce Jesus? Está nos olhos da criança, no seio da mãe faminta nas habitações frias e escuras? No corpo do necessitado que dorme em cama de pedra desejando o alimento que nunca recebe, mas que é atirado pelos padres aos seus porcos cevados? O que é a alegria, ó Jesus? Existe alegria quando um príncipe pode comprar a força dos homens e a honra das mulheres por algumas moedas de prata? Estaria ela nos escravos silenciosos de corpo e de alma que ficam deslumbrados com a pompa das ordens religiosas, com as pedras dos anéis e a seda das vestes sacerdotais? Existe alguma alegria nos gritos dos oprimidos quando os tiranos caem sobre eles com a espada e esmagam os corpos de suas mulheres e filhos com os cascos dos cavalos, nutrindo a terra com sangue? Estende a Tua mão forte, ó Jesus, e nos salva, pois a mão do opressor pesa sobre nós. Ou dai-nos a morte para que ela nos leve à sepultura, onde repousaremos em paz até a Tua segunda vinda, seguros à sombra da Tua cruz. Pois, em verdade, nossa vida é apenas escuridão, onde habitam espíritos malignos; um vale onde serpentes e dragões se divertem. O que são os nossos dias, senão espadas afiadas ocultas pela noite em nossas cobertas de cama e reveladas pela luz da manhã que paira sobre nossas cabeças sempre que o amor à existência nos conduz aos campos? Tem piedade, ó Jesus, dessas multidões unidas em Teu nome no dia da Ressurreição. Tem compaixão da nossa fraqueza e da nossa humildade.

Assim falou Yuhanna, olhando para o céu enquanto as pessoas o rodeavam. Alguns aprovaram suas palavras e o elogiaram; outros irritaram-se e o insultaram. Um deles gritou:

— Ele está certo e fala por nós perante o Céu, pois somos oprimidos!
Outro disse:
— Ele está possuído e fala com a língua de um espírito do mal.
Outro, ainda, falou:
— Nossos padres nunca nos disseram tamanhas tolices. Não será agora que vamos ouvi-las.
E outro sussurrou no ouvido do vizinho:
— Ao ouvir o que ele dizia, senti um tremor terrível dentro de mim, que me abalou o coração, pois ele falou com um poder estranho.
O amigo respondeu:
— Assim foi. Mas nossos padres sabem mais desses assuntos do que nós. É errado duvidar deles.

Gritos vinham de todas as partes e cresciam como o barulho das ondas do mar, que se espalha e se perde no éter. Então apareceu um padre, agarrou Yuhanna e o entregou à polícia, que o levou até o palácio do governador. Quando o interrogaram, ele não disse nada, pois se lembrou de que Jesus ficou em silêncio diante de seus acusadores. Então jogaram-no numa cela escura na prisão e, ali, ele dormiu, encostado na parede de pedra.

Na manhã do dia seguinte, o pai de Yuhanna foi testemunhar diante do governador sobre a loucura do filho.

— Meu senhor — disse ele —, muitas vezes ouvia meu filho falar sozinho de coisas estranhas que não existem. Toda noite, ele falava no silêncio palavras desconhecidas, invocando as sombras das trevas com uma voz terrível, como um feiticeiro invocando feitiços. Pergunte aos rapazes do bairro que costumavam andar com ele. Eles sabem que a cabeça do meu filho vivia no mundo do além. Quando falavam com ele, quase nunca respondia. Quando respondia, as palavras dele eram confusas e fora do assunto. Pergunte o senhor à mãe dele, pois ela, mais do que ninguém, conhece a alma desvairada do filho. Muitas vezes, ela via o menino olhando para o horizonte com os olhos vidrados, e o ouvia falar com gosto das árvores, dos córregos, das flores e das estrelas, do mesmo jeito que as crianças falam de suas besteiras. Pergunte aos monges do mosteiro, com quem ele brigou ontem, caçoando da bondade deles e fazendo pouco caso do modo de vida sagrado. Ele é louco, meu senhor, mas para a mãe dele e para mim, ele é um menino bom. Ele nos sustenta na velhice e provê nossas necessidades com o suor do rosto. Tenha misericórdia, senhor, e perdoa, em nome dos pais, as loucuras dele.

Yuhanna foi libertado e a história de sua loucura se espalhou pelo mundo. Os jovens falavam dele com zombaria. Já as moças o olhavam com olhos tristes e diziam:

— O Céu é responsável por muito daquilo que é estranho nos homens. Nesse rapaz, a beleza se junta à loucura e a luz de seus lindos olhos se une à escuridão de uma alma doente.

Entre as pradarias e as montanhas, cobertas de flores e plantas, Yuhanna sentou-se junto aos bezerros, fugindo da violência e da rixa dos homens pelos bons pastos. Ele olhou com os olhos cheios de lágrimas para as aldeias e os vilarejos que se espalham sobre os ombros do vale e, suspirando profundamente, repetiu estas palavras:

— Sois muitos e eu, apenas um. Dizei o que tiverdes de dizer de mim e fazei comigo o que quiserdes. A ovelha pode ser presa dos lobos na calada da noite, mas o sangue dela manchará as pedras do vale até que venha a aurora e o brilho do Sol.

A encantadora Húri

Aonde me levas, ó Húri encantadora?
Por quanto tempo terei de seguir-te
Por esta estrada íngreme e espinhosa?
Por quanto tempo mais as nossas almas
Doloridas devem subir e descer por este sinuoso
E rochoso caminho?

Como um filho que segue a mãe, eu
Sigo-te, segurando a bainha
Da tua saia, sem lembrar-me de meus sonhos
E absorto pela tua beleza; meus olhos, enfeitiçados,
Estão cegos, para que eu não veja a
Procissão de espectros que paira sobre
A minha cabeça, e uma força
Secreta e irresistível me atrai para ti.
Permita-me contemplar por um momento
O teu semblante; olha para mim por um
Instante; talvez eu compreenda os segredos do teu
Coração através de teus olhos estranhos.
Para e sossega; estou cansado,

E minha alma treme de medo
Nesta terrível senda. Para, pois
Chegamos àquela terrível encruzilhada
Onde a morte abraça a vida.

Ó Húri, ouve-me! Eu era tão livre
Quanto as aves e explorei os vales
E florestas e voei através do vasto
Céu. À noite, eu pousava nos
Ramos das árvores, meditando nos
Templos e palácios da cidade das
Nuvens variegadas que o Sol ergue
Pela manhã e destrói antes do
Crepúsculo.

Eu era como um pensamento, caminhando sozinho
E em paz para o Oriente e para o Ocidente do
Universo, desfrutando da
Beleza e das alegrias da vida, e investigando
O maravilhoso mistério da
Existência.

Eu era como um sonho, saindo furtivo
Sob as asas acolhedoras da noite,
Penetrando pelas janelas fechadas
Nas câmaras das donzelas, assanhando e
Despertando as suas esperanças... Então
Sentei-me com os jovens e perturbei os seus
Desejos... Então explorei os lares dos
Velhos e penetrei seus pensamentos
De serena satisfação.

Então capturaste a minha imaginação, e desde
Aquele momento hipnótico sinto-me
Um prisioneiro a arrastar suas correntes,
Forçado a entrar num lugar desconhecido...

Fiquei intoxicado pelo teu doce
Vinho, que me privou da vontade, e
Agora vejo meus lábios beijar a mão
Que me bate com violência. Não consegues
Ver, com os olhos da tua alma,
Meu coração despedaçar-se? Para um
Instante! Estou recuperando a força
E livrando meus pés cansados
Do peso das correntes. Eu quebrei
A taça em que provei teu
Delicioso veneno... Mas, agora, encontro-me
Numa terra estranha e desorientado.
Que caminho devo seguir?

Recuperei a liberdade; aceitar-me-ás
Voluntariamente como companheiro?
Alguém que olha para o Sol com
Os olhos vidrados e agarra o
Fogo com dedos firmes?

Livrei minhas asas e estou
Pronto para voar. Seguirás
Um jovem que passa os dias a vagar
Pelas montanhas como uma águia solitária
E desperdiça as noites errando pelos
Desertos como um leão inquieto?

Contentar-te-ás com o
Afeto de alguém que considera o amor
Apenas um hóspede e se recusa
A aceitá-lo como anfitrião?

Aceitarás um coração que ama,
Mas que nunca se submete? Que arde, mas que
Nunca derrete? Sentir-te-ás à vontade
Com uma alma que treme antes da

Tempestade, mas nunca se rende a ela?
Aceitarás por companheiro
Aquele que não faz escravos nem nunca se
Escraviza? Aceitarás ter-me sem possuir-me,
Tomando meu corpo, mas não o coração?

Então, eis aqui a minha mão: segura-a nas
Tuas lindas mãos; eis também o meu
Corpo: segura-o em teus braços carinhosos.
E eis os meus lábios: põe sobre eles
Um beijo profundo e estonteante.

Por trás das vestes

Raquel acordou à meia-noite e olhou com atenção para algo invisível no teto de sua câmara. Ela ouviu uma voz que era mais relaxante do que o murmúrio da vida e mais triste do que o chamado lúgubre do abismo; mais suave do que o toque de asas brancas e mais profunda do que a mensagem das ondas... Nela, vibravam esperança e vaidade, alegria e tristeza, afeição à vida, mas também o desejo da morte. Então Raquel fechou os olhos, suspirou profundamente e disse, arfando: "O amanhecer chegou à beira do vale. Devíamos ir ao encontro do Sol". Os seus lábios semicerrados pareciam ecoar o sofrimento de uma ferida profunda na alma.

Nesse momento, o padre aproximou-se da cama e pegou-lhe na mão, mas percebeu que estava fria como a neve. E, quando colocou os dedos sobre o coração dela, apercebeu-se de que estava tão parado como os séculos e tão silencioso como os segredos do seu próprio coração.

O reverendo padre curvou a cabeça em profundo desespero. Os lábios dele tremeram, como se quisessem pronunciar uma palavra divina, repetida pelos fantasmas da noite nos distantes vales desertos.

Depois de cruzar os braços dela sobre o peito, o padre voltou os olhos para um homem que se sentava num canto escuro da sala e, com uma voz suave e de lamento, disse:

— Tua amada alcançou o grande círculo de luz. Vem, meu irmão, ajoelhemo-nos e rezemos.

O marido, perturbado, levantou a cabeça. Tinha o olhar fixo no invisível; depois, sua expressão mudou, como se visse compreensão no fantasma de um Deus desconhecido. Recompôs-se, caminhou reverentemente para o leito da esposa e ajoelhou-se ao lado do padre, que rezava e se lamentava, persignando-se.

O padre pousou a mão no ombro do marido enlutado e disse baixinho:

— Vai para o quarto ao lado, irmão, pois necessitas de repouso.

O marido levantou-se obedientemente, foi para o quarto e deitou o corpo exausto numa cama estreita. Alguns instantes depois, já navegava no mundo do sono, como uma criança que encontra refúgio nos braços piedosos da mãe afetuosa.

O padre permanecia imóvel como uma estátua, no centro da sala, pressionado por um estranho conflito. Com os olhos cheios de lágrimas, olhou primeiro para o corpo frio da jovem mulher e, depois, através da cortina que separava os dois cômodos, para o marido dela, que havia se rendido à sedução do sono. Uma hora, mais longa do que um século e mais terrível do que a morte, se passara, e o padre ainda estava lá, entre duas almas separadas. Uma sonhava como o campo sonha com a chegada da primavera depois da tragédia do inverno; a outra estava imersa no descanso eterno.

Então o sacerdote aproximou-se do corpo da jovem e ajoelhou-se como em adoração diante do altar; pegou a mão fria da moça, levou-a aos lábios trêmulos e olhou para o rosto dela, adornado com o véu suave da morte. A voz do padre era, ao mesmo tempo, calma como a noite, profunda como o abismo e incerta como as esperanças do homem. E, chorando, disse:

— Ó Raquel, noiva da minha alma, ouve-me! Posso finalmente falar contigo! A morte abriu-me os lábios, por isso agora posso revelar-te um segredo mais profundo do que a própria vida. A dor soltou-me a língua, e posso revelar-te o meu sofrimento, mais doloroso do que a dor. Ouve o grito da minha alma, ó Espírito Puro, que paira entre a terra e o firmamento. Dá ouvidos a um jovem que aguardava a tua chegada dos campos, que a observava por detrás das árvores, assombrado pela tua beleza. Ouve este sacerdote a serviço de Deus, que te chama sem pejo, agora que chegaste à Cidade de Deus. Provei a força do amor ao ocultá-lo.

Depois de ter desnudado a própria alma, o padre inclinou-se e imprimiu na testa, nos olhos e na garganta da moça três longos beijos, quentes e mudos, despejando todos os segredos do amor e da dor que encerrava no coração, bem como a angústia acumulada ao longo dos anos. Depois, de repente, retirou-se para o canto escuro e caiu no chão, angustiado, tremendo como uma folha de outono, como se o contato com o rosto gelado da moça tivesse despertado nele o espírito do arrependimento. Então ele se recompôs e ajoelhou; escondeu o rosto nas mãos e sussurrou suavemente:

— Deus... Perdoa o meu pecado. Perdoa a minha fraqueza, Senhor. Não pude mais esconder aquilo que Tu bem sabes. Durante sete anos mantive longe das palavras os segredos profundos que estavam ocultos em meu coração, até que a morte veio e os arrebatou de mim. Ajuda-me, ó Deus, a esconder essa terrível e maravilhosa lembrança, que a vida transforma em doçura e Tu transformas em amargura. Perdoa-me, meu Senhor, e perdoa a minha fraqueza.

Sem olhar para o cadáver da jovem, ele continuou a sofrer e a lamentar-se, até que o amanhecer veio espalhar um véu rosado sobre aquelas duas figuras imóveis e revelar a uma o conflito entre o amor e a religião e, à outra, a paz da vida e da morte.

Meu povo está morto
(escrita no exílio durante a penúria na Síria)

"Primeira Grande Guerra"

Meu povo está morto, mas eu existo,
E choro por ele na solidão...
Os mortos são meus amigos, e a
Morte deles é um grande infortúnio
Para minha vida.

As colinas do meu país inundam-se
De lágrimas e sangue, porque o meu povo e
Meus amores se foram, mas eu permaneci,
Ainda vivo como quando meu povo e meus
Amores gozavam a vida e seu esplendor
E quando as colinas do meu país
Eram inundadas pela luz do Sol
E por ela abençoadas.

Meu povo morreu de fome, e aqueles que
Não foram abatidos por ela,
Abateu-os a espada. Mas eu estou aqui,
Nesta terra distante, errando
Em meio a pessoas felizes que dormem
Em leitos macios e sorriem para os dias,
Enquanto os dias lhes devolvem o sorriso.

Uma morte dolorosa e infame abateu meu povo,
Mas eu continuo vivo, em paz e em
Abundância... É uma tragédia imensa
Que se repete sempre no palco do meu
Coração; poucos se atreveriam a testemunhar esse
Drama, pois o meu povo é como aves de
Asas partidas, abandonadas pelo bando.

Se eu tivesse fome e vivesse junto ao meu
Povo faminto, e se eu fosse perseguido com
Meus compatriotas opressos, o fardo
Dos dias sombrios seria mais leve
Para os meus sonhos perturbados e a
Escuridão da noite seria menos
Profunda diante dos meus olhos vazios, do
Meu coração taciturno e da minha alma ferida.
Pois aquele que sofre a dor e o
Tormento de seu povo receberá o
Supremo conforto que só o sacrifício do
Sofrimento pode dar. E sentir-se-á em
Paz consigo mesmo quando morrer
Inocente ao lado de seus semelhantes inocentes.

Mas não vivo junto ao meu povo faminto, ao
Meu povo perseguido, que marcha
Na procissão da morte em direção ao
Martírio... Estou aqui, além do
Vasto mar, vivendo à sombra da
Serenidade e sob o esplendor da
Paz... Estou longe da deplorável
Arena e dos aflitos, e de nada me
Orgulho, nem sequer de minhas próprias
Lágrimas.

O que pode um filho no exílio fazer por seu
Povo faminto, e que valor

Pode ter para esse povo o lamento de um
Poeta ausente?

Se eu fosse um talo de trigo na terra
Do meu país, meus grãos afastariam
A mão da morte da alma da criança faminta
Que me colhesse. Se eu fosse
Uma fruta madura na terra do meu
País, seria o sustento da mulher faminta.
Se eu fosse um pássaro a voar no céu do meu país,
Meu faminto irmão me caçaria e
Afastaria, graças à minha carne,
A sombra da sepultura de seu corpo.
Mas eu não sou um talo de trigo
Que cresce nas planícies da Síria nem
Um fruto maduro dos vales do Líbano.
Essa é a minha desgraça, essa é a minha
Calamidade muda, que me humilha
Perante a minha alma e perante os espíritos
Da noite... Essa é a dolorosa
Tragédia que me prende a língua,
Amarra-me os braços e me paralisa,
Privando-me da força, da vontade e da ação.
Essa é a maldição que queima sobre
Minha cabeça perante Deus e o homem.

A gente costuma dizer-me:
"A ruína do vosso país não é
Nada diante das desgraças do
Mundo, e as lágrimas e o sangue derramado
Por vosso povo não são nada
Diante dos rios de sangue e lágrimas
Que correm dia e noite nos
Vales e nas planícies da Terra...".

Sim, mas a morte do meu povo é
Uma acusação silenciosa; é um crime

Concebido na cabeça de serpentes
Invisíveis... É uma tragédia sem
Música nem cena... E se o meu
Povo morresse ao rebelar-se contra déspotas
E tiranos, eu teria dito: "Morrer pela
Liberdade é mais nobre do que viver
À sombra da submissão doentia, pois
Aquele que morre empunhando a espada
Da Verdade será eternizado ao lado
Da Verdade Eterna, pois a vida
É mais fraca do que a morte e a morte
É mais fraca do que a Verdade.

Se a minha nação tivesse participado da guerra
De todas as nações e perecido no
Campo de batalha, eu diria que
A fúria da tempestade havia quebrado,
Com seu poder, os ramos verdes; e
Que uma morte violenta sob o dossel da
Tempestade é mais nobre do que a lenta
Agonia nos braços da senilidade.
Mas ninguém escapou ao aperto dessas
Mandíbulas. O meu povo caiu
E soluçou ao lado dos anjos que choram.

Se um terremoto tivesse destruído meu
País e a terra engolido meu povo,
Eu teria dito: "Uma lei grande e
Misteriosa foi aplicada pela
Vontade de um poder divino,
E seria loucura para nós,
Frágeis mortais, investigar
Os seus segredos profundos...".
Mas meu povo não morreu como rebelde,
Não pereceu no campo de
Batalha. Tampouco o terremoto
Destruiu o meu país e subjugou meu povo.

A morte foi a sua única salvação,
E a fome, seu único proveito.
Meu povo morreu na cruz...
Morreu com as mãos
Estendidas para o Levante e o Poente,
Com os olhos fixos na escuridão do
Firmamento... Morreu em silêncio,
Porque a humanidade não escutou
Os gritos dele. Morreu porque
Não tratou seus inimigos como amigos.
Morreu porque amava o
Próximo. Morreu porque
Tinha fé em toda a humanidade.
Morreu porque não
Oprimiu os opressores. Morreu
Porque era a flor esmagada e
Não o tacão que esmaga.
Morreu porque era o portador da
Paz. Morreu de fome
Numa terra rica em leite e mel.
Morreu porque os monstros do
Inferno se levantaram, destruíram tudo
O que seus campos produziram e devoraram
As últimas provisões de seus celeiros...
Morreu porque as víboras e os
Filhotes de serpentes cuspiram veneno no
Local onde os cedros sagrados,
As rosas e o jasmim exalam
Seu perfume.

Meu povo e o teu povo, irmão Sírio,
Estão mortos... O que se pode
Fazer pelos que estão morrendo? Nossos
Lamentos não saciarão a fome
Deles, e as nossas lágrimas não lhes saciarão
A sede. O que podemos fazer para protegê-los
Das garras de aço da

Fome? Meu irmão, a bondade
Que te impele a dar uma parte da
Tua vida a qualquer homem que esteja em
Perigo de perder a vida é a única
Virtude que te torna digno da
Luz do dia e da paz da
Noite... Lembra-te, meu irmão,
De que a moeda que pões na
Mão franzina que te implora

É uma corrente dourada e única que
Liga o teu coração abastado ao
Coração afetuoso de Deus...

A violeta ambiciosa

Era uma vez, uma linda e perfumada violeta que vivia serenamente entre seus amigos, balançando alegremente entre as outras flores num jardim solitário. Certa manhã, com a sua coroa adornada de pérolas de orvalho, levantou a pequena cabeça e olhou em volta. Ela viu uma rosa, alta e bela, erguendo-se orgulhosamente em direção ao céu como uma tocha ardente sobre uma lâmpada esmeralda.

A violeta abriu os lábios azuis e disse:

— Como sou infeliz no meio dessas flores e como é humilde a posição que ocupo diante delas! A natureza me fez pequena e insignificante... Vivo tão perto da terra que não consigo levantar a cabeça para o céu azul nem virar o rosto para o Sol como fazem as rosas.

Mas a rosa, ao ouvir as palavras da sua vizinha, riu-se e comentou:

— Que estranho o que dizes! Tens sorte, mas não consegues compreender a tua boa fortuna. A natureza deu-te perfume e beleza como a nenhuma outra flor... Deixa de lado esses pensamentos, alegra-te e lembra de que o humilde será exaltado e o orgulhoso será esmagado.

A violeta respondeu:

— Tu me consolas porque já tens aquilo que eu anseio... Tentas exacerbar-me dizendo que és grande... Como é dolorosa a pregação do afortunado para o coração do infeliz! E como é austero o forte quando se apresenta como conselheiro para os fracos!

A Natureza ouviu a conversa da violeta com a rosa. Ela aproximou-se e disse:

— O que te aconteceu, Violeta, minha filha? Em todos os teus gestos e palavras, eras humilde e amável. Talvez a ganância tenha dominado o teu coração e turvado a tua mente...

A violeta respondeu-lhe com uma voz suplicante:

— Ó grande e misericordiosa Mãe, cheia de amor e compaixão, rogo-te de todo o coração e do fundo da alma que concedas o meu pedido e me permitas ser uma rosa, por apenas um dia que seja.

E a Natureza respondeu:

— Tu não sabes o que me pedes. Não compreendes o infortúnio que está por detrás dessa tua cega ambição. Se te transformares numa rosa, arrepender--te-ás e de nada adiantará o teu arrependimento.

A violeta insistiu:

— Transforma-me numa rosa alta. Quero erguer a cabeça com orgulho. E não te preocupes com o meu destino, isso será assunto meu.

A Natureza cedeu e disse:

— Ó violeta ignorante e rebelde, atenderei o teu pedido. Mas se algo de mau te acontecer, deverás queixar-te a ti própria.

A Natureza estendeu seus dedos misteriosos e mágicos até tocar as raízes da violeta, que se transformou numa rosa alta e passou a destacar-se acima de todas as outras flores do jardim.

À noite, nuvens negras juntaram-se no céu. A fúria dos elementos passou a perturbar o silêncio da existência com trovões e a agressão ao jardim começou, com chuva violenta e fortes ventos. A tempestade quebrou ramos, arrancou plantas e partiu o caule das flores mais altas, poupando apenas as pequenas que cresciam perto do solo acolhedor. Aquele jardim solitário sofreu muito devido ao clima beligerante; e, quando a tempestade abrandou e o céu clareou, todas as flores estavam destruídas. Nenhuma delas se salvou da fúria da Natureza, exceto um pequeno grupo de violetas, escondidas atrás do muro do jardim.

Levantando a cabeça para contemplar a tragédia das flores e das árvores, uma das jovens violetas sorriu alegremente e gritou para suas companheiras:

— Vede o que a tempestade fez às flores altas!

— Somos pequenas e vivemos perto da terra, mas estamos seguras contra a ira dos céus — disse outra violeta.

E uma terceira:

— Por causa disso a tempestade não foi capaz de nos vencer.

Nesse momento, a rainha das violetas viu, ao seu lado, a violeta que se tinha tornado uma rosa atirada ao chão pela tempestade e desfigurada como um soldado abatido no campo de batalha. A rainha das violetas levantou a cabeça e gritou para a sua família:

— Vede, minhas filhas, e ponderai o que a ganância fez à violeta que quis transformar-se durante uma hora numa rosa altiva. Que essa cena sirva para que vós nunca vos esqueçais da sorte que tendes.

Então a rosa moribunda moveu-se, reunindo as forças que lhe restavam, e disse serenamente:

— Sois umas tolas satisfeitas e submissas. Nunca temi a tempestade. Ontem também me senti satisfeita e realizada pela vida, mas a satisfação agiu como uma barreira entre a minha existência e a tempestade da vida, confinando-me a uma fraca e indolente tranquilidade de espírito. Poderia viver a mesma vida que vós, agora, agarrando-me covardemente a terra... Poderia ter esperado o inverno para me cobrir de neve e me entregar à morte, que certamente colherá todas as violetas... Agora, porém, estou feliz porque explorei o mistério do Universo para além dos confins do meu pequeno mundo... O que vós ainda não fizestes. Eu poderia ter olhado para baixo, para a cupidez, cuja natureza é superior à minha, mas ao ouvir o silêncio da noite, ouvi o mundo celestial dizer a este mundo terreno: "A ambição que vai para além da existência é o propósito fundamental do nosso ser". Naquele momento, o meu espírito elevou-se e o meu coração começou a ansiar por uma posição mais elevada do que a minha limitada existência. Percebi que o abismo não pode ouvir o canto das estrelas e, então, comecei a lutar contra a minha mesquinhez e a implorar por aquilo que não me pertencia, até que a minha rebelião se transformou num grande poder e o meu desejo numa vontade criativa... A Natureza, que é o objeto dos nossos sonhos mais íntimos, acedeu ao meu pedido e transformou-me, com os seus dedos mágicos, numa rosa.

A rosa calou-se por um momento, depois, numa voz cada vez mais tênue, misturada com orgulho e realização, disse:

— Vivi durante uma hora como uma rosa altiva. Vivi durante algum tempo como uma rainha. Olhei o universo através dos olhos de uma rosa. Ouvi o murmúrio do firmamento através dos ouvidos da rosa e toquei as dobras da roupa de luz com as minhas pétalas. Mais alguém aqui se pode gabar de tamanha honra?

Depois, reclinou a cabeça e, com uma voz sufocada, falou, ofegante:

— Agora posso morrer, pois a minha alma cumpriu o seu propósito. Finalmente, estendi os meus conhecimentos a um mundo além da estreita caverna em que nasci. Esse é o propósito da vida... Esse é o segredo da existência.

Em seguida, a rosa estremeceu, dobrou lentamente as pétalas e deu seu último suspiro com um sorriso divino nos lábios... Um sorriso de contentamento, de esperança e de confiança na vida... Um sorriso de vitória... Um sorriso divino.

O crucificado
(*escrito numa Sexta-feira Santa*)

Hoje, como todos os anos neste mesmo dia, os homens despertam de um sono profundo e ficam diante dos fantasmas das Eras, e olham com os olhos cheios de lágrimas para o Monte Calvário para testemunhar a crucificação de Jesus Nazareno... Mas quando o dia acaba e chega a noite, eles voltam a ajoelhar-se em oração perante os ídolos erigidos em cada monte, em cada pradaria e em cada campo de trigo.

Hoje, as almas cristãs voam nas asas da memória para Jerusalém, onde se reúnem em massa para baterem no peito e olhar para Jesus, que usa uma coroa de espinhos na cabeça e estende os braços para o céu; e por trás do véu da morte olha para as profundezas da vida...

Mas quando a cortina da noite cai no palco do dia e o curto drama termina, os cristãos retornam em grupo para casa e dormem à sombra do esquecimento, em meio às cobertas da ignorância e da indolência.

Todos os anos, neste dia, os filósofos deixam suas cavernas escuras; os pensadores, as suas celas frias; os poetas, as suas árvores imaginárias, e todos, naquela montanha silenciosa, erguem-se reverentemente para ouvir a voz de um jovem que diz sobre os seus assassinos: "Pai, perdoa-lhes, porque eles não sabem o que fazem".

Porém à medida que o silêncio escuro afoga as vozes da luz, os filósofos e os pensadores regressam aos seus estreitos abrigos e envolvem as suas almas em insignificantes folhas de pergaminho.

Hoje, as mulheres, ocupadas no esplendor da vida, erguer-se-ão das suas almofadas para verem a mulher de luto aos pés da cruz, como um tenro arbusto fustigado pela fúria da tempestade; e ao aproximarem-se dela, ouvirão um profundo gemido de luto.

Hoje, os jovens que seguem a torrente da civilização moderna farão uma pausa por um momento e voltarão o olhar para ver a jovem Madalena lavar com lágrimas as manchas de sangue dos pés do Santo Homem suspenso entre o Céu e a terra; e quando esses olhares vazios se cansarem da cena, irão embora e em breve voltarão a sorrir.

Todos os anos, neste dia, toda a humanidade acorda juntamente à primavera e chora aos pés do Nazareno sofredor; depois, fecha os olhos e cai num sono profundo. Mas a primavera continuará desperta, sorrindo e prosseguindo até fundir-se com o verão, enfeitada com roupas douradas e perfumadas. A humanidade é como uma presa que gosta de chorar pelas memórias e pelos heróis que se sucederam ao longo dos séculos... Se a humanidade fosse capaz de compreender, regozijar-se-ia com a glória deles. A humanidade é como uma criança de pé, alegre ao lado de um animal ferido. A humanidade ri-se da torrente que se torna cada vez mais impetuosa, leva os ramos secos das árvores para o oblívio e varre tudo o que não está firmemente arraigado a algo.

A humanidade considera Jesus Nazareno um homem que nasceu pobre, sofreu a miséria e a humilhação, juntamente a todas as pessoas fracas. Ela tem pena dele porque acredita que a sua crucificação foi dolorosa... Mas a humanidade não sabe oferecer-lhe nada mais do que lágrimas, lamentos e súplicas. Há séculos a humanidade reverencia a fraqueza na pessoa do Salvador.

O Nazareno não era fraco! Ele era forte e ainda é! Mas as pessoas recusam-se a reparar no verdadeiro significado da força.

Jesus nunca viveu uma vida de medo nem morreu sofrendo ou se queixando... Ele viveu como um chefe, foi crucificado como um cruzado e, ao morrer, mostrou um heroísmo que assustou seus próprios assassinos e algozes.

Jesus não era um pássaro com as asas partidas; era uma tempestade violenta que partiu todas as asas deformadas. Ele não temia seus perseguidores nem seus inimigos. Ele não sofreu diante de seus algozes. Era livre, bravo e corajoso. Ele desafiou todos os déspotas e opressores. Ele viu as pústulas contagiosas e extirpou-as... Enfraqueceu o mal, esmagou a falsidade e sufocou a traição.

Jesus não veio do coração do círculo da luz para destruir casas e construir conventos e mosteiros sobre os escombros. Não convenceu o homem forte a tornar-se monge ou sacerdote. Ele veio para trazer um novo espírito a esta terra, capaz de quebrar os alicerces de qualquer monarquia construída sobre ossos e crânios humanos... Veio para demolir os palácios majestosos construídos sobre os túmulos dos fracos e estilhaçar os ídolos erigidos sobre os corpos dos pobres. Jesus não foi enviado aqui para ensinar as pessoas a construir igrejas e templos esplêndidos no meio de cabanas frias e esquálidas e sombrias choupanas... Ele veio para fazer do coração humano um templo, da alma um altar e da mente um sacerdote.

Essa era a missão de Jesus Nazareno e esses foram os ensinamentos que o levaram à cruz. E se a Humanidade fosse sábia, erguer-se-ia hoje para cantar vigorosamente o cântico da conquista e o hino do triunfo.

Ó Jesus crucificado, que assiste dolorosamente do Monte Calvário à triste procissão das Eras, ouve o clamor das nações das trevas e compreende os sonhos da eternidade... Possuis, na Cruz, mais glória e mais dignidade do que mil reis sentados em mil tronos, em mil impérios...

Tu és, na agonia da morte, mais poderoso que mil generais em mil guerras. Apesar da tua aflição, és mais alegre do que a primavera com as suas flores...

Apesar do teu sofrimento, és mais corajoso, no silêncio, do que os anjos que choram no céu.

Perante aqueles que te açoitam, és mais resoluto do que a montanha rochosa...

A tua coroa de espinhos é mais brilhante e sublime do que a coroa de Vararanes... Os pregos que perfuram tuas mãos são mais belos que o cetro de Jove...

O sangue que escorre de teus pés é mais resplandecente do que o colar de Astarte.

Perdoa os fracos que choram hoje por ti, pois eles não sabem como lamentar...

Perdoa-lhes, pois eles não sabem que, por meio da morte, tu conquistaste a morte e restituíste a vida aos mortos...

Perdoa-lhes, porque não sabem que a tua força ainda os espera... Perdoa-lhes, porque não sabem que todos os dias é o teu dia.

A noite de festa

A noite tinha caído e a escuridão envolvia a cidade e as luzes brilhavam nos edifícios, nas cabanas e nas lojas. A multidão, vestida com trajes festivos, enchia as ruas e os sinais de celebração e contentamento apareciam no rosto das pessoas.

Preferi evitar o clamor da multidão e caminhei sozinho, meditando sobre o Homem cuja grandeza estava sendo celebrada e refletido como o Gênio das Eras que nasceu na pobreza, viveu na virtude e morreu na cruz.

Eu ponderava sobre a tocha ardente acesa pelo Espírito Santo naquela humilde aldeia na Síria... O Espírito Santo que paira sobre todas as eras e permeia uma civilização após outra com a sua verdade.

Quando cheguei a um jardim público, sentei-me num banco e comecei a olhar através das árvores nuas em direção às ruas apinhadas de gente; eu ouvia os hinos e as canções do festival.

Após uma hora de meditação profunda, olhei de lado e fiquei espantado ao encontrar um homem sentado perto de mim, traçando figuras indistintas no chão com um galho. Assustei-me, pois não o tinha visto nem ouvido aproximar-se, mas disse a mim mesmo: "Está sozinho, como eu". Depois de observá-lo bem, apercebi-me de que, apesar da sua roupa antiquada e do seu cabelo comprido, era um homem com certa dignidade, digno de atenção. Ele parecia perceber os meus pensamentos, pois me disse com uma voz profunda e calma:

— Boa noite, meu filho.

— Boa noite — respondi respeitosamente.

E ele retomou o desenho enquanto o som estranhamente suave da sua voz continuava a ecoar nos meus ouvidos. Voltei a falar com ele, dizendo:

— O senhor vem de fora?

— Sim, sou um estranho nesta cidade, como em qualquer outra — respondeu ele.

Para consolá-lo, acrescentei:

— Nesses dias de festa, um estrangeiro deve sentir-se em casa, porque as pessoas ficam amáveis e generosas.

Ele respondeu, enfastiado:

— Sou ainda mais estranho nesses dias do que em qualquer outro.

Ao dizer essas palavras, voltou o olhar para o céu limpo; seus olhos exploraram as estrelas e seus lábios tremeram, como se tivesse encontrado a imagem de um país distante no firmamento. A sua estranha declaração despertou o meu interesse, por isso, eu disse:

— Esta é a época do ano em que todos são amáveis. O homem rico lembra-se dos pobres e os poderosos têm compaixão pelos fracos.

— Sim — retorquiu o homem. — É amarga a piedade fugaz do homem rico pelo homem pobre, e a compaixão do homem poderoso pelo homem fraco nada mais é do que afirmação de superioridade.

— O teu discurso é digno — afirmei —, mas os fracos e os pobres não querem saber o que se passa no coração do homem rico, e o homem faminto nunca pensa no processo pelo qual o pão que pede é amassado e cozido.

Ele respondeu:

— Aquele que recebe não se importa, mas aquele que dá tem a responsabilidade de lembrar-se que deve fazê-lo por amor fraterno e por caridade, não por amor-próprio.

Fiquei espantado com a sabedoria que ele demonstrava e comecei a pensar novamente em sua aparência antiquada e em suas roupas estranhas. Depois, deixei de cismar e perguntei:

— Parece-me que precisas de ajuda. Aceitarás algumas moedas da minha parte?

Com um triste sorriso, ele respondeu:

— Sim, estou em necessidade desesperada, mas não de ouro e prata.

Intrigado, perguntei:

— De que necessitas, então?

— Preciso de abrigo, de um lugar onde possa descansar a minha cabeça e os meus pensamentos.

— Por favor, aceite estes dois denários e vá alojar-se em uma estalagem — insisti eu.

Ele respondeu num tom aflito:

— Tentei todas as estalagens e bati em todas as portas, mas em vão. Entrei em todas as lojas de comida, mas ninguém se preocupou em me ajudar. Sinto-me ferido, não tenho fome; estou desapontado, não estou cansado; não procuro um teto, mas um abrigo humano.

Eu disse a mim mesmo: "Que pessoa estranha! Às vezes fala como um filósofo, às vezes como um louco". Enquanto eu estava a refletir sobre esses pensamentos, o homem olhou para mim, depois baixou a voz para um tom triste e disse:

— Sim, sou um louco, mas até mesmo um louco se acha um estranho sem abrigo e um faminto sem comida, pois o coração humano está vazio.

Desculpei-me:

— Lamento pelo meu pensamento involuntário. Aceitarias a minha hospitalidade e te abrigarias na minha casa?

— Bati milhares de vezes à tua porta, como em todas as outras, mas nunca recebi uma resposta — respondeu ele em tom severo.

Agora estava convencido de que ele era realmente louco, e sugeri-lhe:

— Vamos agora. Vamos para a minha casa.

Ele levantou lentamente a cabeça e disse:

— Se te apercebesses da minha identidade, não me convidarias a ir a tua casa.

Lentamente, com certo temor, perguntei-lhe:

— Quem és tu?

Numa voz que soou como o rugido do oceano, trovejou amargamente:

— Eu sou a revolução que constrói o que as nações destroem... Eu sou a tempestade que arranca pela raiz plantas que vivem há séculos... Eu sou aquele que veio para trazer a guerra e não paz à Terra, porque o homem só se contenta com a miséria!

Depois, com lágrimas a correr-lhe pelas faces, ergueu-se, e uma auréola de luz apareceu à sua volta. Ele esticou os braços para a frente e vi marcas de pregos nas palmas de suas mãos. Imediatamente, prostrei-me diante dele e gritei:

— Ó Jesus Nazareno!

E ele, angustiado, continuou:

— As pessoas celebram em homenagem a mim, perpetuando a tradição tecida pelos séculos em torno do meu nome, mas eu sou apenas um estranho que erra pela Terra, do Oriente para o Ocidente, e ninguém me conhece. As raposas têm covis e as aves do céu, ninhos, mas o Filho do Homem não tem onde repousar a cabeça.

Nesse momento, abri os olhos, levantei a cabeça e olhei à minha volta, mas não vi nada a não ser uma coluna de fumaça à minha frente, e ouvi apenas a voz trêmula do silêncio da noite vinda dos abismos da Eternidade. Olhei novamente para a multidão cantando à distância, e uma voz dentro de mim disse: "A força que protege o coração do mal é a mesma que o impede de expandir-se até a sua grandeza interior. A canção da voz é doce, mas a do coração é a voz pura do céu".

O coveiro

No terrível silêncio da noite, enquanto todas as coisas celestiais desapareciam atrás do firme véu do espesso manto de nuvens, eu caminhava sozinho e assustado pelo Vale dos Fantasmas da Morte.

Quando chegou a meia-noite e os espectros começaram a saltar à minha volta com as suas asas horrorosas e cheias de nervuras, vi um gigantesco fantasma erguer-se diante de mim, que me fascinou com a sua palidez hipnótica. Ele disse:

— O teu medo é dobrado! Tens medo de ter medo de mim! Não podes esconder esse fato, pois és mais fraco do que a teia fina da aranha. Qual é o teu nome, mundano?

Encostei-me a uma rocha e, depois de recuperar-me daquela emoção súbita e violenta, respondi com uma voz fraca e vacilante:

— Meu nome é Abdala, que significa "escravo de Deus".

Durante alguns momentos, o fantasma permaneceu em silêncio, um silêncio assustador. Aos poucos, fui-me acostumando à aparência dele, mas fiquei novamente abalado pelos seus pensamentos e discursos bizarros, pelas suas estranhas opiniões e intenções.

Ele resmungou:

— Muitos são os escravos de Deus e muitas são as dores que eles causam a Deus. Por que teu pai não te chamou, em vez disso, de "mestre dos demônios", acrescentando mais um desastre à enorme calamidade da Terra? Se te agarras, com terror, ao pequeno círculo de dons que recebeste dos teus antepassados, tua aflição é a herança que os teus pais te deixaram e permanecerás escravo até te tornares um entre esses mortos.

— Teus talentos — continuou — são inúteis, um desperdício, e a tua vida é vazia. Nunca conheceste a verdadeira vida e nunca a conhecerás, e a tua consciência enganadora nunca se dará conta de que és um morto-vivo. Teus olhos iludidos veem pessoas que tremem diante da tempestade da vida e acreditam que estão vivas quando, na realidade, já nasceram mortas. Não há ninguém disposto a enterrá-las; portanto, um bom negócio para ti poderia ser o de um coveiro e, como tal, poderias libertar os poucos que ainda vivem entre os cadáveres que se amontoam nas casas, ruas e igrejas.

— Não posso seguir tal vocação — protestei. — Minha mulher e meus filhos precisam do meu apoio e da minha companhia.

O fantasma inclinou-se para mim, mostrando músculos que pareciam raízes de um carvalho robusto cheio de vida e energia, e gritou:

— Dá a todos uma pá e ensina-os a cavar valas! A tua vida não é mais do que a miséria negra escondida atrás de paredes pintadas de branco. Junta-te a nós, pois, nós, gênios, somos os únicos que possuímos a realidade! Cavar valas traz um benefício lento, mas seguro, fazendo desaparecer as criaturas mortas que tremem diante da tempestade e nunca caminham com ela.

Ele refletiu por um momento, depois perguntou:

— Qual é a tua religião?

— Creio em Deus e honro os profetas Dele. Amo a virtude e tenho fé na eternidade — afirmei, resoluto.

Com notável sabedoria e convicção, o gênio respondeu:

— Essas palavras vazias foram colocadas na boca dos homens pelas gerações passadas e não pelo conhecimento. Na realidade, tu só crês em ti próprio, não honras ninguém senão tu próprio e só tens fé na eternidade dos teus desejos. O homem adorou a si próprio desde o início, adotando variados títulos, até que passou a usar a palavra "Deus", mas para referir-se sempre a si próprio.

Depois, o gigante pôs-se a gargalhar e o eco da risada ecoou pelas cavernas. Depois, disse:

— Como são estranhos aqueles que adoram a si próprios enquanto a sua verdadeira existência não passa de uma carcaça terrena!

Fez uma pausa, durante a qual refleti sobre as suas palavras e sobre o sentido delas. Ele possuía um conhecimento mais estranho do que a vida, mais terrível do que a morte e mais profundo do que a verdade. Timidamente, atrevi-me:

— Tens uma religião ou um Deus?

— O meu nome é "O Deus Louco" — respondeu ele. — Nasci em todos os tempos e sou o deus de mim mesmo. Não sou sábio, pois a sabedoria é qualidade dos fracos. Eu, no entanto, sou forte e a terra move-se nas pegadas dos meus passos; quando eu paro, a procissão das estrelas para comigo. Escarneço das pessoas... Acompanho os gigantes da noite... Junto-me aos grandes reis dos gênios... Possuo os segredos da existência e da não existência.

— De manhã, blasfemo o Sol — prosseguiu ele. — Ao meio-dia, amaldiçoo a humanidade... À tarde, escondo a natureza... À noite, ajoelho-me e venero a mim mesmo. Nunca durmo, pois sou o tempo, o mar e eu próprio... Alimento-me de corpos humanos, bebo o sangue deles para saciar a minha sede e respiro através de seus últimos suspiros. Embora mintas para ti próprio, és meu irmão e vives como eu vivo. Vai-te embora, hipócrita! Rasteja de volta à terra e continua a adorar-te entre os mortos-vivos!

Afastei-me daquele vale repleto de rochas e cavernas com os sentidos narcotizados, mal acreditando no que tinha ouvido e visto. Fiquei destroçado pela dor causada por algumas das verdades que ele dissera e errei noite afora nos campos, numa contemplação lúgubre.

Arranjei uma pá e disse para mim mesmo: "Cava buracos profundos... Vai, agora, e assim que encontrares um morto-vivo, enterra-o".

Desde esse dia venho cavando sepulturas e enterrando mortos-vivos. Mas os mortos-vivos são muitos, e eu estou sozinho. Não tenho ninguém para me ajudar.

O mel com veneno

Era uma bela manhã, de um brilho estonteante, no norte do Líbano, os aldeões de Tula se reuniam à volta do pórtico da igrejinha que se encontrava em meio às suas casas. Estavam ocupados a discutir a súbita e inexplicável partida de Farris Raal, que tinha abandonado a esposa depois de seis meses de casados.

Farris Raal era o xeque e chefe da aldeia. Herdara essa alta distinção social de seus antepassados, que vinham governando Tula havia séculos.

Embora ainda não tivesse 27 anos de idade, possuía uma extraordinária habilidade e sinceridade, o que lhe valera a admiração, a veneração e o respeito de todos os felás. Quando Farris casou-se com Susana, as pessoas disseram:

— Que homem de sorte é Farris Raal! Tem tudo o que um homem pode esperar possuir para levar uma vida feliz, e é apenas um garoto!

Naquela manhã, quando os habitantes de Tula despertaram e souberam que o xeque tinha recolhido o seu ouro, montado o seu corcel e deixado a aldeia sem se despedir de ninguém, a curiosidade e a preocupação tomaram conta de todos e muitos se perguntaram o que o poderia ter induzido a abandonar a noiva, a casa, as terras e as vinhas que possuía.

Em virtude da tradição e, também, da geografia, os habitantes do norte do Líbano são muito sociáveis e dividem suas alegrias e tristezas uns com os outros, estimulados pela modéstia de espírito e por um sentimento instintivo de clã. Por ocasião de qualquer acontecimento, os aldeões se reúnem para se informar sobre ele, proporcionando toda forma de assistência possível; depois, cada um regressa para o trabalho, até que o destino lhes oferece nova oportunidade de se reunirem novamente.

Foi uma ocasião assim que levou os habitantes de Tula a abandonarem o trabalho e a reunirem-se em torno da igreja de Mar Tula — para discutirem acerca da partida do seu xeque e trocar opiniões sobre a singularidade desse acontecimento.

Então, o padre Estêvão, chefe da igreja local, chegou, e em seu rosto contraído era possível ver os sinais inconfundíveis de profundo sofrimento e de uma alma ferida. O padre observou a cena por um momento, depois disse:

— Não me pergunteis nada! Esta manhã, antes do amanhecer, o xeque Farris bateu à porta da minha casa, e vi-o a segurar as rédeas do seu cavalo. O rosto dele transpirava tristeza e tormento. Quando lhe indaguei sobre a estranheza do momento, ele respondeu:

— Padre, vim despedir-me de ti, pois estou prestes a embarcar para atravessar o oceano e nunca mais regressarei a esta terra.

Depois, deu-me um envelope selado, endereçado ao seu amigo mais próximo, Nabi Malique, e pediu-me que o entregasse a ele. Então montou no cavalo e partiu rapidamente em direção à nascente, sem que eu pudesse compreender a razão da sua estranha partida.

Um dos aldeões observou:

— Não há dúvida de que a carta revelará o segredo da partida, uma vez que Nabi é o melhor amigo dele.

Outro acrescentou:

— Viste a noiva dele, padre?

— Visitei-a depois da oração da manhã e encontrei-a de pé diante da janela, a olhar em branco para algo invisível. Ela parecia ter perdido a consciência. E quando me preparava para perguntar-lhe sobre Farris, ela simplesmente disse: "Não sei de nada! Eu não sei de nada!". E começou a chorar como uma criança que, de repente, tornou-se órfã.

Assim que o padre terminou a história, o grupo de pessoas assustou-se com o barulho de um tiro vindo da parte oriental da aldeia, seguido imediatamente pelo lamento de uma mulher. Por um momento, a multidão ficou parada e consternada, como se estivesse em transe. Então, homens, mulheres e crianças correram todos na direção do tiro, e em seus rostos havia uma máscara escura pintada pelo medo e pelo mau presságio. Assim que chegaram ao jardim que rodeava a residência do xeque, testemunharam um drama horrível de morte. Nabi Malique estava caído no chão; um fio de sangue escorria de seu peito e, ao lado dele, estava Susana, a esposa do xeque Farris Raal, arrancando os cabelos, rasgando as vestes e gritando em desespero:

— Nabi! Nabi! Por que fizeste isso?

Os espectadores ficaram atordoados, como se as mãos invisíveis do destino tivessem agarrado os seus corações. Na mão direita de Nabi, o padre encontrou a mensagem que lhe entregara naquela manhã, e, sabiamente, escondeu-a em seu manto sem que a multidão percebesse.

Nabi foi levado para a casa da sua mãe, que, ao ver o corpo sem vida de seu único filho, enlouqueceu de dor e logo se juntaria a ele na Eternidade. Susana, que vacilava entre a vida e a morte, foi lentamente escoltada até sua casa.

Padre Estêvão chegou a sua casa e, com os braços firmes, trancou a porta, ajustou os óculos no nariz e, sussurrando com uma voz trêmula, começou a ler para si próprio a mensagem que tirara da mão do falecido Nabi.

Meu querido amigo Nabi,

Devo deixar a aldeia dos meus pais, pois, se ficasse, a minha presença seria causa de infelicidade para ti, para minha mulher e para mim próprio. Tens uma alma nobre e desprezas a traição de um amigo ou de um vizinho e, embora eu saiba que Susana é inocente e virtuosa, sei também que o amor profundo que une o teu coração ao dela está além da vossa vontade e das minhas esperanças. Já não posso continuar a lutar contra a vontade de Deus, assim como não posso deter a corrente do grande Rio Cadija.

Tens sido um amigo sincero, Nabi, desde os dias em que, quando crianças, brincávamos juntos nos campos; e, diante de Deus, acredita em mim, continuas meu amigo. No futuro, por favor, pensa bem em mim novamente, como no passado. Diz a Susana que a amo e que a enganei ao oferecer-lhe um casamento sem sentido. Diz a ela que o meu coração sangrava de dor intensa sempre que, no silêncio da noite, acordava do meu sono agitado e a via ajoelhada diante da imagem de Cristo, chorando e batendo no peito de angústia.

Não há castigo mais severo do que o sofrido pela mulher que se encontra presa entre um homem por quem está apaixonada e outro que a ama. Susana teve de suportar, com dor, um conflito penoso e constante, mas continuou a cumprir os seus deveres de esposa, ainda que dolorosamente, com dignidade e em silêncio. Ela tenta abafar o amor honesto que sente por ti, mas não consegue.

Parto para terras distantes e nunca mais voltarei, pois não quero mais ser um obstáculo a um amor sincero e eterno, mantido no abraço de Deus. E que Ele, em sua inescrutável sabedoria, vos proteja e vos abençoe.

Farris

Padre Estêvão dobrou a carta, colocou-a de volta no bolso e sentou-se junto à janela com vista para o vale distante. Fez uma longa e profunda viagem ao grande oceano da contemplação e, após uma sábia e intensa meditação, levantou-se subitamente, como se, no emaranhado dos seus pensamentos, tivesse descoberto um segredo horrível e delicado, disfarçado de artimanha diabólica e camuflado em elaborada astúcia.

— Como és astuto, Farris! — gritou o padre. — E como é grande, apesar de simples, o teu crime! Enviaste a Nabi mel misturado com veneno, e selaste a morte numa carta! Quando Nabi colocou a arma no peito, foi a tua mão que puxou o gatilho, foi a tua vontade que determinou a dele... Como és astuto, Farris!".

O padre voltou tremendo para a cadeira, balançando a cabeça e acariciando a barba com os dedos. Em seus lábios apareceu um sorriso com um significado mais terrível do que a própria tragédia. Abriu seu livro de orações e começou a ler e meditar. Às vezes, levantava a cabeça para ouvir os gemidos e os lamentos das mulheres, vindos do coração da aldeia de Tula, perto dos Cedros Sagrados do Líbano.

Iram, a Cidade das Altas Colunas

Local da peça: uma pequena floresta de nozes, romãs e choupos. Numa clareira dentro dessa floresta, entre o rio Orantes (Nahr el'Asi) e a aldeia de Hermil, encontra-se uma velha casa isolada.
Tempo da ação: a ação tem lugar no final da tarde, em meados de julho de 1883.

Personagens:
Zain Abedin de Niavende, 40 anos, dervixe persa e místico.
Najibe Ramé, 30, erudito libanês.
A **Divina Amena**, de idade indefinida, misteriosa e dotada de faculdades proféticas, conhecida na vizinhança como a Húri do Vale.

Quando a cortina se levanta, Zain Abedin está no palco sob uma árvore, com a cabeça apoiada nas mãos e a intenção de desenhar figuras circulares no chão com seu longo cajado. Pouco tempo depois, Najibe Ramé entra na clareira a cavalo. Desmonta, amarra as rédeas a um tronco de árvore, tira o pó da roupa e aproxima-se de Zain Abedin.

NAJIBE: A paz esteja contigo, Senhor!

ZAIN: Contigo esteja a paz (ele vira-se de lado e murmura para si mesmo:) "Aceitaremos certamente a paz... mas e a superioridade? Isso é bem diferente".

NAJIBE: É aqui que mora a Divina Amena?

ZAIN: Esta é apenas uma de suas muitas moradas. Ela não vive em nenhuma, mas é encontrada em todas elas.

NAJIBE: Pedi informações a muitas pessoas, mas ninguém sabia que a Divina Amena tinha muitas moradas.

ZAIN: Isso prova que os teus informantes não conseguem enxergar senão com os olhos nem ouvir senão com os ouvidos. A Divina Amena está em todo lugar (aponta para o Oriente com o cajado) e anda pelas colinas e vales.

NAJIBE: Ela voltará para cá ainda hoje?

ZAIN: Se o Céu quiser, ela voltará ainda hoje.

NAJIBE (sentado numa pedra em frente a Zain e olhando para ele): A tua barba revela-me que és um persa.

ZAIN: Sim, nasci em Niavende, fui criado em Xaizar e educado em Nisabur. Viajei para o Oriente e para o Ocidente, e finalmente regressei, pois me sentia como um forasteiro em toda parte.

NAJIBE: Sentimo-nos muitas vezes como estranhos a nós próprios!

ZAIN (ignorando o comentário de Najibe): Verdadeiramente, conheci milhares de pessoas e falei com elas, e nunca consegui encontrar ninguém que não se contentasse em viver confinado à própria e estreita prisão, o único lugar que se conhece e que se pode ver neste vasto mundo.

NAJIBE (desorientado pelas palavras de Zain): Não é natural que o homem seja apegado ao lugar de nascimento?

ZAIN: Aquele que é limitado no coração e no pensamento está inclinado a amar tudo o que é limitado na vida, e aquele que é fraco de vista não é capaz de ver mais do que um côvado à frente no caminho que pisa ou mais do que um côvado da parede contra a qual seus ombros descansam.

NAJIBE: Nem todos somos capazes de perceber com os olhos da alma as grandes profundezas da vida, e é crueldade esperar que aqueles com visão fraca vejam o que é indistinto e distante.

ZAIN: Tens razão, mas não é igualmente cruel espremer vinho de uvas verdes?

NAJIBE (após um breve silêncio para reflexão): Há muitos anos ouço histórias sobre a Divina Amena. Fiquei fascinado por elas e decidi encontrá-la para investigar seus segredos e mistérios.

ZAIN: Não há ninguém no mundo capaz de possuir os segredos da Divina Amena, tal como não há nenhum ser humano capaz de errar pelo fundo do mar como se andasse em um jardim.

NAJIBE: Desculpa-me, Senhor, se não consegui deixar clara minha intenção. Eu sei que nunca seria capaz de compreender os mistérios da Divina Amena. A minha principal esperança é ouvir dela a história de sua entrada em Iram, a Cidade das Altas Colunas, e as coisas que ela viu naquela Cidade Dourada.

ZAIN: Então só tens de esperar com o coração sincero às portas dos sonhos dela. Se essas portas se abrirem, poderás alcançar o teu objetivo; se não, deverás culpar teu próprio ser.

NAJIBE: Não consigo entender tuas estranhas palavras.

ZAIN: Contudo elas são simples... em comparação com a grande recompensa que será tua se tiveres sucesso. A Divina Amena sabe mais sobre as pessoas do que elas próprias, e é capaz de ler num relance tudo o que está escondido dentro delas. Se ela o considerar digno, terá todo o prazer em conversar com você e te mostrará o caminho para a luz. Caso contrário, ignorar-te-á com uma força indicativa da tua não existência.

NAJIBE: O que terei de fazer e dizer para me provar digno?

ZAIN: É uma coisa vã tentar aproximar-se da Divina Amena apenas com palavras ou gestos, pois ela não ouve nem vê. Mas pela alma dos ouvidos dela, ela poderá ouvir o que não dizes, e pela alma dos olhos, ela poderá ver o que não mostras.

NAJIBE: Tuas palavras são sábias e belas.

ZAIN: Mas mesmo que eu falasse da Divina Amena durante mais de um século, tudo o que eu dissesse não seria mais do que os murmúrios de um mudo que se esforça por entoar uma bela canção.

NAJIBE: Sabes onde nasceu essa mulher estranha?

ZAIN: O seu corpo nasceu nas proximidades de Damasco, mas todo o resto, muito acima da matéria, nasceu do ventre de Deus.

NAJIBE: E o que sabes sobre os pais dela?

ZAIN: Isso tem importância? Crês que podes estudar corretamente um elemento examinando apenas a superfície dele? É possível prever a qualidade do vinho apenas olhando para o recipiente que o contém?

NAJIBE: Dize a verdade. Contudo deve haver uma ligação entre o corpo e o espírito, tal como existe uma ligação entre o corpo e o ambiente; e ainda que eu não confie no destino, acredito firmemente que o conhecimento do passado da Divina Amena pode ajudar-me a sondar os segredos da vida dela.

ZAIM: Bem observado! Não tenho notícias sobre a mãe dela, exceto que ela morreu ao dar Amena à luz, sua única filha. O pai dela, porém, era o xeque Abdul Ghani, o famoso profeta cego, que se acredita ser de natureza divina; era reconhecido como o imã do seu tempo no misticismo. Que a sua alma receba a misericórdia do Senhor! Ele era fanaticamente ligado à filha e educou-a com grande cuidado, dando a ela tudo o que tinha no coração. E quando a menina cresceu, procurou assegurar-se de que ela receberia dele toda a sabedoria e todo o conhecimento. Na realidade, todo o seu grande conhecimento era muito pouco comparado com o que Deus já havia dado a Amena. E da sua filha ele disse: "Da minha triste escuridão surgiu uma luz que iluminou o caminho da minha vida". Quando Amena fez 23 anos, seu pai levou-a consigo numa peregrinação, e ao atravessarem o deserto de Damasco e adentrarem àquela terra desolada, deixando para trás a cidade iluminada, o pai apanhou uma febre e morreu. Amena enterrou-o e guardou o túmulo durante sete dias e sete noites, dirigindo-se ao espírito do pai e interrogando-o sobre os segredos da alma dele. Na sétima noite, o espírito do pai dispensou-a de olhar por ele e mandou-a partir em viagem para o Sudeste, ao que ela obedeceu. (Zain deixou de falar, olhou ao longe na direção do horizonte e, após alguns momentos, continuou:) Amena retomou a viagem e chegou ao coração do deserto chamado Rabh el Qali. Que eu saiba, nenhuma caravana jamais o atravessou. Diz-se que apenas alguns caminhantes chegaram a esse lugar no alvorecer da religião islâmica. Os peregrinos acreditaram que Amena estivesse perdida e pensaram que ela morrera de fome. Quando retornaram a Damasco, relataram a tragédia ao povo. Todos os que conheceram o xeque Abdul Ghani e sua estranha filha choraram por eles, mas, com o passar dos anos, acabaram se esquecendo deles. Cinco anos mais tarde, a Divina Amena apareceu em Musil e, graças aos seus dons sobrenaturais de sabedoria, conhecimento e beleza, encantou o povo como um fragmento prateado do firmamento da noite, caído da abóbada azul do céu.

NAJIBE (interrompendo, mas visivelmente interessado na história de Zain): E Amena revelou sua identidade ao povo?

ZAIN: Ela não revelou nada sobre si própria. Ficou com o rosto descoberto diante dos imãs e dos estudiosos, falando de coisas divinas e imortais e descrevendo a Cidade das Altas Colunas de forma tão eloquente que surpreendeu e fascinou seus ouvintes, e o número de seus seguidores começou a crescer de um dia para o outro. Os sábios da cidade sentiram inveja e queixaram-se ao emir, que intimou Amena para que se apresentasse a ele. Quando ela apareceu, o emir colocou uma bolsa cheia de ouro na mão dela e disse-lhe para deixar a cidade. Ela recusou o ouro, mas, sozinha, sob o manto da escuridão, deixou a cidade. Depois, viajou por Constantinopla, Damasco, Homs e Trípoli, e em cada cidade levava luz aos corações das pessoas que se reuniam à volta dela, atraídas pelo poder mágico de Amena. No entanto os imãs de cada cidade opuseram-se a isso, e o destino dela foi o de um exílio perpétuo. Por fim, determinada a levar uma existência solitária, ela veio para este lugar há alguns anos. Ela negou tudo a si mesma, menos o amor por Deus e a meditação sobre os mistérios Dele. Essa é apenas uma imagem incompleta da vida da Divina Amena. Mas o poder sagrado, concedido a mim por Deus, de compreender algo acerca da existência ideal da Amena, é o mesmo poder que, na intoxicação devastadora do coração, torna-me incapaz de descrever em palavras terrenas as maravilhas da Divina Amena. Que ser humano é capaz de reunir num só cálice toda a sabedoria que rodeia o mundo em muitos cálices?

NAJIBE: Ofereço-te a minha gratidão, Senhor, pelas informações interessantes e mesmo vitais que me deste. Agora, a vontade que tenho de conhecê-la é ainda maior do que antes!

ZAIN (olhando para Najibe com olhos penetrantes): És cristão, não és?

NAJIBE: Sim, eu nasci cristão. Contudo, com todo o respeito pelos meus antepassados, dos quais herdei a religião e o nome, devo dizer que, se nos livrássemos de todas as várias religiões, poderíamos encontrar-nos unidos e desfrutar de uma grande fé, em perfeita fraternidade.

ZAIN: Falas sabiamente e sabes que ninguém está mais bem informado do que a Divina Amena sobre a questão de uma só fé. Ela é, para as muitas crenças e raças, como o orvalho matinal que cai de cima e forma gemas brilhantes sobre as pétalas coloridas de todas as flores. Sim... Ela é como o orvalho da manhã... (nesse ponto, Zain para de falar e olha para o Oriente, ouvindo atentamente. Depois se levanta, avisa Najibe para ficar atento e sussurra-lhe com excitação:) A Divina Amena está chegando! Que a boa sorte esteja contigo!

NAJIBE (com um suspiro vacilante): Em breve, meus longos meses de espera talvez sejam recompensados!

(Najibe coloca as mãos na testa como para acalmar os nervos desgastados, e sente uma mudança na atmosfera circundante. Recordando-se das palavras de Zain sobre o possível fracasso, a expressão de expectativa alegre dá lugar a uma de profunda ansiedade, mas ele permanece imóvel como uma estátua de mármore).

(A Divina Amena entra e fica diante dos dois homens. Ela está envolta num longo manto de seda, e a sua aparência, os seus gestos e o seu traje fazem-na parecer uma daquelas deusas cultuadas nos tempos antigos, em vez de uma mulher oriental da época. É impossível tentar perceber, mesmo aproximadamente, a idade dela, pois o seu rosto, embora jovem, não o revela, e os seus profundos olhos refletem mil anos de sabedoria e sofrimento. Najibe e Zain permanecem respeitosamente imóveis, como se estivessem na presença de um profeta de Deus).

AMENA (depois de olhar para Najibe como se quisesse penetrar o coração dele com seus olhos divinos, diz num tom de voz firme e serena): Estás aqui para aprender algo sobre nós, mas não saberás mais do que já sabes sobre ti mesmo, e ouvirás de nós apenas aquilo que já ouves de ti próprio.

NAJIBE (perplexo, mostrando medo e nervosismo): Ouvi, vi e acreditei... Estou satisfeito!

AMENA: Não te contentes com uma satisfação parcial, pois aquele que vai buscar água na fonte da vida com um jarro vazio, voltará com dois jarros cheios.

(Amena estende a mão para Najibe, que a toma entre as suas com respeito e beija as pontas dos dedos dela, movido por uma emoção violenta e desconhecida. Ela estende a outra mão a Zain Abedin, e ele também a beija. Najibe parece feliz por ter sido o primeiro a seguir o que parecia ser o procedimento correto. A Divina Amena afasta-se lentamente).

AMENA (senta-se numa rocha lisa e fala com Najibe): Estas são as cadeiras de Deus. Senta-te. (Najibe senta-se ao lado dela e Zain faz o mesmo. Amena continua, dirigindo-se ainda a Najibe.) Vemos nos teus olhos a verdadeira luz de Deus, e quem vê com a luz de Deus enxerga em nós a nossa realidade interior. És sincero e amas a verdade; por isso, desejas saber mais sobre ela. Se tens algo a dizer, tudo o que tens a fazer é falar e nós te daremos atenção. E se houver perguntas no teu coração, pergunta e elas serão respondidas com toda a sinceridade.

NAJIBE: Vim perguntar sobre um assunto que há muito tem sido tema de conversa entre as pessoas. Mas quando me achei na tua presença, compreendi a enormidade do sentido da vida, da verdade, de Deus, e agora nada mais importa. Sou como o pescador que lança as redes ao mar esperando encontrá-las carregadas de comida suficiente para sustentar a ele por mais um dia, mas quando as retira, encontra nelas uma pilha de pedras preciosas duradouras.

AMENA: Vejo no teu coração que tu ouviste falar da nossa entrada em Iram, a Cidade das Altas Colunas, e que agora desejas saber mais sobre ela.

NAJIBE (envergonhado, mas profundamente interessado): Sim, desde a minha infância que o nome Iram, a Cidade das Altas Colunas, ocupa os meus sonhos, toma conta dos meus pensamentos e perturba o meu coração com o significado oculto e a extraordinária importância que ela tem.

AMENA (levanta o rosto, fecha os olhos; depois, numa voz que para Najibe parece vir do coração do espaço, diz solenemente): Sim, chegamos à Cidade Dourada, entramos nela e ali vivemos e enchemos a nossa alma com o perfume da cidade; o nosso coração com seus segredos; a nossa bolsa com suas pérolas e seus rubis; os nossos ouvidos com sua música e os nossos olhos com sua beleza. E aquele que duvida do que vimos, ouvimos e lá encontramos, duvida de si próprio perante Deus e o homem.

NAJIBE (falando devagar, com vergonha e humildade): Não sou senão uma criança que gagueja e hesita, incapaz de se expressar. Terá a amabilidade de explicar mais e perdoar as minhas tantas perguntas?

AMENA: Pergunta o que quiseres, pois Deus criou muitas portas viradas para a verdade e abre-as àqueles que batem com a mão da fé.

NAJIBE: Entraste em Iram, a Cidade das Altas Colunas, com o teu corpo ou com o espírito? E a Cidade Dourada é construída de materiais terrestres brilhantes numa região precisa deste mundo, ou é apenas uma cidade imaginária e um lugar espiritual alcançável apenas pelos profetas de Deus em êxtase, quando a Providência coloca um véu de eternidade sobre as suas almas?

AMENA: Tudo na face da Terra, visível ou não, é apenas espiritual. Entrei na Cidade Dourada com o meu corpo, que é apenas uma manifestação terrena do meu espírito superior, pois o corpo de qualquer pessoa é apenas um cofre que guarda o espírito. Entrei em Iram com o meu corpo escondido no espírito, pois ambos estão sempre presentes quando estão na Terra; e aquele que se esforça para separar do corpo o espírito, ou do espírito o corpo, não faz outra coisa que afastar o próprio coração da verdade. A flor é una com seu perfume, e o cego que nega a cor e a imagem da flor acreditando que possui apenas a fragrância que vibra no éter, é como aquele cujas narinas estão fechadas e que acredita que as flores não são mais do que forma e cor, desprovidas de perfume.

NAJIBE: Então Iram, a Cidade das Altas Colunas, é apenas um lugar do espírito!

AMENA (pacientemente): O tempo e o lugar são estados espirituais, e tudo o que se pode ver e ouvir é espiritual. Se fechares os olhos perceberás todas as coisas do fundo da tua alma e verás os mundos físico e etéreo em sua totalidade, e familiarizar-te-ás com as regras e os cuidados necessários; então compreenderás a grandeza que ele possui; grandeza que está além da aparência. Sim... Se fechares os olhos e abrires o coração e a percepção interior, descobrirás o início e o fim da existência... Aquele início que, por sua vez, torna-se um fim, e aquele fim que deve necessariamente tornar-se um começo.

NAJIBE: Então qualquer ser humano poderia fechar os olhos e ver a realidade nua da vida e da existência?

AMENA: Deus deu ao homem a capacidade fervorosa da esperança, até que aquilo que o homem espera remova de seus olhos o manto do esquecimento, permitindo-lhe finalmente ver-se como realmente é. E aquele que pode verdadeiramente ver a si próprio, vê a verdade da vida real em relação a si próprio, a toda a humanidade e a todas as coisas.

NAJIBE (levando as mãos ao peito): Então tudo o que posso ver, tocar, ouvir e pensar no Universo existe aqui mesmo, no meu coração!

AMENA: Tudo neste imenso Universo existe em ti, contigo e para ti.

NAJIBE: Por isso posso dizer que Iram, a Cidade das Altas Colunas, não está tão longe; está situada dentro de mim, essa entidade que existe como Najibe Ramé!

AMENA: Todas as coisas na criação existem dentro de ti, e todas as coisas dentro de ti existem no Universo. Não há limite entre ti e as coisas mais próximas, não há distância entre ti e as coisas mais remotas. E tudo, desde a coisa mais baixa até a mais alta e nobre, desde a mais insignificante até a mais grandiosa, dentro de ti é igual.

Em um único átomo podes encontrar todos os elementos da Terra; num único movimento da mente podes encontrar os movimentos de todas as leis que governam a existência; numa gota de água está o segredo de todos os oceanos sem limites; num único aspecto de ti podes encontrar todos os aspectos da existência.

NAJIBE (impressionado pela enormidade do assunto, após uma breve pausa necessária para assimilar plenamente os ensinamentos recebidos): Foi-me dito que viajaste durante muitos dias antes de chegares ao coração do deserto de Rabh el Qali, e que o espírito do teu pai se revelou a ti e te orientou nas tuas andanças até a Cidade Dourada. Se uma pessoa quisesse chegar àquela cidade, teria de estar no mesmo estado espiritual em que te encontravas naquele momento, ou teria de possuir a tua sabedoria para poder entrar naquele lugar celestial que visitaste?

AMENA: Percorremos o deserto e sofremos os tormentos da fome e da sede, os medos do dia e os horrores da noite, bem como o silêncio temível da eternidade, antes de vermos as muralhas da Cidade Dourada. Mas muitos são aqueles que chegaram à Cidade de Deus antes de nós, sem andar um único côvado, e desfrutaram da beleza e do esplendor da Cidade sem sentir dor no corpo ou no espírito. Em verdade, digo-vos que muitos visitaram a Cidade Sagrada, embora nunca tenham saído do lugar onde nasceram. (a Divina Amena faz uma pausa e permanece em silêncio por alguns momentos. Depois, aponta para as árvores e murtas que a rodeiam e retoma:) Para cada semente que o outono depõe no coração da terra há uma forma diferente de separar da casca a polpa; depois são criadas as folhas, as flores e, finalmente, o fruto. Mas, independentemente de como tudo isso aconteça, essas plantas devem empreender uma única peregrinação e a sua grande missão é estar perante a face do Sol.

ZAIN (move-se graciosamente para a frente e para trás, impressionado pelas palavras de Amena, como se estivesse num mundo superior. Com voz inspirada, ele profere em devoção): Deus é grande! Não há Deus senão Alá, o Misericordioso, que conhece todas as nossas necessidades!

AMENA: Alá é grande... Não há Deus senão Alá... Não há nada senão Alá!

ZAIN (repete as palavras de Amena num sussurro quase ininteligível, inflamado e visivelmente trêmulo).

NAJIBE (vira os olhos para a Divina Amena, quase em estado de transe, e, num tom firme, quase desafiante, diz): Não há outro Deus senão Deus!

AMENA (surpreendida com as palavras de Najibe): Não há Deus senão Alá... Não há nada senão Alá. Podes dizer essas palavras e continuar a ser cristão, pois Deus, em Sua infinita bondade, não conhece separação entre nomes e palavras; e se um Deus negar a bênção Dele àqueles que seguem um caminho diferente para a eternidade, então nenhum ser humano deve adorá-Lo.

NAJIBE (inclina a cabeça, fecha os olhos e repete com Amena as palavras da oração a Alá. Depois, ergue a cabeça e diz): Dirigirei essas palavras ao Deus que me mostrará o caminho certo que conduz a Ele, e continuarei a repeti-las até ao fim dos meus dias, pois estou à procura da verdade. E as minhas orações a Deus são dirigidas a Deus, seja Ele quem for e seja qual for o Seu nome. Amo Deus... Toda a minha vida amarei a Deus.

AMENA: A tua vida não tem fim, viverás para sempre.

NAJIBE: Quem sou eu e o que sou eu para viver eternamente?

AMENA: Tu não é mais do que tu mesmo. És uma criatura de Deus e, por isso, és tudo.

NAJIBE: Divina Amena, sei que as partículas de que sou feito estarão vivas enquanto eu continuar vivo. Mas, depois, será que esse pensamento a que chamo de eu continuará a viver? Será que esse novo e pálido despertar, envolto no leve torpor do amanhecer, permanecerá?

Será que essas esperanças e esses desejos, essas tristezas e essas alegrias permanecerão? E as visões febris que brilham à luz da verdade continuarão a existir no meu sono agitado?

AMENA (levanta os olhos para o céu, como para alcançar algo naquele grande espaço vazio. Depois, fala em voz alta e clara): Tudo o que existe está destinado a existir para sempre, e a própria existência da existência é a prova da sua eternidade. Mas sem esse conhecimento, o conhecimento do ser perfeito, o homem nunca seria capaz de dizer se a existência existe ou não. Se a existência eterna for alterada, então deverá tornar-se ainda mais maravilhosa; e se desaparecer, deverá ressurgir ainda mais sublime na aparência; se repousar, deverá sonhar com um melhor despertar, pois é sempre maior quando renasce. Tenho pena daqueles que admitem a eternidade dos elementos de que o olho é composto, mas, ao mesmo tempo, duvidam da eternidade dos vários objetos que veem, para os quais o olho é apenas um meio. Tenho pena daqueles que dividem a vida em duas partes e, ao mesmo tempo, colocam fé numa e duvidam da outra. Entristecem-me aqueles que olham para as montanhas e planícies sobre as quais o Sol espalha seus raios, e ouvem a canção da brisa que sopra através dos ramos finos, que respiram o aroma das flores e do jasmim e acabam por dizer a si mesmos: "Não... O que vejo e ouço está destinado a desaparecer e o que sei e sinto desaparecerá um dia". Essas almas humildes, que reverentemente veem e contemplam as alegrias e as tristezas à sua volta para depois negarem a perpetuidade da sua existência, terão de desaparecer como o vapor no ar porque procuram a escuridão e viram as costas para a verdade. São apenas almas vivas que negam a própria existência, pois negam as das outras criaturas de Deus.

NAJIBE (entusiasmado): Divina Amena, eu acredito na minha própria existência, e aquele que ouve as tuas palavras e continua a não acreditar é mais pedra do que homem.

AMENA: Deus pôs no coração de todos um verdadeiro guia para a grande luz, mas o homem labuta em buscar a vida fora de si próprio sem se aperceber que a vida que procura está, de fato, dentro dele.

NAJIBE: Há alguma luz fora do corpo que possa iluminar a nossa viagem para as profundezas da alma? Estaremos na posse de uma força capaz de animar o nosso espírito e despertar em nós a consciência do nosso esquecimento, assim como nos mostrar o caminho para o conhecimento eterno? (ele permanece em silêncio por alguns momentos, aparentemente com medo de continuar. Depois, retoma, superando a própria relutância:) o espírito do teu pai não te revelou o segredo do aprisionamento terrestre da alma?

AMENA: É inútil para o viajante bater à porta da casa desabitada. O homem fica sem palavras entre a inexistência dentro de si e a realidade do seu ambiente. Se não tivéssemos o que temos dentro de nós, não teríamos aquilo a que chamamos de nosso ambiente. O espírito do meu pai chamou-me quando a minha alma o invocou, e revelou-me o que eu já sabia por dentro. Portanto, dito de forma simples, se não tivesse sido pela sede e pela fome que senti, não teria encontrado comida nem água no meu ambiente; e se não tivesse sido pelo desejo e amor dentro de mim, não teria encontrado o objeto do meu desejo e amor na Cidade Dourada.

NAJIBE: Há alguém capaz de ligar a própria alma à de uma pessoa falecida com o fio do seu desejo e afeto? Haverá alguém que tenha o poder de falar com os espíritos e compreender a vontade e o propósito deles?

AMENA: Entre os povos da eternidade e os povos da Terra há uma comunicação contínua e todos obedecem à vontade de uma força invisível. Muitas vezes, um indivíduo pratica uma ação convencido de que ela é apenas o resultado do livre-arbítrio dele, mas, na realidade, ele foi orientado e impelido com precisão a fazê-lo. Muitos grandes homens alcançaram a glória abandonando-se completamente à vontade do espírito, sem oferecerem resistência alguma ao que o espírito lhes pediu, tal como um violino obedece totalmente à vontade de um bom músico. Entre o mundo espiritual e o material há um caminho que trilhamos numa espécie de êxtase, que nos chega sem percebermos a sua força e, quando percebemos, descobrimos que trazemos nas mãos sementes para serem cuidadosamente plantadas no bom solo da nossa vida diária, que darão frutos em boas ações e belas palavras. Se não existisse esse caminho que liga a nossa vida à dos mortos, não haveria poetas, profetas nem sábios entre o povo. (AMENA baixa a voz a ponto de sussurrar e continua:) Em verdade vos digo, e o tempo o confirmará, que existem laços entre o mundo superior e o inferior tal como existem entre mãe e filho. Estamos rodeados por uma atmosfera intuitiva que atrai a nossa consciência, por um conhecimento que põe o nosso julgamento em alerta e por uma força que dá vigor às nossas próprias forças. Digo-vos que a nossa dúvida não refuta nem atesta a nossa rendição àquilo de que duvidamos, e o nosso empenho na busca da nossa própria gratificação não impedirá os espíritos de cumprirem seus propósitos; e o fato de não querermos ver a realidade da nossa natureza espiritual não servirá para escondê-la dos olhos do universo; e se pararmos de andar, continuaremos a andar se eles estiverem andando... E se permanecermos imóveis, continuaremos a nos mover com eles... E se ficarmos em silêncio, continuaremos a falar pela voz deles. Nosso sono não pode afastar de nós a influência da vigília deles, tampouco a nossa vigília pode afastar os sonhos deles do palco das nossas fantasias, pois somos como dois mundos envoltos num só... Somos dois espíritos envoltos num só espírito... Somos duas existências unidas por uma Consciência Suprema e Eterna que existe acima de tudo e não conhece princípio e fim.

NAJIBE (radiante, sentindo, então, as revelações da Divina Amena e pensando nelas): Chegará o dia em que o homem descobrirá, por meio do conhecimento, da experiência científica e dos fenômenos terrenos, aquilo que os espíritos sempre conheceram por intermédio de Deus e que os nossos corações conheceram por meio do desejo? É preciso aguardar a morte para determinar se o nosso eu ideal é eterno? Chegará o dia em que tocaremos com os dedos das mãos aqueles grandes segredos que agora só conhecemos pelos dedos da nossa fé?

AMENA: Sim, esse dia chegará. Mas como são ignorantes aqueles que, sem dúvida alguma, percebem a existência abstrata por meio de alguns dos seus sentidos, mas continuam a duvidar até que essa existência seja revelada a todos os sentidos deles! Não é a fé o sentido do coração, como a visão o dos olhos? E como são maus aqueles que ouvem o canto do melro e o veem entre os ramos, mas duvidam do que viram e ouviram até agarrarem o pássaro com as próprias mãos! Uma parte apenas dos sentidos não seria suficiente para isso? Como são estranhos aqueles que sonham verdadeiramente com a maravilhosa realidade e, depois, quando se esforçam para dar-lhe forma e não conseguem, duvidam do sonho, amaldiçoam a realidade e perdem a fé na beleza! Como são cegos aqueles que imaginam e planejam alguma coisa em cada pormenor e, quando, depois, não conseguem prová-la por medições superficiais e provas verbais, acreditam que a sua ideia e a sua imaginação são coisas vãs! Mas se observam com sinceridade e ponderam sobre esses acontecimentos, ficarão convencidos de que a sua ideia é tão real como uma ave no céu, porém uma ave que ainda não se materializou; e que aquela ideia constitui uma parte do conhecimento que não pode ser demonstrada com palavras e números por ser demasiado elevada e vasta para ser aprisionada àquele instante, demasiado arraigada ao espiritual para submeter-se à realidade.

NAJIBE (convencido, mas ainda curioso): A verdadeira existência encontra-se sempre na imaginação? E o verdadeiro conhecimento em cada ideia e em cada fantasia?

AMENA: Em verdade, é impossível que o espelho da alma reflita na imaginação o que não está diante dela. É impossível para a superfície imóvel do lago refletir a imagem de uma montanha, de uma árvore ou de uma nuvem que não está à sua volta. É impossível a luz lançar a sombra de um objeto inexistente sobre a terra. Nada pode ser visto, ouvido ou de outra forma percebido a menos que realmente exista. Quando se sabe alguma coisa, acredita-se nela, e o verdadeiro crente vê com discernimento espiritual aquilo que aquele que se detém à superfície das coisas não pode ver com os olhos, e compreende através da reflexão íntima aquilo que um observador externo não pode compreender por meio do árduo processo intelectual que então adquiriu. O crente conhece as realidades sagradas por meio de sentidos que diferem dos utilizados por qualquer outra pessoa. Um crente considera os seus sentidos como uma grande muralha que o rodeia e, quando segue o caminho, diz: "Nesta cidade, não há saída, mas é perfeita por dentro". (Amena levanta-se, vai ao encontro de Najibe e, após uma pausa, diz:) O crente vive todos os dias e todas as noites, enquanto o descrente vive apenas algumas horas. Como é insignificante a vida daquele que coloca as mãos entre o próprio rosto e o mundo, não enxergando senão as linhas estreitas das mãos! Como são injustos consigo próprios aqueles que dão as costas ao Sol e não veem senão a sombra dos próprios corpos sobre a Terra!

NAJIBE (de pé, pronto para partir): Devo dizer ao povo que Iram, a Cidade das Altas Colunas, é uma cidade de sonho que só existe em espírito, e que a Divina Amena a alcançou por meio do desejo e do amor que tem por ela, atravessando o limiar da fé?

AMENA: Diz-lhes que Iram, a Cidade das Altas Colunas, é uma cidade real, que existe e é visível como os mares e as montanhas, como as florestas e os desertos, pois tudo na eternidade é real. Diz-lhes que a Divina Amena lá chegou depois de atravessar o vasto deserto e sofrer o tormento da sede e da fome e a dor e o horror da solidão. Diz-lhes que a Cidade Dourada foi erguida pelos gigantes das eras a partir dos elementos mais brilhantes da existência, e que não foi escondida do povo, ele é que se escondeu dela. Diz-lhes também que aqueles que se perdem antes de chegarem a Iram devem culpar o guia e não a estrada difícil e acidentada. Diz-lhes que aqueles que não acendem a lâmpada da verdade encontrarão a estrada escura e intransitável. (Amena volta o olhar para o céu; há amor em seus olhos e o seu rosto transpira doçura e serenidade).

NAJIBE (aproxima-se de Amena lentamente e com a cabeça arqueada, toma-lhe a mão e sussurra): É noite e devo regressar ao local onde o povo habita antes que a escuridão engula a estrada.

AMENA: Sob a orientação de Deus, encontrarás o teu caminho iluminado.

NAJIBE: Caminharei à luz da grande tocha que colocaste em minhas trêmulas mãos.

AMENA: Caminha na luz da verdade, a qual a tempestade não pode extinguir. (Amena olha longa e atentamente para Najibe, com o rosto revelando um amor materno. Depois, parte em direção à nascente e caminha entre as árvores até desaparecer de vista).

ZAIN: Posso acompanhar-te até a entrada da cidade?

NAJIBE: Ficarei encantado. Mas eu pensava que vivias ao lado da Divina Amena. Invejei-te e disse dentro de mim: "Se eu pudesse viver aqui!".

ZAIN: Podemos viver longe do Sol, mas não podemos viver perto do Sol; no entanto precisamos dele. Venho aqui muitas vezes para receber bênçãos e conselhos; depois, parto satisfeito. (Najibe afrouxa as rédeas e, levando seu cavalo, caminha ao lado de Zain Abedin).

O dia do meu nascimento

Foi neste dia do ano que a minha mãe me trouxe ao mundo; neste dia, um quarto de século atrás, o grande silêncio colocou-me entre os braços da existência, repleto de lamentos, lágrimas e conflitos.

Vinte e cinco vezes rodeei o Sol abrasador e, muitas vezes mais, a Lua rodeou a minha insignificância; no entanto não aprendi os segredos da luz nem compreendo o mistério das trevas.

Viajei esses vinte e cinco anos com a Terra, com o Sol e com os planetas através do Supremo Infinito; contudo a minha alma anseia pela compreensão da Lei Eterna enquanto a gruta vazia reverbera o eco das ondas do mar, mas nunca se enche.

A vida existe através da existência do sistema celestial, mas não tem consciência do poder infindo do firmamento; e a alma canta o louvor do fluxo e refluxo de uma melodia celestial, mas não entende o significado dela.

Vinte e cinco anos atrás, a mão do tempo gravou o meu ser, e eu sou uma página viva no livro do Universo; mas agora não sou nada mais do que nada: uma palavra vaga, de sentido complicado, que ora não simboliza nada e ora simboliza muitas coisas.

Meditações e memórias, neste dia de cada ano, congestionam a minha alma e detêm a procissão da vida, revelando-me os fantasmas das noites desperdiçadas e dispersando-os, como o grande vento que dissipa a nuvem tênue do horizonte;

e desaparecem no canto escuro da minha cabana, como o murmúrio do riacho estreito que desaparece na amplitude do vale distante.

Neste dia de cada ano, os espíritos que moldaram a minha alma vêm da eternidade visitar-me e reúnem-se em torno de mim, entoando os hinos dolorosos das memórias. Depois, retiram-se rapidamente e desaparecem atrás dos objetos visíveis como um bando de aves que pousam sobre uma eira deserta, onde não há sementes; pairam desiludidas e fogem apressadamente para um lugar mais gratificante.

Neste dia, medito sobre o passado, cujo propósito me intriga a mente e me confunde no coração; e olho para ele como se olhasse para um espelho nebuloso no qual não vejo nada mais do que um semblante de morte sobre os anos passados. Ao olhar novamente, vejo o meu próprio ser a olhar fixamente para o meu triste ser. Eu questiono a tristeza, mas a encontro calada. A dor, se pudesse falar, seria mais doce do que a alegria de uma canção.

Durante os meus vinte e cinco anos de vida, amei muitas coisas, e muitas vezes amei aquilo que o povo odiava e detestei aquilo que o povo amava.

E aquilo que eu amava quando era criança, ainda amo e continuarei a amar para sempre. O poder de amar é a maior dádiva de Deus ao homem, pois nunca será tirado daquele que foi abençoado com o amor.

Amo a morte e dou-lhe nomes doces; louvo-a com palavras gentis, em segredo e para a multidão de ouvintes escarnecedores.

Embora não tenha renunciado à minha grande fidelidade à morte, fiquei profundamente apaixonado pela vida também, pois a vida e a morte são iguais para mim em encanto, doçura e atração, e deram-se as mãos para fomentar em mim os meus anseios e os meus afetos, e partilhar comigo o meu amor e o meu sofrimento.

Amo a liberdade, e o meu amor pela verdadeira liberdade cresceu à medida que crescia o meu conhecimento da rendição do povo à escravidão, à opressão e à tirania, e da sua submissão aos terríveis ídolos que foram erigidos no passado e polidos pelos lábios secos dos escravos.

Mas eu amo esses escravos com o mesmo amor que tenho pela liberdade, pois eles beijaram cegamente as mandíbulas de bestas-feras com uma inconsciência pacífica e feliz, sem que sentissem a peçonha das víboras sorridentes; e, sem que soubessem, cavavam as próprias sepulturas com os próprios dedos.

Meu amor pela liberdade é o maior que sinto, pois a encontrei como uma linda donzela, solitária e ressequida por uma solidão que fez dela um espectro errante em meio a moradas desconhecidas e pouco hospitaleiras; espectro que se detinha pelos caminhos, clamando a caminhantes que não lhe dava atenção.

Durante esses anos, amei a felicidade como amam todos os homens. Buscava-a com constância, mas não a encontrava na estrada do homem; sequer percebia as marcas dos seus passos na areia diante dos palácios do homem; sequer ouvia o eco de sua voz das janelas dos templos do homem.

Procurei a felicidade na minha solidão e, ao aproximar-me dela, ouvi minha alma sussurrar no meu coração: "A felicidade que procuras é uma virgem, nascida e criada nas profundezas de cada coração, e ela não emerge do seu lugar de nascimento". Mas quando abri o meu coração para encontrá-la, descobri em seu domínio apenas um espelho, um berço e suas vestes. A felicidade não estava lá.

Amo a humanidade e amo igualmente todas as três espécies humanas... A que blasfema a vida, a que a abençoa e a que medita sobre ela. Amo a primeira pela sua miséria, a segunda pela sua generosidade e a terceira pela sua percepção e paz.

Assim, com amor, vinte e cinco correram para o vazio e, rapidamente, aceleraram os dias e as noites, saindo da estrada da minha vida para flutuar como as folhas secas das árvores antes dos ventos de outono.

Hoje, parei na minha estrada, como um viajante cansado que não chegou ao destino, mas procura saber onde está. Olho em todas as direções e não consigo encontrar vestígios de qualquer parte do meu passado para onde eu possa apontar e dizer: "Isso é meu!".

Também não posso colher os frutos das estações dos meus anos, pois minhas cestas carregam apenas pergaminhos escritos com tinta preta, e pinturas, que revelam somente linhas e cores simples.

Com esses papéis e quadros só consegui amortalhar e enterrar meu amor, meus pensamentos e meus sonhos, da mesma forma que o semeador enterra as sementes no seio da terra. Porém quando o semeador assim o faz, ele regressa para sua casa ao anoitecer, à espera do dia da colheita; mas eu semeei, desesperado, as sementes internas do meu coração, e a espera foi em vão.

E, agora, que completei minhas vinte e cinco viagens em torno do Sol, olho para o passado por trás de um véu profundo de suspiros e de tristezas e o futuro silencioso se ilumina para mim através da triste lâmpada do passado apenas.

Olho para o Universo através dos vãos da minha cabana, contemplo o rosto dos homens e ouço suas vozes erguerem-se no espaço; ouço também os passos deles a bater nas pedras, e percebo as revelações dos seus espíritos, as vibrações dos seus desejos e o palpitar de seus corações.

Vejo as crianças correndo e rindo, brincando e gritando, e observo os jovens caminhando com a cabeça erguida como se estivessem lendo e cantando a Qasida da juventude entre os seus olhos, alinhadas aos raios radiantes do Sol.

Contemplo as donzelas, que caminham graciosamente: balançam como ramos tenros, sorriem como flores e olham para os jovens por trás dos olhos trêmulos de amor.

Vejo os velhos caminharem lentamente com as costas dobradas, apoiando-se nos cajados, olhando para a terra como se procurassem um tesouro que perderam na juventude.

Observo essas imagens e fantasmas que se movem e rastejam nos caminhos e estradas da cidade.

Depois, olho para além da cidade e medito sobre o deserto, a sua reverenciada beleza e o seu silêncio falante; suas montanhas, vales e árvores frondosas; suas flores perfumadas, seus arroios e pássaros canoros.

Então olho para além do deserto e contemplo o mar com toda a magia e todos os segredos de suas profundezas, e as ondas espumantes e furiosas da sua superfície. Seus abismos são calmos.

Olho, em seguida, para além do oceano e vejo o céu infinito com as suas estrelas cintilantes; vejo seus sóis, luas e planetas; as suas forças gigantescas e a sua miríade de elementos cumprindo infalivelmente uma grande lei que não possui princípio nem fim.

Sobre tudo isso pondero entre as paredes do meu lar, esquecendo-me dos meus vinte e cinco anos, de todos os anos que os precederam e de todos os séculos vindouros.

Neste momento, minha própria existência e tudo o que me rodeia parecem ser o suspiro fraco de uma criancinha que treme no profundo e eterno vazio de um espaço supremo e sem limites.

Mas essa entidade insignificante... esse ser que sou eu e cujo movimento e clamor ouço constantemente, está agora abrindo as asas fortalecidas em direção ao vasto firmamento, estendendo as mãos em todas as direções, balançando e tremendo neste dia que me trouxe à vida, e a vida para dentro de mim.

E, então, uma voz tremenda se ergue do Santo dos Santos que existe em mim, dizendo: "Que a paz esteja contigo, ó Vida! Que a paz esteja contigo, ó Despertar! Que a paz esteja contigo, ó Revelação!".

"Que a paz esteja contigo, ó Dia; tu, que envolves as trevas do mundo com a tua luz radiante!".

"Que a paz esteja contigo, ó Noite! Através de tua escuridão as luzes do céu cintilam".

"Que a paz esteja convosco, Estações do Ano! Que a paz esteja contigo, Primavera; tu, que restauras a terra à juventude! Que a paz esteja contigo, Verão; tu, que anuncias a glória do Sol! Que a paz esteja contigo, Outono; tu, que dás, com alegria, os frutos do trabalho e a colheita da labuta! Que a paz esteja contigo, Inverno; tu, cuja ira e tempestade devolvem à natureza a força adormecida!".

"Que a paz esteja convosco, ó Séculos; tu, que revelais o que os anos ocultaram!".

"Que a paz esteja convosco, ó Eras; tu, que constrói o que os tempos destruíram! Que a Paz esteja contigo, ó Tempo; tu, que nos conduz à plenitude da morte! Que a paz esteja contigo, Coração; tu, que palpitas em paz enquanto afundas em lágrimas! Que a paz esteja convosco, Lábios; tu, que proferes palavras alegres de saudação enquanto provas o fel e o vinagre da vida!".

"Que a paz esteja contigo, ó Alma; tu, que conduzes o leme da vida e da morte enquanto nos ocultas por trás da cortina do Sol!".

Meditações dolorosas

O sofrimento das multidões é como dor de dente, e na boca da sociedade há muitos dentes podres e doloridos. Mas a sociedade recusa-se a curá-los, contentando-se em poli-los para que pareçam brilhantes, e enchê-los de ouro cintilante para ocultar a podridão que se esconde por trás dessa aparência. Porém aqueles que sofrem não podem deixar de sentir a dor persistente.

Muitos dentistas sociais esforçam-se por remediar os males do mundo com belas obturações, tal como muitos doentes se dobram à vontade dos reformistas, aumentando, dessa forma, o próprio sofrimento; fazendo decair ainda mais uma força já decadente e enganando-se a si próprios até se afundarem aos poucos no abismo da morte.

Os dentes podres da Síria encontram-se em suas escolas, onde os jovens de hoje aprendem como ser a vergonha de amanhã; em seus tribunais, onde os juízes deturpam as leis e brincam com elas como um tigre brinca com sua presa; nos palácios, onde a mentira e a hipocrisia dominam; e nas cabanas dos pobres, onde vivem o medo, a ignorância e a covardia.

Os dentistas políticos de dedos macios derramam mel no ouvido das pessoas, afirmando aos brados que estão tapando as fendas que enfraquecem a nação. O canto deles é feito para soar mais alto do que o ruído da pedra de Mó, mas, na realidade, não é mais nobre do que o coaxar dos sapos do brejo.

Há muitos pensadores e idealistas neste mundo de vaidades... Entretanto como são frágeis os seus sonhos!

A beleza é algo que pertence à juventude, mas a juventude para quem esta terra foi criada não é senão um sonho cuja doçura se sujeita a uma cegueira que retarda demais a consciência. Chegará o dia em que o homem sábio unirá os sonhos da juventude com a alegria do conhecimento? Um sem o outro vale muito pouco. Chegará o dia em que a Natureza será professora do homem, a humanidade seu livro de devoções e a vida sua escola diária?

O alegre propósito da juventude — forte em empolgação, mas fraca em responsabilidade — não pode ser alcançado enquanto o conhecimento não anunciar o amanhecer desse dia.

Muitos são os homens que amaldiçoam com amargura os dias mortos da sua juventude; muitas são as mulheres que execram os anos desperdiçados com a mesma fúria de uma leoa que perdeu as crias; e muitos são os jovens que têm o coração apenas para neles enfiar os punhais das memórias amargas do futuro, ferindo-se por ignorância com as setas afiadas e venenosas do afastamento da felicidade.

A velhice é a neve da terra. Por meio da luz e da verdade, ela deve aquecer as sementes da juventude e protegê-las para que cumpram o propósito delas, até que Nisã venha completar o crescimento da vida pura da juventude com o novo despertar.

Caminhamos muito lentamente para o despertar da nossa elevação espiritual, e apenas esse plano, infinito como o firmamento, representa a compreensão da beleza da existência através da afeição e do amor por essa beleza.

O destino afastou-me da corrente dolorosa da civilização moderna, arrancando-me dos braços da Natureza, em sua pérgola verde e fria, e atirou-me violentamente para baixo dos pés da multidão, fazendo de mim uma vítima da tortura urbana.

Nunca houve castigo mais duro aplicado a um filho de Deus, exílio mais amargo imposto a alguém que ama uma folha de erva na terra com um fervor que faz tremer cada fibra do seu ser. Nenhum confinamento imposto a um criminoso foi tão severo quanto o tormento da minha prisão, onde as paredes estreitas da minha cela feriam meu coração.

Podemos possuir mais ouro do que os aldeões, mas eles são infinitamente mais ricos na plenitude da verdadeira existência. Semeamos em abundância, mas nada colhemos; eles, por outro lado, colhem as dádivas gloriosas com que a natureza compensa os filhos mais diligentes de Deus. Nós calculamos com astúcia cada mercadoria; eles, por outro lado, aceitam os produtos da natureza honestamente e em paz. Dormimos agitados, sonhando com os espectros do futuro; eles dormem como crianças de peito, sabendo que a natureza nunca lhes recusará as colheitas habituais.

Somos escravos do lucro; eles são os mestres da satisfação. Nós bebemos amargura, desespero, medo e tédio no cálice da vida; eles bebem o mais puro néctar da bênção divina.

Ó Doador das Graças, oculto de mim por esses edifícios de multidões, que não passam de ídolos e imagens... Ouve os gritos de angústia da minha alma despedaçada! Tem misericórdia e devolve o teu filho perdido à montanha que é o teu edifício.

O cortejo
Um diálogo

Velhice: É verdade, o homem faz boas ações, mas, quando morre, o mal que fez não morre com ele. Como rodas que giram, somos guiados pelas mãos do tempo, nas quais o homem se encontra sempre. Não digas: "Este homem é instruído e famoso, ou é um mestre do conhecimento enviado pelos anjos", pois, na cidade, o melhor dos homens é apenas um do rebanho conduzido pelo pastor. E quem não segue a ordem, logo se encontra diante de seus assassinos.

Juventude: Não há pastor que conduza o homem na quietude do campo, nem ovelhas para pastar, nem corações para sangrar. O inverno parte despindo-se de seus trajes, e a primavera deve vir, mas apenas por ordem divina. O teu povo nasceu escravo e os seus tiranos lhe despedaçam a alma. Para onde quer que vá o pastor, outros irão, e coitado daquele que se recusa! Dá-me uma flauta para que eu cante e a música ressoe na minha alma; o canto da flauta é mais sublime do que toda a glória dos reis na história.

Velhice: A vida em meio à multidão é apenas um breve torpor induzido por drogas, misturado com sonhos loucos, espectros e temores. O segredo do coração está encerrado na tristeza e só nela se encontra a nossa alegria, ao passo que a felicidade só serve para esconder o mistério profundo da vida; e se eu abandonasse a tristeza pela paz do campo, teria apenas o vazio por herança.

Juventude: A alegria de um é a tristeza de outro, e não há tristeza na quietude do campo nem tristeza engendrada por um gesto de desdém. A brisa viva traz alegria aos corações tristes, e a tristeza no teu coração é apenas um sonho ilusório, que passa tão rapidamente como o arroio ligeiro. A tua tristeza desapareceria no campo, da mesma forma que as folhas de outono caem na nascente do arroio, e o teu coração seria tão calmo como um lago sob as luzes de Deus. Dá-me uma flauta para que eu cante e a música ressoe na minha alma; apenas a melodia do céu permanecerá, todas as coisas terrenas acabam no vazio.

Velhice: Poucos são os que se contentam com a vida e se distanciam de cuidados. O rio da vida não traz nada além de vaidade; o curso do rio da vida humana foi desviado para encher de conhecimento taças velhas oferecidas ao homem, que bebe a plenitude da vida, mas não segue os avisos dela. Alegra-se quando as taças estão cheias de felicidade, mas lamenta-se quando implora a Deus por riquezas que não merece. E quando alcança essas riquezas, seus sonhos de medo escravizam-no para sempre. O mundo é apenas uma taverna cujo dono é o tempo e cujos ébrios exigem muito e oferecem pouco.

Juventude: Não há vinho na tranquilidade do campo, pois a gloriosa embriaguez da alma é a recompensa de todos os que vasculham no seio da natureza. A nuvem que esconde a Lua deve ser penetrada com ardor para que se contemple o luar. As pessoas da cidade abusam do vinho do tempo porque o consideram como um santuário, e bebem-no com indiferença, sem pensar, e fogem rapidamente para a velhice com uma tristeza profunda, porém inconsciente. Dá-me uma flauta para que eu cante e a música ressoe na minha alma; a canção de Deus deve permanecer para sempre, todo o resto está destinado a passar.

Velhice: A religião é para a humanidade como o campo que mencionas, pois é arada pelos fiéis, que nela plantam esperança; ou pelos ignorantes, que tremem por medo do fogo do inferno;

ou pelos fortes, que possuem o ouro vão e consideram a religião como uma espécie de mercadoria, sempre buscando o lucro em uma recompensa terrena. Contudo o coração deles está perdido, apesar de ainda bater; e o fruto do seu cultivo espiritual não é senão a erva daninha indesejada que cresce no vale.

Juventude: Na quietude do campo do Senhor não há religião, heresia, cor ou credo, pois quando o rouxinol canta, tudo é beleza, alegria e religião; lá, o espírito é apaziguado e a sua recompensa é a paz. Dá-me uma flauta para que eu cante, a oração é a minha música e o amor é a minha corda. O lamento da flauta, por certo, entoará a miséria daqueles que estão confinados na cidade.

Velhice: O que têm a justiça e o governo terreno que nos fazem rir e chorar? A morte ou a cela estreita aguardam o criminoso pobre e fraco, mas a honra e a glória esperam os ricos que escondem os seus crimes por trás do ouro, da prata e da glória que herdaram.

Juventude: Tudo é justiça no campo. A natureza não negligencia nem favorece ninguém. As árvores crescem cada uma à sua maneira, mas quando a brisa vem, todas elas balançam. A justiça no campo é como a neve, pois cobre tudo, e quando o Sol aparece, tudo emerge mais forte, mais belo e mais perfumado do que antes. Dá-me uma flauta para que eu cante, pois em todo o lado a canção divina pode ser ouvida; a verdade da flauta deixará a sua marca para sempre, mas para os homens e os seus crimes só restará o escárnio.

Velhice: O povo da cidade está enredado na teia do tirano, que se enfurece quando envelhece. O covil do leão tem um cheiro e, esteja o leão ali ou não, a raposa não se aproxima. O estorninho é tímido quando sobe ao infinito, mas a águia é orgulhosa mesmo quando está para morrer. O poder do espírito sozinho é a maior força de todas e, com o tempo, reduz a pó tudo o que se lhe opõe. Não condenes, mas tem pena daqueles que não têm fé, da sua fraqueza, da sua ignorância e do seu vazio.

Juventude: O campo não vê nem os fracos nem os fortes, pois, por natureza, todos são iguais e todos são fortes. Quando o leão ruge, o campo não diz: "É uma fera terrível... fujamos!". A sombra do homem atravessa rapidamente a Terra durante a sua viagem curta e malfadada, e encontra descanso no vasto firmamento do pensamento, que é o campo do Céu; e, tal como as folhas que no outono caem sobre o coração da terra, todas as coisas devem ressurgir, esplêndidas em seu renascimento, na grande e colorida primavera da juventude. E a folha da árvore crescerá luxuriante e terá vida quando os bens materiais do homem desaparecerem e forem esquecidos. Dá-me uma flauta para que eu cante, pois meu cantar trará a força da alma; a flauta celestial será apreciada por muito tempo, mas o homem, com a sua ganância, logo morrerá.

Velhice: O homem é fraco por culpa de si mesmo, pois adaptou as leis divinas ao seu limitado modo de vida e algemou-se com os ferros grosseiros das regras sociais desejadas por ele. Ele recusa-se obstinadamente a perceber a grande tragédia em que atirou a si próprio, aos seus filhos e aos filhos dos seus filhos. O homem ergueu nesta terra uma prisão de discórdia da qual não pode mais escapar, fazendo da infelicidade o seu destino voluntário.

Juventude: Para a Natureza, todos estão vivos e livres. A glória terrena do homem é um sonho vazio que desaparece entre as águas do riacho pedregoso. Quando a amendoeira espalha suas flores sobre as pequenas plantas abaixo, não diz: "Como sou rica! E como são pobres as outras plantas!". Dá-me uma flauta para que eu cante e a música ressoe na minha alma; a melodia divina nunca fenecerá, enquanto na Terra tudo o mais é vaidade.

Velhice: A bondade das pessoas não é senão uma concha vazia que não contém gema ou pérola. As pessoas vivem com dois corações: um pequeno, animado por uma profunda doçura, outro feito de aço. A bondade, muitas vezes, serve de escudo, enquanto a generosidade serve de espada.

Juventude: O campo tem apenas um grande coração; o salgueiro vive ao lado do carvalho e não teme a força ou a grandeza do vizinho. A aparência do pavão é magnífica à vista, mas ele não sabe se é belo ou se é feio. Dá-me uma flauta para que eu cante e a música ressoe na minha alma, pois a música é o hino da mansidão, mais poderosa do que o forte e o fraco.

Velhice: O povo da cidade finge ter grande sabedoria e grande conhecimento, mas será sempre um mentiroso, pois a sua especialidade é a imitação. Ele orgulha-se de cuidar para que uma troca não traga lucro nem perda. O idiota imagina-se um rei e nenhuma força pode alterar seus grandes pensamentos e sonhos. O tolo orgulhoso confunde o seu espelho com o céu e a sua sombra com a Lua, que nele brilha.

Juventude: No campo não há criaturas inteligentes nem belas, porque a natureza não tem necessidade de beleza nem de doçura. O riacho que corre é um néctar doce que, quando se alarga e descansa, reflete apenas a própria verdade e a dos que o rodeiam. Dá-me uma flauta para que eu cante e a música ressoe na minha alma; o gemido da flauta é mais divino do que a taça de ouro cheia de vinho tinto.

Velhice: O amor pelo qual o homem luta e morre é como o arbusto que não dá frutos. Só o amor bom e justo, como o enorme sofrimento da alma, revive e eleva o coração à compreensão. Quando ferido, é um transmissor de miséria, um presságio de perigo e uma nuvem negra de maldade. Se a humanidade conduzisse a procissão do amor para um leito de infidelidade, o amor se recusaria a viver ali. O amor é uma ave magnífica que implora para ser apanhada, mas se recusa a ser ferida.

Juventude: O campo não peleia pelo trono do amor, pois o amor e a beleza habitam para sempre, em paz e virtude, no campo. O amor, quando o encontramos, é uma doença que atinge a carne e os ossos, e apenas quando a juventude passa, a dor nos traz um rico e sofrido conhecimento. Dá-me uma flauta para que eu cante e a música ressoe na minha alma, pois a canção é o braço do amor, que desce em beleza do nosso Senhor.

Velhice: O jovem em quem, pela verdade da luz celestial, foi infundido um grande amor, e em quem a sede e a fome são desencadeadas para proteger esse amor, é o verdadeiro filho de Deus. No entanto as pessoas dizem: "Ele é um tolo! Não tira proveito do amor. Sua amada está longe de ser bela e as dores e as mágoas que ele sente não lhe trazem proveito algum!". Piedade desses ignorantes! O espírito deles estava morto antes mesmo de eles nascerem!

Juventude: Aquele que vigia e aquele que censura não vivem no campo e não há segredo que a natureza esconda. A gazela salta alegremente à noite e o rosto da águia nunca demonstra alegria nem raiva, mas tudo no campo pode ser ouvido, conhecido e visto. Dá-me uma flauta para que eu cante e a música ressoe na minha alma, pois a música é o paraíso do meu coração, uma alegria do céu, o beijo de Deus.

Velhice: Nós nos esquecemos da grandeza do invasor, mas nos lembramos sempre de sua fúria e de sua loucura. Do coração de Alexandre, a luxúria se fortaleceu, e pela alma de Kais a ignorância foi derrotada. O triunfo de Alexandre foi apenas uma derrota; o tormento de Kais foi triunfo e glória. Pelo espírito e não pelo corpo, o amor deve manifestar-se; deve ser como o vinho, que é prensado para vivificar, não para enfraquecer.

Juventude: No campo, as memórias de quem ama permanecem, mas as ações de um tirano nunca vêm ao pensamento, pois é no livro da história que seu crime é registrado. Para o amor, toda a existência é um templo eterno. Dá-me uma flauta para que eu cante e a música ressoe na minha alma; esqueçamo-nos da crueldade dos poderosos, só a natureza tudo pertence. Os lírios são feitos como taças para o orvalho, não para o veneno nem para o sangue fresco.

Velhice: A felicidade na Terra não é senão um espectro rápido e fugaz, que o homem anseia, seja qual for o custo, em ouro ou em tempo. E quando o espectro ganha corpo, o homem logo se cansa dele. O rio corre como o corcel na planície, sulcando a terra.

O homem esforça-se para obter para o seu corpo coisas proibidas, mas quando as obtém, o desejo diminui. Quando vires um homem afastar-se das coisas proibidas que promovem o crime, olha para ele com olhos de amor, pois ele mantém Deus dentro de si.

Juventude: A beleza do campo não necessita de esperança e cuidado; não dá atenção ao desejo e nada cobiça, pois Deus Todo-Poderoso deu-lhe tudo. Dá-me uma flauta para que eu cante e a música ressoe na minha alma; cantar é esperança, desejo e amor; o lamento da flauta é a luz e o fogo.

Velhice: No coração se oculta o propósito do espírito, e não se pode julgá-lo pela aparência exterior. Costuma-se dizer: "Quando a alma atinge a perfeição, liberta-se da vida; pois se a alma fosse um fruto, quando madura cairia da árvore pela força do vento divino". Outros acrescentam: "Quando o corpo encontra descanso na morte, a alma o deixa, pois a sombra desvanece-se no lago quando o calor abrasador seca o seu leito. Mas o espírito não nasce para morrer, e há de florescer para sempre, pois mesmo que o vento norte sopre e vergue a flor para o chão, o vento sul vem para renovar-lhe a beleza.

Juventude: O campo distingue entre corpo e alma. O mar, o nevoeiro, o orvalho e a névoa não são nada mais do que uma coisa só, esteja o céu claro ou nublado. Dá-me uma flauta para que eu cante e a música ressoe na minha alma, pois a canção vem da alma e do corpo, desde o rico fundo do cálice dourado.

Velhice: O corpo é o ventre da serenidade da alma, e ali repousa até que a luz nasça. A alma é um embrião no corpo do homem e o dia da morte é o dia do despertar, pois é a grande era do parto e a rica hora da criação. Mas a esterilidade da perversidade acompanha o homem e se intromete na fertilidade da mente da alma. São muitas as flores que não emanam perfume desde o dia do nascimento. São muitas as nuvens espessas no céu, áridas de chuva, que não despejam pérolas.

Juventude: Nenhuma alma é estéril no campo e os intrusos não podem violar a nossa paz. A semente que contém a data da colheita no coração é o segredo da palmeira desde o início da criação. Dá-me uma flauta para que eu cante e a música ressoe na minha alma, pois a música é um coração que cresce com amor e, como a primavera, deve florescer.

Velhice: A morte é um fim para o filho da terra, mas para a alma é o princípio, é o triunfo da vida. Aquele que abraça a aurora da verdade com os olhos da alma será para sempre arrebatado em êxtase, como o riacho murmurante; mas aquele que dorme quando a luz do dia celestial brilha está condenado a morrer na escuridão eterna de que tanto gosta. Se em vigília alguém se agarra a terra e trata a Natureza com amor, perto de Deus, então, esse filho de Deus passará pelo vale da morte como um riacho estreito.

Juventude: Não há morte no bom campo, não há sepulturas para cavar nem orações para ler. Quando Nisã parte, a alegria continua, pois a morte não tira o sentimento nem a consciência de tudo o que é bom. E quem viveu uma ou mais primaveras possui a vida espiritual de quem viveu vinte. Dá-me uma flauta para que eu cante e a música ressoe na minha alma, pois a música desvela o segredo da vida trazendo a paz, e toda a contenda é abolida.

Velhice: O campo tem muito, o homem tem pouco. O homem é o espírito do seu Criador na Terra, e tudo o que há no campo é criado para ele; porém o homem, por escolha própria, foge da proximidade do amor e da beleza de Deus, que é o campo majestoso.

Juventude: Dá-me uma flauta para que eu cante, esquece tudo aquilo de dissemos. As palavras são o pó que mancha o éter e se perde no vasto firmamento. O que fizeste de bom? Por que não adotas o campo como refúgio celestial? Por que não abandonas o palácio na cidade insalubre para subir as colinas, seguir o riacho, respirar os aromas e alegrar-se com o Sol? Por que não beber o vinho do amanhecer na grande taça da sabedoria e não pesar os cachos do

esplêndido fruto da vinha, que pendem como lâmpadas douradas no vinhedo? Por que não fazes do céu infinito um cobertor e, das flores, um tálamo de onde possas contemplar a terra de Deus? Por que não renunciar ao futuro e esquecer o passado? Não desejas viver da maneira que estavas destinado a viver?
Rechaça a tua miséria e abandona tudo o que tem substância, pois a sociedade não é mais do que tumulto, desgraça e conflito. É apenas a teia da aranha, a toca da toupeira. A natureza acolher-te-á como um dos seus e tudo o que é bom existirá para ti. O filho do campo é um filho de Deus.

Velhice: Viver no campo é minha esperança, meu anseio e meu desejo; essa é a vida de beleza e paz pela qual imploro. Mas a vontade de ferro do destino colocou-me no seio da cidade e o homem possui um destino que lhe move o pensamento, as ações e as palavras, e que, como se não bastasse, leva-o a viver onde não quer.

Letras de fogo

Gravar em minha lápide:

    "Aqui descansam os restos daquele que escreveu seu nome
    na água"

                                                        (KEATS)

Será este o fim das noites?

É assim que perecemos sob os pés do destino?

Assim os séculos dobram-nos, e não nos deixam mais do que um nome que escrevem em suas páginas, com água em vez de tinta?

Extinguir-se-ão as luzes e os amores desaparecerão?

E também as esperanças?

Irá a morte destruir tudo o que construímos, ou irá o vento espalhar tudo o que dizemos?

E a sombra? Haverá de cobrir o que fizemos?

É isso a vida?

É um passado que se foi e restos que desapareceram? É um presente que avança seguindo o passado, ou é um futuro que, até que o passado se torne presente, continuará misterioso?

Será que todos os prazeres dos nossos corações e todas as tristezas das nossas almas desaparecerão sem que saibamos seu propósito? Terá o homem de ser assim, como a espuma do mar que, ao toque da nevasca, desaparece e se desvanece como se nunca tivesse existido?

Não, pela minha vida! A verdade da vida é uma existência cujo início não está no peito e cujo fim não é o túmulo. Esses são apenas alguns momentos de uma vida eterna.

A nossa vida mundana, como tudo o que ela contém, é um sonho a par com o despertar a que chamamos a morte terrível. Um sonho, mas tudo o que vimos e fizemos nele permanecerá eterno na perpetuidade de Deus.

A brisa carrega cada sorriso e cada suspiro dos nossos corações, e mantém o eco de cada beijo nascido do amor. Os anjos contam cada lágrima que a dor derrama dos nossos olhos, e os espíritos que vagam no infinito devolvem cada canção que a alegria improvisou em nossa sensibilidade. Lá, no mundo vindouro, veremos a tristeza e sentiremos as vibrações dos nossos corações; lá, recordaremos a essência da nossa idolatria, que desprezamos agora, incitados pelo desespero.

O extravio, a que chamamos de fraqueza, aparecerá amanhã como um elo necessário para completar a cadeia da vida do homem.

Os trabalhos dolorosos que não nos compensam viverão entre nós e tornarão pública a nossa glória.

Os infortúnios e as desgraças que suportamos serão auréolas do nosso orgulho.

Sim... E se Keats, aquele melodioso rouxinol, soubesse que suas canções ainda infundem o espírito do amor da beleza no coração dos homens, ele exclamaria:

Gravar em minha lápide:

> "Aqui jazem os restos daquele que escreveu o seu nome na face do céu com letras de fogo".

As ninfas do vale

Marta

I

O pai morreu quando ela ainda estava no berço; e a mãe, antes que a filha completasse dez anos. Ela ficou órfã e foi morar na casa de um vizinho pobre, que vivia com a esposa e os filhos e sobrevivia dos frutos da terra em uma pequena aldeia isolada, em meio aos belos vales do Líbano.

Quando o pai morreu, nada deixou para ela; somente o nome e uma pobre cabana entre nogueiras e choupos. Da mãe, herdou apenas lágrimas de dor e a condição de órfã. Passou a viver como estrangeira na terra onde nascera, sozinha entre árvores frondosas e rochas escarpadas.

Todas as manhãs, caminhava, descalça e com um vestido esfarrapado, atrás de uma vaca leiteira na parte do vale onde o pasto era rico, e ali se sentava sob a sombra de uma árvore. Cantava com os pássaros e chorava com o riacho, enquanto invejava a vaca pela abundância de alimento. Admirava as flores e observava a agitação das borboletas. Quando o sol se punha, a fome a atingia, e ela voltava para a cabana para sentar-se junto à filha de seu tutor e comer avidamente uma broa com um pouco de frutas secas e feijão temperado com vinagre e azeite de oliva. Após a refeição, espalhava um pouco de palha seca no chão e se deitava, com a cabeça apoiada nos braços. Ela dormia e suspirava, desejando que a vida fosse um longo sono profundo — sem sonhos nem despertar. Ao amanhecer, seu guardião a despertava bruscamente para que ela o servisse, e assim ela se levantava: com medo de sua dureza e de sua ira. Dessa maneira passaram-se os anos para Marta, a infeliz, entre aquelas colinas e vales distantes.

Logo, passou a sentir no coração o despertar de emoções que nunca antes conhecera; era como tomar consciência do perfume do coração de uma flor. Sonhos e pensamentos estranhos a rodeavam como um rebanho que se depara com um curso d'água. Ela se tornou mulher, e parecia, de certa forma, um solo virgem e fresco que se preparava para receber as sementes do conhecimento e sentir as marcas da experiência. Era uma moça acanhada, de alma pura, que um decreto do destino havia exilado para aquela seara, lá onde a vida passava em suas fases regida pelas estações do ano. Era como a sombra de um deus desconhecido que residia entre a terra e o sol.

Aqueles de nós que passaram a maior parte da vida em cidades populosas sabem muito pouco sobre a vida dos habitantes das aldeias e vilarejos remotos do Líbano. Somos levados pela corrente da civilização moderna. Esquecemo-nos — ou assim dizemos a nós mesmos — da filosofia dessa vida bela e simples, repleta de pureza e da candura espiritual. Se voltássemos o olhar, veríamos a vida sorrindo na primavera, repousando ao sol no verão, colhendo os frutos do outono e repousando no inverno, e a teríamos como nossa Mãe Natureza em todos os estados de espírito. Somos mais ricos em bens materiais que aqueles aldeões; mas o espírito deles é mais nobre que o nosso. Semeamos muito, e não colhemos nada. Mas o que eles semeiam, também colhem. Somos escravos de nossos apetites; eles, filhos da própria satisfação. Nós bebemos no cálice da vida um líquido turvo de amargura, desespero, medo e cansaço. Eles bebem ali um líquido puro.

Marta chegava à idade de dezesseis anos. Sua alma era um espelho polido que refletia toda a beleza dos campos, e seu coração era como vales abertos que devolviam as vozes em eco.

Em um dia de outono, quando a natureza parecia cheia de tristeza, ela se sentou junto a uma nascente, liberta de sua prisão terrena, como os pensamentos da imaginação de um poeta, contemplando a agitação das folhas amareladas que caíam das árvores. Marta observava o vento a brincar com as folhas, da mesma forma que a morte brincava com as almas dos homens. Observava as flores murcharem, e seus corações secarem e se espatifarem em pequenos pedaços. Elas armazenavam as sementes na terra, como as mulheres armazenam suas bugigangas e joias durante os tempos de guerra e conflitos.

Enquanto admirava as flores e as árvores, compartilhando com elas a dor de ver passar o verão, ouviu sons de cascos nas pedras quebradas do vale. Ela se virou e viu um cavaleiro cavalgando lentamente em sua direção; seu porte e suas vestimentas denunciavam que era um homem rico e de vida fácil. Ele, então, desceu de seu cavalo e a cumprimentou gentilmente, de uma maneira que homem algum jamais havia feito a ela antes.

— Eu me afastei da estrada que leva à costa. Poderias indicar-me o caminho? — perguntou ele.

Ela parou à beira da nascente, ereta como um ramo jovem, e respondeu:

— Eu não sei, meu mestre, mas vou perguntar ao meu tutor; pois ele sabe.

Ela pronunciou essas palavras, ao mesmo tempo em que se sentia um pouco assustada, com certa timidez e modéstia que lhe aumentavam a ternura e a beleza. Estava prestes a partir, quando o homem a deteve. O vinho tinto da juventude corria forte nas veias dele. Seu olhar mudou quando disse a ela:

— Não, não te vás.

Ela permaneceu em pé e surpresa, pois sentiu na voz dele uma força que a detinha. Ela olhou furtivamente para ele, enquanto ele a mirava com cuidado; um olhar que ela não conseguia entender. Então, ele sorriu para ela de uma forma tão encantadora que quase a fez chorar diante da doçura daquele sorriso.

Ele pousou o olhar nos pés descalços da moça, em seus lindos pulsos, no colo liso e em seus cabelos macios e cheios. Notou, com uma paixão crescente, a pele dela que cintilava ao sol e os braços que a natureza havia fortalecido. Mas ela permanecia em silêncio, acanhada. Ela não queria ir embora, e, por razões inexplicáveis, não conseguia encontrar forças para falar.

A vaca leiteira retornou ao recinto naquela noite sem sua dona, pois Marta não retornou. Quando o tutor voltou dos campos, procurou-a em todos os cantos, mas não conseguiu encontrá-la. Ele a chamava pelo nome, mas não tinha respostas, com exceção dos ecos das cavernas e o sussurro do vento nas árvores. Voltou triste para sua cabana e contou à esposa o que acontecera. Ela chorou silenciosamente durante toda a noite, dizendo para si: "Eu a vi em um sonho nas garras de um animal selvagem, que lhe rasgava o corpo em pedaços enquanto ela sorria e chorava".

Isso foi o que eu soube da vida de Marta naquele belo vilarejo. Soube disso de uma velha aldeã que a conhecera desde pequena. Ela havia desaparecido daqueles vales sem deixar nada para trás, a não ser algumas lágrimas nos olhos da mulher do tutor e uma memória triste que cavalgava na brisa da manhã sobre o vale; e depois, como o sopro de uma criança na janela, para sempre se perdia.

II

Retornei a Beirute no outono de 1900, depois de passar as férias de estudante no norte do Líbano. E, antes de voltar aos estudos, passei uma semana andando pela cidade na companhia de alguns colegas, saboreando as delícias da liberdade, pela qual os jovens anseiam, e que lhes é negada em casa e nas quatro paredes da sala de aula. É como um pássaro, que, ao ver a gaiola aberta, voa alegremente, com vontade de cantar e animada com a alegria da fuga.

A juventude é um belo sonho, mas sua doçura é aprisionada pelo enfado dos livros, e seu despertar é doloroso.

Haverá um dia em que os homens sábios poderão unir os sonhos da juventude ao prazer de aprender, da mesma forma que a confiança une aqueles corações que estão em conflito? Haverá um dia em que o professor do homem será a natureza, a humanidade seu livro, e a vida sua escola? Esse dia existirá?

Não sabemos, mas sentimos a urgência que nos impulsiona sempre para o progresso espiritual; e esse progresso é o entendimento acerca da beleza que existe em toda a criação, por meio da bondade que existe em nós, e a disseminação da felicidade pelo amor que nutrimos por tal beleza.

Naquela tarde, eu estava sentado na varanda de minha casa, observando os movimentos da multidão e ouvindo os gritos dos vendedores ambulantes, cada um exaltando a excelência de suas mercadorias e alimentos, quando um menino pequeno veio até mim. Ele tinha cerca de cinco anos, estava vestido com trapos e carregava no ombro uma bandeja cheia de raminhos de flores. Com uma voz trêmula e fraca, como se fosse parte de sua herança de longo sofrimento, me pediu que comprasse algumas de suas flores.

Observei aquele rostinho pálido, no qual os olhos negros brilhavam, enegrecidos pela sombra do cansaço e da miséria; sua boca era como uma cicatriz aberta sobre um peito ferido; seus braços finos e nus, e seu pequeno corpo macilento dobrado sob o peso da bandeja de flores, como uma roseira murcha entre plantas verdes e tenras. Eu vi tudo isso de relance, e sorri com pena, em um sorriso no qual havia o amargor das lágrimas. Um daqueles sorrisos que nascem nas profundezas do coração e sobem até os lábios; sorrisos que, se reprimidos, refletem-se nos olhos.

Comprei algumas de suas flores, mas era sua conversa que eu queria comprar, pois senti que em seu olhar ansioso escondia-se uma tragédia, a tragédia da miséria, perpetuamente representada no palco dos dias. Quando lhe falei com palavras amáveis, ele mostrou-se amigável, como se tivesse encontrado alguém que pudesse lhe oferecer um pouco de proteção e segurança. Ele olhava para mim com espanto, pois garotos de sua espécie estão acostumados a apenas serem maltratados pelas outras crianças, que consideram os meninos de rua como coisas desprezíveis, e não como pequenas almas feridas pelas flechas do infortúnio. Depois perguntei qual era seu nome.

— Fuad — respondeu, com os olhos fixos no chão.

Eu continuei:

— De quem és filho, e onde está tua família?

— Sou filho de Marta, uma mulher da aldeia de Ban.

— E teu pai? — perguntei-lhe.

Ele balançou a cabeça, como alguém que não sabe quem é seu pai.

— Então, onde está tua mãe, Fuad?

— Em casa, doente.

Essas poucas palavras, vindas dos lábios daquela criança, ressoaram em meus ouvidos com sotaques familiares, e estranhas imagens de melancolia se formaram em meus sentidos mais profundos, pois eu sabia imediatamente que a infeliz Marta, cuja história eu tinha ouvido dos aldeões, estava viva e doente em Beirute. Aquela garota, que ainda ontem havia vivido entre as árvores e os vales, longe do sofrimento, sofria agora as dificuldades da fome e da dor na cidade grande. A menina órfã, que havia passado a infância conversando com a natureza, cuidando de vacas nos belos prados, fora varrida pela maré da civilização corrupta para se tornar uma presa da miséria e da desgraça.

Enquanto esses pensamentos corriam pela minha mente, o menino continuava olhando para mim, como se enxergasse com os olhos de seu espírito inocente o sofrimento do meu coração.

O menino fez um gesto para se retirar, mas eu peguei na mão dele e disse:

— Leve-me até tua mãe; eu quero vê-la.

Ele me levou pelas ruas, caminhando à frente em silêncio e perplexo. De tempos em tempos, olhava para trás, para verificar se eu continuava a segui-lo. Eu sentia receio e tristeza ao mesmo tempo. Caminhei por becos sujos, onde o ar era temperado pelo hálito da morte; passamos por cabanas onde homens malvados praticavam seus atos malignos, encobertos pelas cortinas da noite. Percorremos becos onde o vento assobiava como uma cobra, por onde eu caminhava atrás daquele menino de tenra idade, de coração inocente e coragem muda. Ele tinha a coragem daqueles que estão familiarizados com a maldade de uma cidade que no Oriente Médio é conhecida como "a Noiva da Síria", e "a Pérola da Coroa dos Reis". Por fim, chegamos a um subúrbio miserável, e o menino entrou em uma morada muito humilde, que o passar dos anos havia transformado em ruínas deploráveis.

Entrei atrás dele, sem perceber que meu coração batia acelerado. Encontrei-me no meio de uma pequena sala onde o ar era úmido. Em cada móvel, havia uma lâmpada cuja luz fraca cortava a escuridão com raios amarelados, e uma cama cuja aparência revelava a mais extrema pobreza, de abandono e necessidade. Naquela cama, uma mulher dormia com o rosto voltado para a parede, como se quisesse refugiar-se das crueldades do mundo; ou talvez, ela visse nas pedras decadentes um coração mais terno e compassivo do que o dos homens. O menino se aproximou da mulher, gritando:

— Mãe! Mãe!

A mulher se voltou para nós e viu o menino, que apontava para mim. Ela fez um movimento defensivo sob os trapos que a cobriam, e com uma voz amarga pelos sofrimentos de um espírito em agonia, exclamou:

— O que queres de mim, homem? Vieste comprar os últimos restos da minha vida, para saciares tua sede de prazer? Fiques longe de mim! As ruas já estão cheias de mulheres dispostas a vender o corpo e a alma por um preço baixo. Não tenho nada para vender senão alguns suspiros, que a morte logo comprará com a paz da sepultura.

Eu me aproximei da cama dela. As palavras da mulher tocaram o fundo do meu coração, pois eram o fim de uma triste história. Dirigi-me a ela, desejando que meus sentimentos fluíssem com minhas palavras:

— Não tenhas medo de mim, Marta. Não vim aqui como uma ave de rapina, mas como um homem triste. Sou do Líbano, e vivi muito tempo entre os vales e vilarejos, perto das florestas de cedro. Não tenhas medo de nada, Marta.

A mulher ouviu minhas palavras e compreendeu que elas vinham do fundo de um espírito que, com ela, chorava, pois ela tremia e estremecia na cama como um galho sem folhas ao vento do inverno. Ela colocou as mãos no rosto, como que para se esconder daquela triste memória, de aterrorizante doçura e amarga beleza. Depois de um silêncio e um suspiro, o rosto dela reapareceu entre seus ombros trêmulos. Vi seus olhos afundados que pareciam olhar para algo invisível ali, no vazio daquela sala, e vi que seus lábios tremiam de desespero. A morte já roncava em sua garganta, com um lamento profundo e deplorável. Então, ela falou; e se a súplica e o rogo deram a ela forças para expressar-se, a fraqueza e o sofrimento trouxeram-lhe a voz de volta:

— Vieste até aqui movido pela bondade e pela compaixão; e se a compaixão pelos pecadores é mesmo um ato de piedade, e se a compaixão por aqueles que se extraviaram é meritória, o céu te recompensará. Mas eu te suplico que saias daqui e voltes para o lugar de onde vieste, pois tua presença neste lugar te envergonhará e tua compaixão por mim te renderá insultos e desprezo. Vai, antes que alguém te veja nesta sala manchada pelos porcos. Anda com pressa e cobre teu rosto com teu manto, para que ninguém na rua te possa reconhecer. A pena que tu sentes não vai restaurar a minha pureza, tampouco apagar o meu pecado, nem remover a poderosa mão da morte, que já pesa sobre mim. Minha perversidade e minhas faltas me lançaram nesta profunda escuridão. Não deixes que tua compaixão te traga o desprezo. Sou uma leprosa que vive entre os túmulos. Não te aproximes de mim, para que as pessoas não pensem que és impuro e se afastem de ti. Volta agora para aqueles vales sagrados; mas não menciones meu nome, pois, se assim o fizer, o pastor afastará as ovelhas doentes para que seu rebanho não seja contaminado. E se um dia tiveres de dizer meu nome, diga que Marta, uma mulher do povo de Ban, está morta — e não digas mais nada.

Depois, tomou as mãozinhas do filho e as beijou com tristeza. Suspirou, e voltou a falar:

— As pessoas tratarão meu filho com desprezo e zombaria, dizendo que é filho do pecado; dirão que é filho de Marta, a meretriz, o filho da vergonha e do acaso. Dirão coisas piores sobre ele, pois as pessoas são cegas e não verão que sua mãe purificou a infância dele com dor e lágrimas, e que ela lhe deu a vida em troca da tristeza e da infelicidade. Vou morrer, deixando-o órfão em meio às crianças da rua, sozinho na vida, sem piedade, com uma terrível memória como sua única herança. Se ele for covarde e fraco, terá vergonha dessa memória; mas se for corajoso e justo, seu sangue circulará com orgulho. Se o céu o preservar e lhe der forças para se tornar um homem, então este mesmo céu o ajudará a lutar contra aqueles que fizeram mal a ele e à sua mãe. Mas se ele morrer e for libertado do peso dos anos, ele me encontrará no além, onde tudo é luz e repouso, a esperar por ele.

Meu coração inspirou-me estas palavras:

— Não és uma leprosa, Marta, embora tenhas residido entre os túmulos. Não és impura, embora a vida a tenha colocado nas mãos dos impuros. A impureza da carne não pode alcançar o espírito puro, assim como o acúmulo de neve não pode matar as sementes vivas. O que é a vida, senão uma eira onde as espigas das almas são espalhadas antes de darem frutos? Tenhamos piedade do trigo que não cai sobre a eira, pois as formigas da terra o levarão, e as aves do céu o tomarão, e ele não entrará no celeiro do dono do campo. És vítima da opressão, Marta, e aquele que a oprimiu nasceu em um palácio, é grande em riqueza, mas tem a alma pequena. És perseguida e desprezada, mas é melhor para alguém ser o oprimido do que o opressor; e é melhor ser vítima dos instintos humanos, que ser poderoso o suficiente para esmagar as flores da vida e desfigurar as belezas do sentimento com desejos maus. A alma é um elo da cadeia divina. O calor intenso pode distorcer esse elo e destruir a beleza de sua forma, mas não pode transformar o ouro de que é feito em outro metal; ao contrário, o calor pode fazer o precioso metal brilhar ainda mais intensamente. Mas ai daquele que é fraco e permite que o fogo o consuma e transforme em cinzas, para que os ventos as espalhem sobre a face do deserto. Sim, Marta, tu és uma flor esmagada pela pata do animal que se esconde no ser humano. Pés pesados passaram por cima de ti e te abateram, mas não aniquilaram aquela fragrância que se eleva com o lamento das viúvas e o pranto dos órfãos, e o suspiro dos pobres para o céu, fonte de justiça e misericórdia. Que seja um conforto para ti, Marta, saberes que és a flor esmagada, e não o pé que a esmagou.

Marta me escutava atentamente, e em seu rosto brilhava um pouco de conforto, como as nuvens quando iluminadas pelos suaves raios do sol poente. Ela me pediu que me sentasse ao seu lado. Eu o fiz, tentando ler em seus traços eloquentes as sombras ocultas de seu triste espírito. Ela tinha o olhar daqueles que sabem que estão prestes a morrer. Era o olhar de uma menina ainda na primavera da vida, que sente os passos da morte aproximando-se de seu leito. Era o olhar de uma mulher esquecida, que havia pouco caminhava pelos belos vales do Líbano, cheia de vida e energia, mas agora, exausta, aguardava apenas a libertação dos laços da existência.

Após um pungente silêncio, aquela mulher reuniu as últimas forças e começou a falar; e suas lágrimas deram um significado mais profundo a suas palavras, pois ela parecia colocar a alma em cada tênue soluço, e me disse:

— Sim, sou oprimida. Sou a presa do animal que há no homem; a flor pisoteada... Estava sentada à beira do riacho quando ele passou, a cavalo. Ele se dirigiu a mim carinhosamente e disse que eu era bonita, que me amava e que nunca me esqueceria. Disse também que os grandes campos eram locais desolados, e que os vales eram a morada de pássaros e chacais... Acolheu-me nos braços, apertou-me contra o peito e me beijou. Até então, eu não conhecia o sabor dos beijos, porque era uma órfã indefesa. Ele, então, colocou-me no cavalo e me levou até uma linda casa isolada. Lá, presenteou-me com vestidos de seda, perfumes e ricas iguarias... Fez tudo isso sorrindo; mas, por trás de suas doces palavras e de seus gestos carinhosos, escondiam-se a luxúria e os desejos animais. E, quando se viu satisfeito com o meu corpo e com a humilhação do meu espírito, foi-se embora, deixando em mim uma chama viva que crescia aos poucos em minhas entranhas. Depois, caí nesta escuridão, entre as brasas da dor e a amargura das lágrimas... Assim, a vida dividiu-se para mim em duas partes: uma, fraca e indefesa; e outra, mesquinha, a chorar no silêncio da noite, procurando voltar ao grande vazio. Naquela casa solitária, o meu opressor abandonou a mim e a meu filho para ser aleitado, entregues às crueldades da fome, do frio e da solidão. Não tínhamos companhia alguma a não ser o medo, e não havia outro conforto senão chorar. Os amigos daquele homem vieram me ver, e perceberam as minhas necessidades, mas também a minha fraqueza. Vieram a mim um após o outro. Queriam comprar-me com riquezas e dar-me o pão em troca da minha honra... Ah, quantas vezes estive prestes a libertar o meu espírito com minhas próprias mãos, mas não o fiz, porque a minha vida já não pertencia mais somente a mim — meu filho tinha parte nela. Meu filho, que o céu havia empurrado para a vida, da mesma forma que me empurrara da vida para as profundezas do abismo. Percebes? É chegada a hora; e meu noivo, o espírito da morte, vem, depois de uma longa ausência, para me levar para sua cama macia.

Depois de um profundo silêncio, que era como a presença de espíritos alados, olhou para mim, com o olhar velado pelas sombras da morte, e com uma doce voz continuou:

— Ó justiça, que te escondes por trás destas imagens aterradoras! Tu, somente tu, justiça, podes ouvir o lamento do meu espírito que se vai, e o chamado de um coração abandonado. Peço-te apenas que tenhas piedade de mim, para que com a tua mão direita possas proteger o meu filho, e, com a esquerda, receber o meu espírito.

O vigor dela diminuía, e sua respiração tornava-se mais fraca. Olhou para o filho com um olhar doloroso e terno; depois, baixou os olhos lentamente e, com uma voz que era quase um silêncio, começou a recitar:

— Pai nosso, que estais no céu...

A sua voz já não podia ser ouvida, mas os lábios continuaram a se mover durante alguns instantes. Em pouco tempo, todos os movimentos deixaram o seu corpo. Estremeceu. Foi quando aquela mulher suspirou pela última vez, e o seu rosto logo se tornou intensamente pálido. O espírito abandonou-lhe o corpo, e seus olhos voltaram a fitar o invisível.

Ao amanhecer, o corpo de Marta foi colocado em um caixão de madeira e carregado sobre os ombros de duas pessoas humildes. Nós a enterramos num campo deserto, longe da cidade, pois os padres não rezariam sobre aqueles restos mortais, nem permitiriam que os ossos de Marta descansassem no cemitério, onde as cruzes fazem sentinela sobre os túmulos. Nenhum enlutado foi àquela sepultura distante, a não ser o filho e um outro menino, a quem as adversidades da vida haviam ensinado a ter compaixão.

A cinza das eras e o fogo eterno

I

Outono do ano 116 a. C.

Era uma noite calma e toda vida dormia na Cidade do Sol. As lâmpadas das casas espalhadas em redor dos grandes templos, em meio às oliveiras e aos loureiros, já haviam se apagado. O luar derramava seus raios sobre a brancura das altas colunas de mármore, que se erguiam como sentinelas gigantes na noite tranquila sobre o santuário dos deuses. Elas olhavam com admiração e respeito para as montanhas do Líbano, que se elevavam no ermo distante.

Naquela hora mágica, que paira sobre os espíritos dos que dormem e os sonhos do infinito, Natã, filho do sacerdote, entrou no templo de Astarte. Carregava na mão trêmula uma tocha, com a qual acendeu as lâmpadas e os turíbulos. O cheiro doce de incenso e mirra subia pelo ar, e a imagem da deusa foi adornada com um véu delicado como o véu do desejo e da ansiedade que envolve o coração humano. Ele se prostrou diante do altar revestido de marfim e ouro, ergueu as mãos em súplica e levantou os olhos cheios de lágrimas para os céus. Com uma voz embargada pela dor e quebrada por duros soluços, exclamou:

— Piedade, ó grande Astarte! Piedade, ó deusa do amor e da beleza. Tem piedade de mim e afasta de minha amada, a quem minh'alma escolheu para cumprir a tua vontade, a mão da morte. As poções e os pós dos médicos não surtiram efeito, e o sortilégio dos sacerdotes e dos sábios foram em vão. Tudo o que me resta é invocar teu nome santo, para que me ajudes e me socorras.

Escuta, pois, a minha oração; olha para o meu coração contrito e minha agonia de espírito, e deixa que ela, parte de minh'alma, viva, para que possamos desfrutar dos segredos do teu amor e exultar na beleza dessa juventude que proclama a tua glória... Das profundezas, eu te invoco, sagrada Astarte. Da escuridão desta noite, busco a guarda de tua misericórdia.... Escuta a minha súplica! Sou teu servo Natã, filho do sacerdote Hirã, que dedicou a vida ao serviço do teu altar. Amo uma donzela, e a tomei por mulher, mas as noivas dos gênios sopraram sobre seu belo corpo o hálito de uma estranha doença. Enviaram o mensageiro da morte para levá-la às suas grutas encantadas. Esse mensageiro, agora, ruge como uma besta faminta ao lado do leito da minha amada, com suas asas negras abertas e as mãos sujas prontas para tirá-la de mim. Por isso vim a ti. Tem piedade de mim, e deixa-a viver. Ela é uma flor que não viveu ainda o verão da vida; um pássaro, cujo canto alegre que saúda o amanhecer foi interrompido. Salva-a das garras da morte, e cantaremos louvores e faremos holocaustos em glória do teu nome. Levaremos sacrifícios ao teu altar, e encheremos tuas ânforas com vinho e azeite doce perfumado, e forraremos o teu tabernáculo com rosas e jasmim. Queimaremos incenso e madeira de aloés de cheiro doce diante da tua imagem... Salva-a, ó deusa dos milagres, e deixa que o amor vença a morte, pois tu és a senhora do amor e da morte.

Ele parou de falar, chorando e suspirando de agonia. Em seguida, continuou:

— Ai de mim, sagrada Astarte, meus sonhos se destroçam e o último suspiro de minha existência se aproxima. Meu coração morre dentro do peito, e as lágrimas queimam meus olhos. Ampara-me com tua compaixão e deixa que minha amada continue comigo.

Naquele momento, um de seus escravos entrou; caminhou lentamente na direção de Natã, e sussurrou ao ouvido dele:

— Ela abriu os olhos, meu senhor, e olha em volta do leito, mas não te vê. Vim para te buscar, pois ela não para de chamar por ti.

Natã levantou-se e saiu rapidamente, e o escravo foi atrás. Ao chegar a seu palácio, entrou no quarto da moça doente e se postou à cabeceira do leito dela. Ele tomou-lhe a mão delicada e beijou-lhe os lábios repetidamente, como se pudesse inspirar neles uma nova vida. Ela virou o rosto, que estava escondido entre as almofadas de seda, em direção a ele e abriu um pouco os olhos. A sombra de um sorriso surgiu nos lábios dela — era tudo o que ainda havia de vida em seu belo corpo; o último raio de luz de um espírito que partia; um eco de lamento de um coração que se aproxima ligeiro do fim.

— Os deuses me chamam, noivo de minh'alma; a Morte vem para nos separar... Não fiques triste, pois a vontade dos deuses é sagrada, e as demandas da Morte são justas... Parto agora, mas as copas gêmeas de amor e juventude ainda estão cheias em nossas mãos, e os caminhos da doce vida estão diante de nós... Parto, meu amado, para os prados dos espíritos, mas voltarei a este mundo. Astarte traz de volta a esta vida as almas dos amantes que foram ao infinito antes de provarem as delícias do amor e as alegrias da juventude... Vamos encontrar-nos de novo, Natã, e juntos beberemos o orvalho da manhã; e, nas copas do narciso, exultaremos ao sol com os pássaros das campinas. Adeus, meu amado.

A voz dela ficou baixa, e seus lábios começaram a tremer como as pétalas de uma flor diante da brisa do amanhecer. Seu amante a agarrou, molhando o colo dela com suas lágrimas. Quando os lábios dele a beijaram, encontraram lábios de gelo. Ele deu um grito terrível, rasgou as vestes e se arrojou sobre o corpo morto da amada. O espírito de Natã, em agonia, pairava entre o profundo mar da vida e o abismo da morte.

Na quietude daquela noite, as pálpebras dos que dormiam tremeram; as mulheres da vizinhança soluçavam; e as almas das crianças tinham medo, pois a escuridão era rasgada por fortes gritos de luto e lágrimas amargas que se elevavam do palácio do sacerdote de Astarte. Quando amanheceu, o povo procurou Natã para consolá-lo e acalmá-lo em sua aflição, mas ele não foi encontrado.

Muitos dias depois, quando a caravana do Oriente chegou, seu chefe contou que havia visto Natã de longe, no deserto, vagando como uma alma penada entre as gazelas das areias.

Séculos se passaram, e os pés do tempo apagaram a obra dos séculos. Deuses partiram da terra e outros vieram em seu lugar — deuses de fúria, ávidos por destruição e ruína. Arrasaram o belo templo da Cidade do Sol e destruíram seus belos palácios. Seus jardins verdejantes secaram e seus campos férteis tornaram-se terra desolada. Nada restou naquele vale, a não ser ruínas decadentes para assombrar a memória com fantasmas de ontem e recordar o fraco eco dos salmos que um dia foram ali entoados sobre a glória de antes. Mas os tempos que passam e varrem as obras do homem não podem destruir seus sonhos, nem enfraquecer seus sentimentos e emoções mais íntimos. Os sentimentos e as emoções perduram, como perdura o espírito imortal. Talvez estejam escondidos agora; mas talvez se escondam como o sol ao entardecer, ou como a lua com a chegada da aurora.

II

Primavera, 1890 d. C.

O dia minguava e a luz da tarde enfraquecia, enquanto o sol recolhia suas vestes das planícies de Balbeque. Ali, Al-Husaini conduziu seu rebanho até às ruínas do templo e sentou-se junto aos pilares caídos. Lembravam as costelas de um soldado que fora ali deixado, quebradas na batalha e despida pelos elementos. As ovelhas se juntavam em torno dele, pastando, sentindo-se embaladas e seguras pelas melodias da flauta do pastor.

A meia-noite chegou e os céus lançavam nas negras profundezas as sementes do dia seguinte. As pálpebras de Ali se cansavam dos espectros da vigília. A mente dele estava fatigada pelas procissões de seres imaginários que marchavam no terrível silêncio daquelas paredes decaídas. Ele apoiou a cabeça no braço, enquanto o sono pesava sobre ele e cobria sua vigília levemente com as dobras de seu véu, como uma névoa fina que toca a superfície de um lago calmo.

Esquecia-se do seu ser terreno ao encontrar seu ser espiritual; seu ser oculto, cheio de sonhos que transcendem as leis e os ensinamentos dos homens. Uma visão apareceu diante de seus olhos e as coisas ocultas se revelaram para ele. Seu espírito se distanciou da procissão do tempo, que sempre corre em direção ao nada. Ficou sozinho e em conflito diante das estreitas fileiras de pensamentos e emoções. Ele sabia, ou estava prestes a saber, pela primeira vez na vida, as causas da fome espiritual que tomara conta de sua juventude. Era uma fome que reunia toda a amargura e toda a doçura da existência. Era uma sede que juntava, num só grito, o anseio e a serenidade da plenitude. Era um anseio que nem toda a glória deste mundo podia nublar e o curso da vida, ocultar.

Pela primeira vez na vida, Ali Al-Husaini sentiu uma estranha sensação, despertada nele pelas ruínas do templo. Uma sensação sem forma, que lembrava o incenso que saía dos turíbulos. Era uma sensação persistente que tocava incessantemente em seus sentidos, como os dedos de um músico a tocar as cordas do alaúde. Uma nova sensação brotou do nada — ou talvez de algo. Cresceu e se desenvolveu até abraçar todo o seu ser espiritual. Um êxtase semelhante à morte, em sua bondade, com uma dor doce em sua amargura e agradável em sua firmeza, tomou conta da alma do pastor. Um sentimento que nascia nos vastos espaços de um minuto preenchido pela vigília. Um minuto que dava origem à forma das eras, como as nações, que crescem a partir de uma semente.

Ali olhou para o santuário em ruínas, e seu cansaço deu lugar ao despertar do espírito. As ruínas do altar tomaram forma diante de seus olhos; o local dos pilares caídos e os alicerces das paredes desmoronadas ficaram claros e nítidos para ele. Seus olhos ficaram deslumbrados e seu coração batia com força; e, de repente, como um cego que volta a enxergar a luz, ele começou a ver — e passou a refletir. E do caos do pensamento, e da desordem da reflexão, nasceram os fantasmas da memória, e ele, então, se lembrou. Lembrou-se daqueles pilares quando ainda se erguiam grandiosos e soberbos. Lembrou-se das lâmpadas de prata e dos turíbulos que rodeavam a imagem de uma deusa imponente. Lembrou-se dos veneráveis sacerdotes que colocavam suas oferendas diante de um altar revestido de marfim e ouro. Lembrou-se das virgens a bater seus tamborins e dos jovens cantando louvores à deusa do amor e da beleza. Lembrou-se dessas figuras e as viu ficarem claras diante de seus olhos. Teve a impressão de que coisas adormecidas se agitavam no silêncio do seu próprio ser.

Mas a lembrança não traz senão formas confusas, aquelas que revivemos do passado de nossas vidas. A lembrança traz apenas, aos nossos ouvidos, o eco de vozes que um dia ouvimos. Qual era então a ligação que uniu essas estranhas memórias à vida passada de um jovem criado entre as tendas, que passou a primavera de sua vida cuidando de ovelhas no deserto?

Ali levantou-se e caminhou entre as ruínas e as pedras quebradas. Aquelas lembranças distantes desvelaram o esquecimento dos olhos de sua mente, como se fosse uma mulher a varrer uma teia de aranha do vidro do espelho. E, logo, chegou ao coração do templo e se deteve. Era como se uma atração magnética na terra estivesse atraindo os seus pés. De repente, viu diante de si uma estátua quebrada caída no chão. Involuntariamente, ele se prostrou diante dela. Os sentimentos fluíam dentro dele como o fluxo de sangue de uma chaga exposta; seus batimentos cardíacos aumentavam e diminuíam, como a subida e descida das ondas do mar. Ele se mostrava humilde e deu um suspiro amargo de sofrimento, pois sentiu uma solidão que o feria, e um distanciamento que o aniquilava e que afastava seu espírito daquele espírito de beleza que estivera ao seu lado, antes que ele entrasse nesta vida. Sentiu a própria essência, como se não fosse nada mais que uma chama ardente que Deus havia separado dele antes do início dos tempos. Ali sentiu um leve tremular de asas em seus ossos ardentes, e, ao redor das células relaxadas de seu cérebro, um amor forte e potente tomava posse de seu coração e de sua alma. Um amor que revelava as coisas ocultas do espírito ao espírito, e que, com sua força, separava a mente das regiões dos pesos e medidas. Era um amor do qual ouvimos falar quando as línguas da vida estão em silêncio; que contemplamos como uma coluna de fogo, quando a escuridão oculta todas as coisas. Aquele amor, aquele deus, havia descido, naquela hora, sobre o espírito de Ali Al-Husaini e despertado nele sentimentos amargos e doces, como o sol que faz brotar as flores junto aos espinhos.

O que é esse amor? De onde ele vem? O que quer de um jovem que descansa com seu rebanho entre os santuários em ruínas? Que vinho é esse que percorre as veias de alguém deixando-o impassível aos olhares das donzelas? Que melodias celestiais são essas que sobem e descem aos ouvidos de um beduíno que ainda não ouvira o doce canto das mulheres?

O que é esse amor, e de onde ele vem? O que ele quer de Ali, ocupado com suas ovelhas e sua flauta longe dos homens? Seria algo semeado em seu coração pelas belezas humanas, sem que ele tivesse consciência disso? Ou seria uma luz brilhante velada pela névoa, e que então irrompia para iluminar o vazio de sua alma? Seria por acaso um sonho que vinha no silêncio da noite para zombar dele, ou uma verdade que existia e existirá até ao fim dos tempos?

Ali fechou os olhos úmidos e estendeu as mãos como um pedinte em busca de piedade. Sentiu seu espírito tremer, e desses tremores saíam soluços entrecortados, que eram, ao mesmo tempo, sinais de lamento e o fogo da saudade. Com uma voz, cujo som era pouco mais alto que um suspiro, ele clamou:

— Quem és tu, que tão perto do meu coração estás, mas permaneces invisível aos meus olhos, separando-me de mim mesmo, ligando meu presente a eras distantes e esquecidas? És uma ninfa, um espírito, vindo do mundo dos imortais para me falar da vaidade da vida e da fragilidade da carne? Serias o espírito da rainha dos gênios que saiu das entranhas da terra para escravizar meus sentidos, e fazer de mim motivo de riso entre os jovens de minha tribo? Quem és tu, e o que é essa tentação que avança e destrói, apoderando-se do meu coração? Que sentimentos são esses que me enchem de fogo e de luz? Quem sou eu, e o que é este novo ser a quem ainda chamo de "eu", mas que é um estranho para mim mesmo? Foi a água da fonte da vida tragada pelas partículas do ar, fazendo com que eu me tornasse um anjo que vê e ouve todas as coisas secretas? Estaria eu embriagado pelo fermento do diabo e me tornado cego para as coisas reais?

Ele ficou em silêncio por um tempo. Sua emoção crescia forte e seu espírito engrandecia. Ele tornou a falar:

— Ó tu, que ao espírito te revelas e dele te aproximas, e que a noite esconde e distancia; ó belo espírito, que caminhas nos espaços dos meus sonhos, despertaste em meu ser sentimentos que eram como sementes de flores escondidas sob a neve, e passaste como a brisa, a portadora do sopro dos campos. Tocaste meus sentidos para que fossem abalados e perturbados como as folhas de uma árvore. Deixa-me ver-te, se tiveres corpo e substância. Manda que o sonho feche as minhas pálpebras para que eu possa enxergar-te nos sonhos, se estiveres livre da terra. Deixa-me tocar-te; deixa-me ouvir a tua voz. Rasga o véu que cobre todo o meu ser, e destrói o tecido que oculta a minha divindade. Dá-me asas para que eu possa voar atrás de ti até às regiões da sublime congregação, se fores daqueles que lá habitam. Toca com teus sortilégios minhas pálpebras, e eu te seguirei até os lugares secretos dos gênios, se fores uma de suas ninfas. Põe tua mão invisível sobre o meu coração e me possuas, se fores livre para deixar seguir a quem quiser.

Ali sussurrava aos ouvidos da escuridão palavras que vinham do eco de uma melodia das profundezas de seu coração. Entre a visão de Ali e o ambiente, flutuavam os fantasmas da noite como se fossem incenso saindo das lágrimas ardentes do moço. Nas paredes do templo, apareceram pinturas encantadas nas cores do arco-íris. Assim, passou uma hora. Ele se regozijava com as lágrimas e se alegrava com a dor. Ouvia o batimento do próprio coração. Olhava para além de todas as coisas como se visse as formas desta vida desvanecer-se lentamente e, no lugar delas, um sonho maravilhoso de belezas e de imagens terríveis se formar. Como um profeta que olha para as estrelas dos céus em busca de inspiração divina, ele aguardou os próximos minutos. Um suspiro rápido lhe detere a respiração silenciosa, e seu espírito o abandonou para pairar ao redor e depois retornar, como se estivesse procurando entre aquelas ruínas um ente querido.

Rompeu a aurora, e o silêncio tremeu com o passar da brisa. Os vastos espaços sorriram como alguém que dorme e vê no sonho a imagem de quem ama. Os pássaros surgiam de fendas nas paredes em ruínas e se movimentavam entre os pilares, cantando e chamando uns aos outros, anunciando a aproximação do dia. Ali levantou-se e colocou a mão na testa febril. Olhou em volta com os olhos entorpecidos. E, como Adão, quando seus olhos foram abertos pelo sopro de Deus, ele viu aquilo que tinha diante de si e ficou maravilhado. Acercou-se das ovelhas e as chamou; elas se levantaram, sacudiram e trotaram calmamente atrás dele em direção aos pastos verdes.

Ali caminhava à frente do rebanho. Os seus olhos grandes observavam a atmosfera serena. Seus sentimentos mais íntimos haviam escapado da realidade para revelar-lhe os segredos e as coisas ocultas da existência; para mostrar-lhe o que havia passado em outros tempos e o que ainda persistia. Era como se tudo ocorresse num só instante. E um só instante bastou para fazê-lo esquecer-se de tudo aquilo e devolver-lhe a angústia e o anseio. Encontrou, entre si e o espírito de seu espírito, um véu que se punha entre os olhos e a luz. Ele suspirou, e com o suspiro uma chama foi arrancada de seu coração ardente.

Ao chegar ao riacho, cujos balbucios proclamavam os segredos dos campos, sentou-se à margem sob um salgueiro, cujos ramos caíam até as águas como se fossem sugar-lhe a doçura. O rebanho aparava a relva com a cabeça abaixada, e o orvalho da manhã fazia brilhar a brancura do velo das ovelhas.

Quando aquele minuto passou, Ali começou a sentir o coração bater rapidamente e a inquietação tomar conta de seu espírito. Como alguém que é despertado pelos raios do sol, ele se moveu e olhou ao redor. Viu uma moça saindo de entre as árvores, levando um cântaro no ombro. Ela caminhava vagarosamente em direção ao arroio; seus pés descalços estavam molhados pelo orvalho. Quando ela chegou à beira d'água, inclinou-se para encher o cântaro, e, ao olhar em direção à margem oposta, os olhos dela encontraram os de Ali. Ela deu um grito, deixou cair o cântaro e recuou um pouco. Era um gesto de quem torna a encontrar alguém que havia perdido.

Um minuto passou, e os segundos foram como lâmpadas a iluminar o caminho entre aqueles corações. Do silêncio, estranhas melodias surgiram como para envolver os dois jovens no eco de vagas lembranças; eco este que os transportava a outro lugar, cercados de sombras e figuras, longe daquele arroio e daquelas árvores. Um olhou para o outro com olhares de súplica; e cada um encontrou favor nos olhos do outro; cada um escutou o suspiro do outro com os ouvidos do amor.

Conversaram um com o outro, em todas as línguas do espírito. E quando o pleno entendimento e conhecimento iluminou a alma de ambos, Ali atravessou o arroio, atraído para lá por um poder invisível. Aproximou-se da moça, abraçou-a e beijou-lhe os lábios, o colo e os olhos. Ela se deixou ficar nos braços dele, como se a doçura daquele abraço lhe tivesse roubado a vontade, e a leveza do toque lhe tivesse tirado as forças. Ela cedeu como a fragrância do jasmim que cede às correntes do ar. Ela deixou cair a cabeça sobre o peito dele como um ser fatigado que encontra o repouso, e suspirou profundamente. Era um suspiro que expressava o nascimento da felicidade em um coração reprimido, e a agitação da vida naquele que dormia e ora despertava. Ela ergueu a cabeça e olhou nos olhos dele. Era o olhar de quem dispensa a linguagem habitual dos homens e escolhe o silêncio para se expressar — a linguagem do espírito. Era o olhar de quem não aceita que o amor seja uma alma presa num corpo de palavras.

Os dois amantes caminharam entre os salgueiros, e a individualidade de cada um era uma linguagem que falava da indivisibilidade de ambos; um ouvido que escutava em silêncio a inspiração do amor; um olho vidente que vislumbrava a glória da felicidade. As ovelhas os seguiam, comendo a copa das flores e das ervas, e os pássaros vinham de todos os lados saudar os amantes com cantos de encantamento.

Ao chegarem ao fim do vale, o sol já se punha e lançava sobre as montanhas um manto dourado. Os dois jovens sentaram-se junto a uma rocha que protegia as violetas com sua sombra. Depois de um tempo, a moça olhou para os olhos negros de Ali enquanto a brisa tocava os cabelos dele como se lábios invisíveis os estivessem beijando. Era como se a ponta de dedos mágicos lhe acariciasse a língua e os lábios, aprisionando-lhe a vontade. Então, ela falou com uma voz tão doce que machucava:

— Astarte trouxe nossas almas de volta a esta vida, para que as delícias do amor e a glória da juventude não nos fossem proibidas, meu amado.

Ali fechou os olhos, pois a música das palavras da moça cristalizava as formas de um sonho que muitas vezes tivera. Ele sentia que asas invisíveis o levavam para longe daquele lugar, para um lugar de formato estranho. Ele se viu ao lado de um leito em que repousava o corpo de uma bela mulher, cuja beleza a morte havia tomado junto ao calor de seus lábios. Ele gritou angustiado diante daquela cena terrível. Então, abriu os olhos e a encontrou sentada ao seu lado. Nos lábios dela, havia um sorriso de amor e, no olhar, os raios da vida. O rosto de Ali iluminou-se e seu espírito sentiu-se reconfortado; as visões se dispersaram, e ele se esqueceu tanto do passado quanto do futuro...

Os amantes se abraçaram e beberam o vinho dos beijos até ficarem saciados. Dormiram um nos braços do outro, até que as sombras se afastassem e o calor do sol os despertasse.

Yuhanna, O Louco

Nos verões, Yuhanna saía todas as manhãs para o campo conduzindo seus bois e bezerros e carregando um arado nos ombros, enquanto ouvia o canto dos tordos e o murmúrio das folhas nas árvores. Ao meio-dia, ele se sentava ao lado do ribeiro dançante que cortava as terras baixas dos prados verdes. Naquele lugar, tomava sua refeição, deixando migalhas de pão na relva para os pássaros. À noite, quando o sol poente levava consigo a luz do dia, Yuhanna voltava para sua humilde morada defronte às aldeias e vilarejos do norte do Líbano. Sentava-se junto aos pais idosos e escutava em silêncio a conversa e os comentários que faziam sobre os acontecimentos do dia. E, aos poucos, o sono e o cansaço tomavam conta dele.

Durante o inverno, ele se agachava junto à lareira para se aquecer e ouvir o sussurro do vento e o grito dos elementos, pensando em como as estações se sucediam umas às outras. Ele olhava pela janela em direção aos vales cobertos de neve e às árvores despidas de folhas como se fossem uma multidão de indigentes deixados ao relento, à mercê do frio rigoroso e dos ventos fustigantes. Durante as longas noites, ficava acordado até que seus pais estivessem dormindo. Então, abria uma arca de madeira e tirava de lá o livro dos Evangelhos para o ler em segredo ao brilho fraco de uma lâmpada, olhando furtivamente de vez em quando na direção do pai, que o havia proibido de ler aquele livro. Os sacerdotes proibiam as pessoas simples de investigar os segredos dos ensinamentos de Jesus. Se elas o fizessem, a igreja as excomungaria. Assim, Yuhanna passou os dias da juventude entre aquele campo de belezas maravilhosas e o livro de Jesus — repleto de luz e espírito. Sempre que seu pai falava, ele permanecia em silêncio, ouvindo-o, mas sem dizer uma palavra sequer. Muitas vezes, sentava-se com os companheiros de sua idade, em silêncio e com o olhar distante, olhando para onde o crepúsculo da noite encontrava o azul do céu. Quando ia à igreja, voltava com um sentimento de tristeza; pois os ensinamentos que ele ouvia do púlpito e do altar não eram semelhantes aos que lia nos Evangelhos. E a vida levada pelos fiéis e seus chefes não era igual à vida de Jesus de Nazaré, nem ao que era narrado no livro d'Ele.

A primavera voltou aos campos e aos prados, e a neve derreteu. No topo das montanhas, restava ainda um pouco de neve que, por fim, derretia e corria pelas encostas das montanhas, transformando-se em arroios sinuosos que corriam pelos vales e se juntavam formando os rios de corredeira, cujo rugido anunciava a todos que a Natureza despertara. As macieiras e as nogueiras floresciam, e o álamo e o salgueiro estavam carregados de folhas novas. Nos montes, brotavam a relva e as flores. Yuhanna estava cansado daquela vida ao redor da fogueira; os bezerros se inquietavam no pequeno aprisco em que estavam e sentiam fome dos pastos verdes, pois a ração de cevada e palha estava quase terminando. Então, Yuhanna os soltou e os levou ao campo. Carregava consigo a Bíblia sob um manto para que ninguém a visse, até chegar ao prado que descansava sobre o vale, perto dos campos de um mosteiro que se levantava como uma torre em meio às colinas. Ali, seus bezerros se dispersaram para pastar na grama. Yuhanna sentou-se apoiado numa rocha e via o vale em toda sua beleza, enquanto lia as palavras do livro que lhe falavam do Reino dos Céus.

Era um dia próximo ao final da Quaresma, quando os aldeões, que se abstinham de comer carne, esperavam impacientemente a chegada da Páscoa. Mas Yuhanna, como todos os camponeses pobres, não sabia a diferença entre dias de jejum e dias de festa; para ele, a própria vida era um longo dia de jejum. Sua comida nunca fora mais que pão amassado com suor do rosto e frutas compradas com muito sacrifício. Para ele, a abstenção de carne e alimentos ricos era natural. O jejum não lhe trazia a fome do corpo, mas a fome do espírito, pois o fazia lembrar-se da tristeza do Filho do Homem e do fim de Sua vida na Terra.

Ao redor de Yuhanna, os pássaros se agitavam, chamando uns aos outros; por cima dele, os bandos de pombas voavam rapidamente. As flores balançavam suavemente à brisa, banhando-se nos raios quentes do sol. Ele lia o livro, concentrado, e, de vez em quando, erguia a cabeça para ver o domo das igrejas dos vilarejos espalhados pelo vale e para ouvir os sinos. Fechou os olhos e deixou o espírito viajar pelos séculos até à antiga Jerusalém, para acompanhar os passos de Jesus nas ruas, perguntando aos passantes sobre Ele. Eles respondiam e diziam:

— Aqui, Ele curou o cego e fez o paralítico andar. Ali, eles fizeram para Ele uma coroa de espinhos e a colocaram em sua cabeça. Nesta rua, Ele parou e se dirigiu à multidão falando por meio de parábolas. Neste lugar, amarraram-no a um poste, cuspiram-lhe no rosto e O fustigaram. Nesta rua, Ele perdoou os pecados da meretriz. Mais adiante, Ele caiu ao chão sob o peso de sua cruz.

Passavam-se as horas, e Yuhanna sofria pela agonia do corpo do Homem-Deus, e se exaltava com Ele em espírito. Quando Yuhanna se levantou, o sol estava a pino. Ele olhou em volta e procurou seus bezerros por toda parte, perplexo por terem desaparecido naqueles pastos planos. E quando chegou ao caminho que cortava os campos como as linhas da palma de sua mão, viu um homem de preto parado ao longe, no meio dos jardins. Ele se apressou a encontrá-lo e, ao se aproximar, viu que era um dos monges do mosteiro. Yuhanna curvou a cabeça, cumprimentou o monge e perguntou se ele tinha visto seus bezerros nos jardins.

O monge, tentando esconder a raiva, olhou para Yuhanna e respondeu de forma ríspida:

— Sim, eu os vi, eles estão ali; vem e tu os verás.

Yuhanna seguiu o monge até eles chegarem ao mosteiro. Ali, viu os bezerros amarrados por cordas dentro de um curral e guardados por outro monge, que tinha nas mãos um cajado grosso com o qual fustigava os bezerros sempre que se moviam. Quando Yuhanna tentou resgatá-los, o monge o agarrou pelo manto e, virando-se na direção da porta do mosteiro, gritou em voz alta:

— Aqui está o pastorinho culpado; eu o peguei.

Diante daquele grito, os sacerdotes e os monges acorreram de todas as direções, conduzidos por seu Superior, um homem que se distinguia dos companheiros pelo traje de fino material e pelo olhar severo. Eles cercaram Yuhanna como soldados que se juntam após o saque. Yuhanna olhou para o Superior, e com uma voz suave disse:

— O que fiz para que me chamásseis de criminoso, e por que me prendeis?

O Superior respondeu-lhe com uma voz ríspida:

— Tu levaste teus bezerros para pastar em terras do mosteiro, e eles morderam e mastigaram nossas videiras. Nós o prendemos porque és responsável pelos danos causados por seu rebanho.

O rosto do sacerdote se tornava cada vez mais severo enquanto falava. Em seguida, Yuhanna falou, suplicando:

— Padre, eles não passam de criaturas sem inteligência, e eu sou um homem pobre e não possuo nada, exceto a força de meu braço e esses animais. Deixai-me levá-los embora, e prometo não voltar mais a estes prados.

O Padre Superior deu um passo adiante, levantou a mão em direção aos céus e tornou a falar:

— Deus nos colocou neste lugar e nos confiou a guarda desta terra, a terra de Seu escolhido, o grande Elias. Dia e noite, a guardamos com todas as nossas forças, pois é terra santa; aqueles que se aproximarem dela serão consumidos pelo fogo. Se te recusares a prestar contas ao mosteiro, a própria erva se transformará em veneno no estômago de teus animais. Não há escapatória para ti, pois manteremos os bezerros em nosso recinto até que nos pagues até o último fils.

O Superior estava prestes a partir, quando Yuhanna o chamou e disse em voz de súplica:

— Eu vos rogo, meu senhor, por estes dias santos em que Jesus sofreu e Maria chorou de tristeza, que me deixai ir com meus bezerros. Não endureçais o vosso coração contra mim; eu sou pobre, e o mosteiro é rico e poderoso. Ele certamente me perdoará pelo erro e terá compaixão de meu pai, que já está velhinho e depende de mim.

O Superior olhou para ele, com desdém, e disse:

— O mosteiro não te perdoará, nem sequer por um grão, estúpido; não importa se és rico ou pobre. Quem és tu para me falar das coisas sagradas? Nós, apenas nós, conhecemos os segredos dos mistérios ocultos. Para retirar os bezerros destes pastos, terás de pagar a soma de três denários, para nos indenizar por aquilo que eles consumiram.

Yuhanna, então, falou com a voz trêmula:

— Eu não tenho nada, Padre, nada mesmo. Tende pena de mim e de minha pobreza.

O Superior acariciou a barba grossa e retrucou:

— Então, vai e vende parte de tuas terras, e volta com os três denários. Não é melhor para ti entrar no céu sem que tenhas terras do que atrair a ira de Elias com essa discussão sem fim diante de seu altar, e descer ao inferno, onde tudo é fogo eterno?

Yuhanna permaneceu em silêncio por um tempo. Então, em seus olhos brilhou uma luz, e suas feições se expandiram de alegria. Sua atitude mudou, transformando a súplica em força e determinação. Quando falou, foi com uma voz na qual havia a sabedoria e a determinação da juventude:

— Devem os pobres vender os campos que lhes dão o pão, e manter sua existência para encher ainda mais os cofres do mosteiro, pesados de ouro e prata? É justo que os pobres sejam ainda mais pobres e que os miseráveis morram de fome, para que o grande Elias possa perdoar os pecados dos animais famintos?

O Superior sacudiu a cabeça com arrogância.

— Jesus, o Cristo, disse: Pois à pessoa que tem, será dado ainda mais, e terá em abundância; mas à pessoa que não tem, será tirado até o pouco que tem.

Ao ouvir essas palavras, o coração de Yuhanna bateu mais forte no peito, e o espírito do menino elevou-se em estatura. Era como se a terra estivesse crescendo sob seus pés. Ele tirou do bolso sua Bíblia, como um guerreiro que saca sua espada para se defender, e gritou:

— É dessa forma que zombais dos ensinamentos deste Livro, hipócritas, e usais do que é mais sagrado na vida para difundir o mal? Ai de vós, quando o Filho do Homem vier uma segunda vez e deitar em ruínas os vossos mosteiros, espalhar suas pedras pelo vale e queimar com fogo vossos altares e imagens! Ai de vós, pelo sangue inocente de Jesus e pelas lágrimas de Sua mãe, pois eles vos esmagarão e vos levarão até as profundezas do abismo! Ai de vós, que vos prostrais diante dos ídolos de vossa ganância e ocultais sob vosso traje negro a negrura de vossos gestos! Ai de vós, que moveis os lábios em oração, enquanto vossos corações são duros como pedra; que vos humilhais diante do altar, enquanto vossas almas se rebelam contra o vosso Deus! Com vossos corações endurecidos, me trouxestes aqui e me agarrastes como um transgressor, em nome de um pequeno pedaço de pasto que o sol nutriu igualmente para todos. Quando vos rogo em nome de Jesus e vos conjuro nos dias de Sua dor e tristeza, zombais de mim como alguém que fala na ignorância. Tomai então este Livro, examinai-o e mostrai-me em que momento Jesus deixou de perdoar. Lede essa tragédia divina, e dizei-me onde Ele fala sem misericórdia e compaixão. Foi em Seu Sermão da Montanha ou em Seus ensinamentos no templo diante dos perseguidores da meretriz miserável, ou sobre o Calvário — quando Ele abriu os braços na cruz para abraçar toda a humanidade? Olhai para baixo, ó vós, de corações endurecidos; olhai para essas pobres cidades e aldeias, em cujas habitações os doentes padecem sobre os leitos em agonia; em cujas prisões os infelizes passam os dias em desespero; em cujos portões mendigam os miseráveis; em cujas estradas o estrangeiro dorme, e em cujos cemitérios a viúva e o órfão choram. Mas aqui viveis confortavelmente no ócio e na preguiça, desfrutando da renda dos campos e das uvas da videira. Por acaso visitais os doentes e os presos, alimentais os famintos ou dais refúgio ao forasteiro ou conforto aos que sofrem? Não vos contentais com o que tendes e com o que saqueastes dos nossos antepassados? Estendeis as mãos como a víbora estende a cabeça para roubar da viúva o trabalho de suas mãos, e, do camponês, o que guardam para a velhice!

Yuhanna parou de falar para que pudesse recuperar o fôlego. Em seguida, continuou, com a cabeça erguida e com a voz gentil:

— Sois muitos, e eu, apenas um. Fazei como quiserdes. A ovelha pode ser presa dos lobos na calada da noite, mas o sangue dela manchará as pedras do vale até que venha a aurora e o brilho do sol.

Assim falou Yuhanna, e sua voz tinha a força da inspiração; uma força que manteve os monges imóveis e fez com que a raiva e a ira crescessem dentro deles. Eles tremeram de raiva e rangeram os dentes como leões famintos, esperando um sinal do chefe para que caíssem sobre o jovem e o desfizessem em pedaços. Assim permaneceram até que Yuhanna parasse de falar e ficasse em silêncio, como a calmaria que se segue a uma tempestade capaz de quebrar os galhos mais altos das árvores e as plantas mais fortes. Então o Superior, cheio de raiva, gritou:

— Prendam esse miserável pecador. Tirem o livro dele e o metam numa cela escura. Os que maldizem o escolhido do Senhor não devem ser perdoados nem aqui, nem no além.

Os monges caíram sobre Yuhanna como leões sobre sua presa; amarraram-lhe os braços e o levaram para uma pequena cela. E, antes que fechassem a porta, machucaram-no com golpes e pontapés.

Naquele lugar escuro permaneceu Yuhanna, o vencedor, a quem a fortuna entregou ao inimigo como cativo. Por uma pequena abertura na parede, ele olhou para o vale que repousava à luz do sol. Seu rosto se iluminou, e seu espírito sentiu o abraço da resignação divina; uma doce quietude apoderou-se dele. A cela estreita lhe aprisionava o corpo, mas seu espírito estava livre para vagar com a brisa entre os prados e as ruínas. As mãos dos monges haviam machucado seus membros, mas não haviam tocado seus sentimentos mais profundos; neles, ele sentia-se seguro na companhia de Jesus de Nazaré. A perseguição não causa dano ao homem justo; tampouco a opressão destrói aquele que está do lado da verdade. Sócrates bebeu cicuta sorrindo; Paulo se regozijava enquanto era lapidado. Quando nos opomos à consciência oculta, ela nos faz mal. Quando nós a traímos, ela nos julga.

Os pais de Yuhanna souberam o que acontecera com seu único filho. Sua mãe foi até o mosteiro caminhando com a ajuda de um bastão e atirou-se aos pés do Superior. Ela chorou e beijou-lhe as mãos, suplicando para que ele tivesse piedade de seu filho e perdoasse sua ignorância. O Superior levantou os olhos para o céu, como se estivesse acima dos problemas do mundo, e disse à mulher:

— Podemos perdoar a brincadeira de seu filho e mostrar tolerância para com suas tolices, mas o mosteiro possui direitos sagrados que devem ser respeitados. Em nossa humildade, perdoamos as transgressões dos homens, mas o grande Elias não perdoa quem profana seus vinhedos e os que levam seus rebanhos a pastar na terra dele.

A mãe olhou para o Padre enquanto as lágrimas lhe corriam pelas faces envelhecidas e murchas. Ela tirou um colarzinho de prata que tinha em torno do pescoço, colocou-o na mão dele, e disse:

— Eu não tenho nada a não ser este colarzinho, Padre. Foi um presente de minha mãe, no dia do meu casamento. O mosteiro o aceitará como uma expiação pela culpa de meu único filho?

O Superior pegou o colar, colocou-o no bolso e se dirigiu à mãe, enquanto ela beijava as mãos dele em sinal de gratidão:

— Ai desta geração, em que os versículos do livro sagrado tomam o sentido contrário, os filhos se alimentam de uvas verdes e os dentes dos pais já não mordem! Vai agora, boa mulher, e reza por teu filho tolo, para que o céu o cure e lhe devolva a razão.

Yuhanna saiu da cela e caminhou lentamente à frente de seus bezerros e ao lado da mãe, que se apoiava no cajado devido ao peso da idade. Quando chegou à cabana, colocou os bezerros no aprisco e sentou-se à janela em silêncio, olhando para a luz do dia que se desvanecia. Algum tempo depois, ouviu o pai sussurrar estas palavras ao ouvido da mãe:

— Muitas vezes eu te disse, Sara, que nosso filho é fraco da cabeça, mas tu nunca concordaste com isso. Agora não mais me contradirás, pois as atitudes dele justificaram as minhas palavras. O que o reverendo-pai te disse hoje, eu tenho dito há anos.

Yuhanna permaneceu olhando para o Oeste, onde os raios do sol poente davam cor às nuvens pesadas.

II

Era Páscoa, e o jejum dava lugar ao banquete. A nova igreja estava concluída; ela se erguia em meio às casas de Besharry, alta como o palácio de um príncipe entre as habitações humildes dos súditos. O povo se juntou à espera do bispo que viria para dedicar o santuário e consagrar os altares. Quando perceberam que a hora estava próxima, foram recebê-lo em procissão. O bispo entrou com eles na aldeia, em meio ao canto de louvor dos jovens e o canto solene dos sacerdotes, entre o toque dos címbalos e o tilintar dos sinos. Quando o bispo desmontou do cavalo, que estava adornado com uma sela enfeitada e uma rédea de prata, foi recebido pelos religiosos e por pessoas notáveis com pompa, palavras solenes e cantos litúrgicos. Ao chegar à nova igreja, ele foi vestido com um manto sacerdotal bordado de ouro e uma coroa incrustada de joias. Em seguida, recebeu o báculo, de rico entalhe e decorado com pedras preciosas. Percorreu a igreja, cantando e rezando junto aos sacerdotes, em meio ao fumo do incenso perfumado que subia pelo ar e das chamas cintilantes de muitas velas.

Naquele momento, Yuhanna estava entre os pastores e os camponeses numa plataforma elevada, e observava aquele espetáculo com os olhos entristecidos. Suspirou com amargura ao ver, de um lado, roupas de seda e vasos de ouro, turíbulos e lâmpadas de prata; e, de outro, a multidão de pobres e miseráveis que vinham das pequenas aldeias e vilarejos para participar das festividades e da cerimônia de consagração. De um lado, o poder, trajado de veludos e cetins; do outro, a miséria em farrapos e andrajos. Aqui, a riqueza e o poder personificavam a religião com seus cantos e liturgias; ali, um povo fraco, humilde e pobre, divertia-se com os mistérios da Ressurreição. Do fundo daqueles corações partidos, brotavam uma reza silenciosa e sussurros que flutuavam no éter. Aqui, os chefes e os notáveis, a quem o poder deu vida, como a vida cheia dos ciprestes viçosos. Ali, os camponeses submissos, cuja existência era como um barco cujo capitão era a Morte, cujo leme fora partido pelas ondas e cujas velas foram rasgadas pelos ventos, ora subindo, ora afundando entre a ira do abismo e o terror da tormenta. Aqui, a tirania opressora; ali, a obediência cega. Qual deles é pai para o outro? Acaso a tirania é uma árvore forte que só viceja em terreno baixo? E a submissão, um campo abandonado no qual só crescem espinhos?

Yuhanna ocupava o pensamento com essas reflexões dolorosas e torturantes. Apertou os braços contra o peito como se estivesse sem ar, com medo de que o peito se rasgasse para soltar a respiração. E assim ele permaneceu até ao final da cerimônia de consagração, quando todos se dispersaram e seguiram seus caminhos.

Logo, ele começou a sentir como se houvesse um espírito no ar exortando-o a se levantar e falar em seu nome; e, na multidão, um poder que o impelia a pregar diante do céu e da terra.

Yuhanna foi até a extremidade da plataforma e, levantando os olhos, fez um sinal com a mão para os céus. Com uma voz potente que chamou a atenção de todos, gritou:

— Olha, ó Jesus, Homem de Nazaré, que estás sentado no círculo de luz nas alturas. Olha, desde a cúpula azul do céu para esta terra, cujos elementos usaste ontem como manto. Olha para nós, ó fiel lavrador, pois os espinhos do matagal estrangularam as flores, a cujas sementes deste vida com o suor do Teu rosto. Olha, ó bom Pastor, pois o cordeiro fraco que carregavas em Teus ombros foi despedaçado pelas feras selvagens. Teu sangue inocente foi tragado pela terra, e Tuas lágrimas ardentes secaram no coração dos homens. O calor do Teu sopro dispersou-se nos ventos do deserto. Este campo santificado por Teus pés tornou-se um campo de batalha onde os pés dos fortes esmagam a costela dos miseráveis; onde a mão do opressor afoga o espírito do fraco. Os perseguidos gritam da escuridão, e aqueles que se sentam nos tronos a Ti consagrados não prestam atenção ao clamor dos aflitos. Nem o pranto dos enlutados é ouvido por aqueles que pregam Tuas palavras nestes púlpitos. O cordeiro que enviaste como mensageiro do Senhor da Vida tornou-se uma besta furiosa, que fez em pedaços o Cordeiro que levaste nos braços. A palavra de vida que nos trouxeste desde o coração de Deus encontra-se oculta nas páginas dos livros, e no lugar delas ouvimos um grito de terror, que impõe o medo e o pavor em todos os corações. Essas pessoas, ó Jesus, levantaram templos e tabernáculos para a glória do Teu nome e os adornaram com tecidos de seda e ouro fundido. Deixam nus os corpos dos pobres ao relento, mas enchem o ar com o fumo do incenso e das velas. Aqueles que acreditam na Tua divindade tiveram o pão roubado. E embora a ar ecoe os teus salmos e hinos, não se ouvem o grito do órfão e o lamento da viúva. Vem então, ó Jesus, uma segunda vez, e expulsa do templo aqueles que negociam a religião, pois fizeram dela um ninho de víboras por meio da astúcia e da fraude. Vem, e julga esses Césares que tiram do fraco o que é deles e de Deus. Contempla as vinhas que Tua mão direita plantou. Os vermes devoram os rebentos, e as uvas são esmagadas inutilmente. Considera aqueles sobre os quais trouxeste a paz, e vede como estão divididos, como lutam entre si. Nossas almas perturbadas e nossos corações oprimidos se tornaram vítimas de guerras. Nos dias de festa e nos dias santos, os sacerdotes levantam as vozes dizendo glória a Deus nas alturas, paz na terra e alegria a todos os homens. Pode teu Pai celestial ser glorificado quando lábios corruptos e línguas mentirosas proferem Seu nome? Existe paz na terra quando os filhos da dor labutam nos campos e padecem à luz do sol, para alimentar a boca dos fortes e encher a barriga do tirano? Existe alegria entre os homens quando os miseráveis olham para a morte, com os mesmos olhos com que os vencidos olham para o seu libertador? O que é a paz, ó doce Jesus? Está nos olhos da criança, no seio da mãe faminta, nas habitações frias e escuras? No corpo do necessitado que dorme em cama de pedra, desejando o alimento que nunca recebe, mas que é atirado pelos padres a seus porcos cevados? O que é a alegria, ó Jesus? Existe alegria quando um príncipe pode comprar a força dos homens e a honra das mulheres por algumas moedas de prata? Estaria ela nestes escravos silenciosos de corpo e de alma, que ficam deslumbrados com a pompa das ordens religiosas, com as pedras dos anéis e a seda das vestes sacerdotais? Existe alguma alegria nos gritos dos oprimidos, quando os tiranos caem sobre eles com a espada e esmagam os corpos de suas mulheres e filhos com os cascos dos cavalos, nutrindo a terra com sangue? Estende a Tua mão forte, ó Jesus, e salva-nos, pois a mão do opressor pesa sobre nós. Ou dai-nos a Morte, para que ela nos leve à sepultura, onde repousaremos em paz até a Tua segunda vinda, seguros à sombra da Tua cruz. Pois, em verdade, nossa vida é apenas escuridão, onde habitam espíritos malignos; um vale onde serpentes e dragões se divertem. O que são os nossos dias, senão espadas afiadas ocultas pela noite em nossas cobertas de cama e reveladas pela luz da manhã que paira sobre nossas cabeças, sempre que o amor à existência nos conduz aos campos? Tem piedade, ó Jesus, dessas multidões unidas em Teu nome no dia da Ressurreição. Tem compaixão de nossa fraqueza e de nossa humildade.

Assim falou Yuhanna, olhando para o céu enquanto as pessoas o rodeavam. Alguns aprovaram suas as palavras e o elogiaram; outros irritaram-se e o insultaram. Um deles gritou:

— Ele está certo e fala por nós perante o Céu, pois somos oprimidos.

Outro disse:

— Ele está possuído, e fala com a língua de um espírito do mal.

Outro ainda gritou:

— Nossos padres nunca nos disseram tamanhas tolices. Não será agora que vamos ouvi-las.

Um outro sussurrou ao ouvido do vizinho, dizendo:

— Ao ouvir o que dizia, senti um tremor terrível dentro de mim, que me abalou o coração, pois ele falou com um poder estranho.

O amigo respondeu:

— Assim foi. Mas nossos padres sabem mais desses assuntos do que nós. É errado duvidar deles.

Gritos vinham de todas as partes e cresciam como o barulho das ondas do mar, que se espalha e se perde no éter. Então, apareceu um padre, agarrou Yuhanna e o entregou à polícia, que o levou até ao palácio do governador. Quando o interrogaram, ele não disse nada, pois se lembrava de que Jesus ficara em silêncio diante de seus acusadores. Então, jogaram-no numa cela escura na prisão, e ali ele dormiu, encostado na parede de pedra.

Na manhã do dia seguinte, o pai de Yuhanna foi testemunhar diante do governador sobre a loucura do filho.

— Meu senhor — disse ele —, muitas vezes ouvi meu filho falar sozinho sobre coisas estranhas que não existem. Muitas noites, o escutei falando no silêncio palavras desconhecidas, invocando as sombras das trevas com uma voz terrível, como um feiticeiro invocando feitiços. Pergunte aos rapazes do bairro que costumavam andar com ele. Eles sabem que a cabeça do meu filho vivia no mundo do além. Quando falavam com ele, quase nunca os respondia. Quando respondia, as palavras dele eram confusas e fora do assunto. Pergunte o senhor à mãe dele, pois ela, mais do que ninguém, conhece a alma desvairada do filho. Muitas vezes, ela já viu o menino olhando para o horizonte com os olhos vidrados, e o ouviu falar com gosto das árvores, dos córregos, das flores e das estrelas, do mesmo jeito que as crianças falam de suas besteiras. Pergunte aos monges do mosteiro com quem ele brigou ontem, caçoando da bondade deles e fazendo pouco caso do modo de vida sagrado. Ele é louco, meu senhor, mas para sua mãe e para mim ele é um menino bom. Ele nos sustenta na velhice, e provê nossas necessidades com o suor do rosto. Tem misericórdia, senhor, e perdoa, em nome dos pais, as loucuras dele.

Yuhanna foi libertado, e a história de sua loucura se espalhou pelo mundo. Os jovens falavam dele com zombaria. Mas as moças o olhavam com olhos tristes e diziam:

— Os céus são responsáveis por muito daquilo que é estranho nos homens. Nesse rapaz, a beleza se junta à loucura, e a luz de seus lindos olhos se une à escuridão de uma alma doente.

Entre as pradarias e as montanhas, cobertas de flores e plantas, Yuhanna sentou-se junto aos bezerros, fugindo da violência e da rixa dos homens para os bons pastos. Ele olhou com os olhos cheios de lágrimas para as aldeias e os vilarejos que se espalhavam sobre os ombros do vale e, suspirando profundamente, repetiu estas palavras:

— Sois muitos e eu, apenas um. Dizei o que tiverdes de dizer de mim, e fazei comigo o que quiserdes. A ovelha pode ser presa dos lobos na calada da noite, mas o sangue dela manchará as pedras do vale, até que venha a aurora e o brilho do sol.

Sumário

Jesus, o filho do homem

Tiago, filho de Zebedeu	06
Ana, mãe de Maria	10
Asafe, orador de Tiro	12
Maria Madalena	14
Filemom, um boticário grego	17
Simão, denominado Pedro	19
Caifás	23
Joana, esposa do arauto de Herodes	24
Rebeca	25
Um filósofo persa em Damasco	27
Davi, discípulo de Jesus	29
Lucas	30
Mateus	32
João, filho de Zebedeu	35
Um jovem sacerdote de Cafarnaum	37
Um levita rico do arrabaldes de Nazaré	39
Um pastor no sul do Líbano	41
João Batista	43
José de Arimateia	45
Nataniel	49
Sabás de Antioquia	51
Salomé a uma amiga	53
Raquel, uma discípula	55
Cleoba al-Batruni	57
Naamã, o gadareno	59
Tomé	61
Elmadã, o lógico	63
Uma das Marias	64
Rumanos, o poeta grego	65
Levi, um discípulo	67
Uma viúva da Galileia	69
Judas, primo de Jesus	71
Um homem do deserto	73
Pedro	75
Malaquias, um astrólogo da Babilônia	76
Um filósofo	78
Urias, um ancião de Nazaré	79
Nicodemos, o poeta	81

José de Arimateia	84
Georgus de Beirute	85
Maria Madalena	87
Jotam de Nazaré a um romano	88
Efraim de Jericó	90
Barca, mercador de Tiro	91
Fumiá, sacerdotista de Sidom	93
Benjamim, o escriba	95
Zaqueu	96
Jônatas	98
Ana de Betsaida	100
Manassés	103
Jefté de Cesareia	104
João, o discípulo amado	106
Mannus de Pompeia a um grego	108
Pôncio Pilatos	110
Bartolomeu em Éfeso	113
Mateus	115
André	116
Um homem rico	118
João em Patmos	119
Pedro	122
Um sapateiro em Jerusalém	123
Susana de Nazaré	124
José, o justo	131
Filipe	132
Bárbara, a amonita	134
Da mulher de Pilatos a uma senhora romana	135
Um homem dos arrabaldes de Jerusalém	136
Sarquis, um velho pastor grego chamado de "louco"	139
Anás, o sumo sacerdote	141
Uma vizinha de Maria	143
Acás, o corpulento	145
Barrabás	147
Cláudio, um centurião romano	149
Tiago, irmão de Jesus	151
Simão de Cirene	156
Cibória	158
A mulher de Biblos	160
Maria Madalena, trinta anos depois	161
Um homem do Líbano	163

Segredos do coração

A tempestade	170
Escravidão	182
Satanás	185
As sereias	195
Nós e vós	197
O poeta	203
As cinzas das eras e o fogo eterno	206
Entre a noite e a manhã	216
Os segredos do coração	223
Meus conterrâneos	226
Yuhanna, o louco	232
A encantadora Húri	244
Por trás das vestes	248
Meu povo está morto	251
A violeta ambiciosa	257
O crucificado	261
A noite de festa	264
O coveiro	268
O mal com veneno	271
Iram, a Cidade das Altas Colunas	275
O dia do meu nascimento	293
Meditações dolorosas	298
O cortejo	301
O cortejo	310

As ninfas do vale

Marta	314
A cinza das eras e o fogo eterno	324
Yuhanna, o louco	333

Compartilhando propÏ sitos e conectando pessoas
Visite nosso site e fique por dentro dos nossos lançamentos:
www.novoseculo.com.br

facebook/novoseculoeditora
@novoseculoeditora
@NovoSeculo
novo século editora

gruponovoseculo
.com.br

Edição: 1
Fonte: EB Garamond

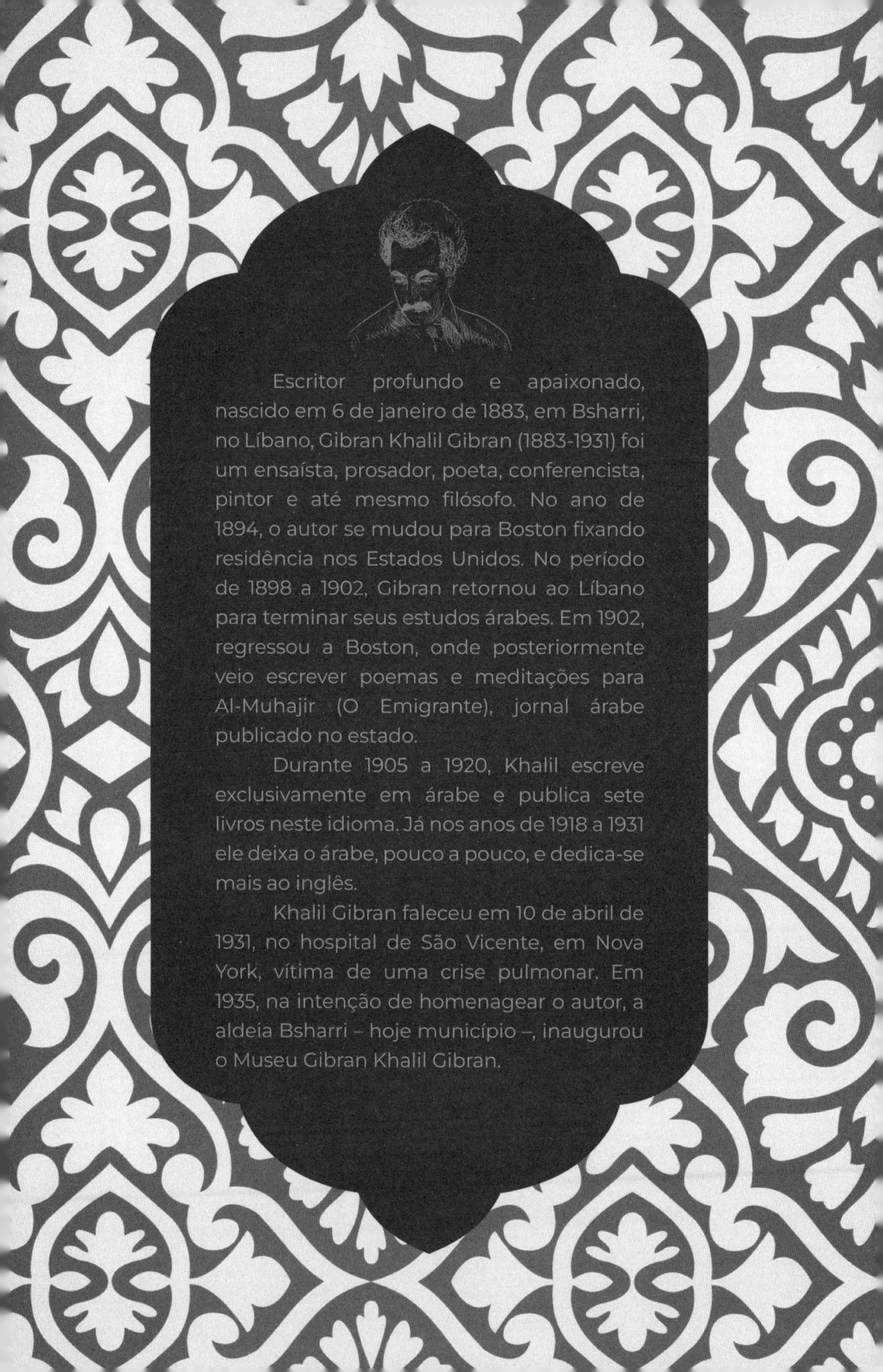

Escritor profundo e apaixonado, nascido em 6 de janeiro de 1883, em Bsharri, no Líbano, Gibran Khalil Gibran (1883-1931) foi um ensaísta, prosador, poeta, conferencista, pintor e até mesmo filósofo. No ano de 1894, o autor se mudou para Boston fixando residência nos Estados Unidos. No período de 1898 a 1902, Gibran retornou ao Líbano para terminar seus estudos árabes. Em 1902, regressou a Boston, onde posteriormente veio escrever poemas e meditações para Al-Muhajir (O Emigrante), jornal árabe publicado no estado.

Durante 1905 a 1920, Khalil escreve exclusivamente em árabe e publica sete livros neste idioma. Já nos anos de 1918 a 1931 ele deixa o árabe, pouco a pouco, e dedica-se mais ao inglês.

Khalil Gibran faleceu em 10 de abril de 1931, no hospital de São Vicente, em Nova York, vítima de uma crise pulmonar. Em 1935, na intenção de homenagear o autor, a aldeia Bsharri – hoje município –, inaugurou o Museu Gibran Khalil Gibran.